# O Belo Autônomo
## Textos clássicos de estética

# Outros livros da FILÕ

## FILÕ

**A alma e as formas**
Georg Lukács

**A aventura da filosofia francesa no século XX**
Alain Badiou

**A ideologia e a utopia**
Paul Ricœur

**O primado da percepção e suas consequências filosóficas**
Maurice Merleau-Ponty

**Relatar a si mesmo**
Crítica da violência ética
Judith Butler

**A sabedoria trágica**
Sobre o bom uso de Nietzsche
Michel Onfray

**Se Parmênides**
O tratado anônimo De Melisso Xenophane Gorgia
Barbara Cassin

**A teoria dos incorporais no estoicismo antigo**
Émile Bréhier

## FILÕAGAMBEN

**Bartleby, ou da contingência**
Giorgio Agamben

**A comunidade que vem**
Giorgio Agamben

**O homem sem conteúdo**
Giorgio Agamben

**Ideia da prosa**
Giorgio Agamben

**Introdução a Giorgio Agamben**
Uma arqueologia da potência
Edgardo Castro

**Meios sem fim**
Notas sobre a política
Giorgio Agamben

**Nudez**
Giorgio Agamben

**A potência do pensamento**
Ensaios e conferências
Giorgio Agamben

## FILÕBATAILLE

**O erotismo**
Georges Bataille

**A parte maldita**
Precedida de "A noção de dispêndio"
Georges Bataille

**Teoria da religião**
Georges Bataille

## FILÕBENJAMIN

**O anjo da história**
Walter Benjamin

**Baudelaire e a modernidade**
Walter Benjamin

**Imagens de pensamento Sobre o haxixe e outras drogas**
Walter Benjamin

**Origem do drama trágico alemão**
Walter Benjamin

**Rua de mão única Infância berlinense: 1900**
Walter Benjamin

## FILÕESPINOSA

**Breve tratado de Deus, do homem e do seu bem-estar**
Espinosa

**Ética**
Espinosa

**Princípios da filosofia cartesiana e Pensamentos metafísicos**
Espinosa

**A unidade do corpo e da mente**
Afetos, ações e paixões em Espinosa
Chantal Jaquet

## FILÕESTÉTICA

**O descredenciamento filosófico da arte**
Arthur C. Danto

**Do sublime ao trágico**
Friedrich Schiller

**Íon**
Platão

**Pensar a imagem**
Emmanuel Alloa (Org.)

## FILÕMARGENS

**O amor impiedoso**
(ou: Sobre a crença)
Slavoj Žižek

**Estilo e verdade em Jacques Lacan**
Gilson Iannini

**Introdução a Foucault**
Edgardo Castro

**Kafka**
Por uma literatura menor
Gilles Deleuze
Félix Guattari

**Lacan, o escrito, a imagem**
Jacques Aubert, François Cheng, Jean-Claude Milner, François Regnault, Gérard Wajcman

**O sofrimento de Deus**
Inversões do Apocalipse
Boris Gunjevic
Slavoj Žižek

## ANTIFILÕ

**A Razão**
Pascal Quignard

**FILO**ESTÉTICA

# O Belo Autônomo
## Textos clássicos de estética

3ª edição
1ª reimpressão

Organizador
Rodrigo Duarte

Copyright da organização © 2012 Rodrigo Duarte e João Gabriel Alves Domingos
Copyright © 2012 Autêntica Editora

Todos os direitos reservados pela Autêntica Editora e pela Crisálida. Nenhuma parte desta publicação poderá ser reproduzida, seja por meios mecânicos, eletrônicos, seja via cópia xerográfica, sem a autorização prévia das Editoras.

COORDENADOR DA COLEÇÃO FILÔ
*Gilson Iannini*

CONSELHO EDITORIAL
*Gilson Iannini* (UFOP); *Barbara Cassin* (Paris); *Carla Rodrigues* (UFRJ); *Cláudio Oliveira* (UFF); *Danilo Marcondes* (PUC-Rio); *Ernani Chaves* (UFPA); *Guilherme Castelo Branco* (UFRJ); *João Carlos Salles* (UFBA); *Monique David-Ménard* (Paris); *Olímpio Pimenta* (UFOP); *Pedro Süssekind* (UFF); *Rogério Lopes* (UFMG); *Rodrigo Duarte* (UFMG); *Romero Alves Freitas* (UFOP); *Slavoj Žižek* (Liubliana); *Vladimir Safatle* (USP)

COORDENAÇÃO EDITORIAL E TEXTOS DE APRESENTAÇÃO
*João Gabriel Alves Domingos*

PROJETO GRÁFICO DE CAPA E MIOLO
*Diogo Droschi*

DIAGRAMAÇÃO
*Conrado Esteves*
*Tamara Lacerda*

REVISÃO
*Dila Bragança de Mendonça*

EDITORA RESPONSÁVEL
*Rejane Dias*

Dados Internacionais de Catalogação na Publicação (CIP)
(Câmara Brasileira do Livro, SP, Brasil)

O belo autônomo : textos clássicos de estética / organizador Rodrigo Duarte . – 3. ed. ; 1. reimp. – Belo Horizonte : Autêntica Editora ; Crisálida, 2015 . – (Coleção Filô/Estética)

Vários autores.
ISBN 978-85-8217-044-1 (Autêntica Editora)
ISBN 978-85-87961-88-4 (Crisálida Livraria e Editora)

1. Estética 2. Filosofia I. Duarte, Rodrigo. II. Série.

12-11528      CDD-111.85

Índices para catálogo sistemático:
1. Estética : Filosofia 111.85

**Belo Horizonte**
Rua Carlos Turner, 420
Silveira . 31140-520
Belo Horizonte . MG
Tel.: (55 31) 3465 4500

**São Paulo**
Av. Paulista, 2.073, Conjunto Nacional, Horsa I
23º andar . Conj. 2301 .
Cerqueira César . 01311-940 São Paulo . SP
Tel.: (55 11) 3034 4468

www.grupoautentica.com.br

**CRISÁLIDA**
Rua da Bahia, 1148 . Sobreloja 63
30160-906 . Belo Horizonte . MG
www.crisalida.com.br

**7.** Prefácio (1ª edição)

**9.** Prefácio (2ª edição)

**11.** A república
Platão (427 a.C.–347 a.C.)

**29.** Poética
Aristóteles (384 a.C.–322 a.C.)

**45.** Sobre o belo (Enéada I, 6)
Plotino (205 a.C.–270 a.C.)

**59.** Contra gentios e Suma teológica
Tomás de Aquino (1225–1274)

**67.** Estética
Alexander Gottlieb Baumgarten (1714–1762)

**89.** Do padrão do gosto
David Hume (1711–1776)

**115.** Crítica da faculdade do juízo
Immanuel Kant (1724–1804)

**149.** Sobre a educação estética do homem
em uma sequência de cartas
Johann Christoph Friedrich Schiller (1759–1805)

**167.** Sistema do idealismo transcendental
Friedrich Wilhelm Joseph von Schelling (1775–1854)

**185.** Cursos de estética
Georg Wilhelm Friedrich Hegel (1770–1831)

**203.** O mundo como vontade e representação
Arthur Schopenhauer (1788–1860)

**227.** Manuscritos econômico-filosóficos e Grundrisse
Karl Marx (1818–1883)

**241.** O nascimento da tragédia
Friedrich Wilhelm Nietzsche (1844–1900)

**265.** O poeta e o fantasiar
Sigmund Freud (1856–1939)

**277.** A obra de arte na era de sua
reprodutibilidade técnica
Walter Benjamin (1892–1940)

**315.** O mundo da arte
Arthur Danto (1924–2013)

**335.** Da arte como poesia
Benedito Nunes (1929–2011)

**355.** Teoria estética
Theodor Adorno (1903–1969)

**375.** Nossa embriaguez
Vilém Flusser (1920–1991)

**385.** O que é o ato de criação?
Gilles Deleuze (1925–1995)

# Prefácio à 1ª edição (1998)

*Rodrigo Duarte*

Esta seleção de textos pretende suprir uma falta facilmente detectável quando se trata de buscar material didático para cursos introdutórios de Estética e Filosofia da Arte, seja de graduação, seja de pós-graduação. Já existem em Português bons manuais – originais e traduções – que, por um lado, facultam sobre o assunto uma boa visão panorâmica; por outro, não permitem o aprofundamento que só um contato direto com as fontes do pensamento estético ocidental pode oferecer. E o visível crescimento do interesse por Estética no Brasil nos últimos anos já determinou por si só a ampliação e o aprofundamento do patamar de apropriação hermenêutico-filosófica da arte, e esse processo não dá sinais de estar prestes a estancar.

A seleção dos textos obedeceu ao critério de importância e centralidade para a sucessão temporal e um possível encadeamento das ideias estéticas, sem descurar sua relação com a forma específica de encarar o fenômeno artístico vivenciada por cada período histórico. Isso acabou por determinar uma certa carência de textos da Antiguidade e da Idade Média – períodos em que ainda não havia uma clara distinção entre o que entendemos por bela arte e o simples ofício ou artesanato – e uma profusão de textos da Idade Moderna para cá. De fato, a partir desse período, grandes filósofos se interessam por – e escrevem diligentemente sobre – aquilo que poderíamos chamar "ascensão e queda" da bela arte. Ascensão porque começa a ocorrer aí o que hoje chamamos de *autonomia da arte* – seu deslindamento da tutela de instâncias extraestéticas (por exemplo, clero e nobreza) –, processo que determinou a percepção de uma especificidade e independência no fenômeno estético nunca antes experienciada; "queda" porque tal processo veio se dirigindo a uma situação como a presente, em que a contrapartida de uma liberdade de criação quase ilimitada por parte do artista é a incerteza quanto à sua sobrevivência numa sociedade em que seu produto é mais uma mercadoria entre milhões de outras. Finalmente, o autor destas linhas não esconde que, nos casos em que não pôde haver um critério objetivo de desempate quanto à inclusão de dois textos de igual relevância, optou-se por aquele de sua preferência pessoal, o que – espera-se – não deve ser empecilho para o alcance dos objetivos propostos.

Optou-se por conservar as notas de rodapé constantes nas edições originais em português, sem acréscimo de outras, de modo que as existentes são do próprio autor (quando não há indicação), ou do editor da publicação original (designada por N.E. entre parênteses), ou do tradutor (designada por N.T. entre parênteses).

A reunião destes textos só se tornou possível graças à compreensão das editoras detentoras dos direitos de tradução dos trechos aqui transcritos (com exceção das traduções especialmente feitas para esta publicação), que gentilmente autorizaram sua reprodução. Agradeço a Mara Marley Santos Sales pela digitação dos textos e a Romero Alves Freitas e a Verlaine Freitas pelas traduções dos trechos de Schelling e Schiller, respectivamente. A Verlaine Freitas agradeço também de forma especial pela competente assessoria prestada na organização definitiva do material apresentado. Agradecimentos especiais devem ser também dirigidos à CAPES, que através de seu Programa de Apoio à Integração Graduação/Pós-Graduação (PROIN), tornou possível a edição desta antologia em forma de livro.

Esperando que este livro cumpra da melhor maneira possível o objetivo almejado, que é o de prestar apoio ao ensino e à pesquisa desta que é uma das mais fascinantes disciplinas filosóficas – a estética –, agradeço também a todas as pessoas que indiretamente ajudaram e/ou estimularam na consecução do trabalho que ora trazemos ao público.

Belo Horizonte, outubro de 1996.

# Prefácio à 2ª edição

*Rodrigo Duarte*

É indescritível a satisfação de, quase quinze anos depois da publicação da 1ª edição de *O Belo Autônomo*, presenciar o surgimento desta 2ª edição, sensivelmente melhorada e ampliada, com a inclusão de novos textos e de novas traduções para textos que já figuravam na versão anterior.

A primeira edição pode ser vista como extremamente bem-sucedida, já que, disponibilizando ao público uma seleção de textos fundamentais da estética e da filosofia da arte, supriu uma importante lacuna no mercado editorial brasileiro. Um indício desse fato é que, num curto espaço de tempo (considerando a média das publicações de filosofia no Brasil) a tiragem inicial se esgotou e, por razões alheias à minha vontade, foi bastante difícil se chegar ao ponto em que agora estamos, de poder apresentar a segunda edição. A principal delas é que a primeira edição fazia parte de um projeto pedagógico financiado pela CAPES e, enquanto tal, teve facilitada a incorporação de traduções reconhecidas dos textos por mim selecionados, mediante a autorização dos detentores dos seus direitos, tendo em vista exatamente o caráter didático da publicação.

Naquela época não era possível prever que haveria uma demanda tão significativa do livro, de norte a sul do País e, quando isso se tornou patente, com o rápido esgotamento da primeira edição, ficou claro também que a transformação do projeto pedagógico inicial numa publicação com características mais "comerciais", se é que se pode empregar a expressão nesse caso, exigiria uma recolocação das condições de negociação de direitos autorais das traduções ou, em alguns casos, também dos próprios textos, já que alguns dos autores representados no livro faleceram em data comparativamente recente.

Esse impasse só começou a se resolver quando a Editora Crisálida resolveu enfrentar todos os desafios implícitos na realização desse projeto, com destaque para João Gabriel Alves Domingos, que se dedicou durante meses a fio a deslindar os entraves para produzir esta segunda edição de *O Belo Autônomo*. É interessante registrar que, mais do que nunca, o projeto adquiriu feições de uma obra coletiva, já que a incorporação de novos textos ou de novas traduções para textos já constantes na primeira edição significou a agregação de pessoas que dela não haviam participado, tais como Daniel Pucciarelli, William Mattioli e Ernani Chaves. Além disso, a oportunidade de repensar a sua ampliação com a inclusão de textos inexistentes na versão anterior[1] deu margem a que as pessoas envolvidas no projeto opinassem sobre as possíveis modificações a serem introduzidas, o que só me aumentou minha satisfação em pensar que *O Belo Autônomo*, mais do que nunca, deixou de ser um projeto mais pessoal para se tornar o de um coletivo concernido com o cultivo e a divulgação da estética filosófica neste País.

Belo Horizonte, março de 2012

---

[1] Se, por um lado, contamos com autores inéditos em relação à edição anterior (Sigmund Freud, Walter Benjamin, Gilles Deleuze, Vilém Flusser, Benedito Nunes – cujo texto foi gentilmente sugerido por Maíra Nassif – e Arthur Danto), por outro, é preciso registrar a retirada, contra nossa vontade (por questões relativas aos direitos autorais), de dois autores fundamentais: Martin Heidegger e Maurice Merleau-Ponty.

**Platão**

A república

# Livro III de A república*

Platão (427 a.C.–347 a.C.)

Tradução
*Carlos Alberto Nunes*

Quais seriam as consequências ético-políticas em aceitar na cidade uma presença autônoma de um discurso orientado pela produção do falso? Se conferimos valor à verdade, não podemos conceder uma completa autonomia ao poeta, ou seja, àquele cujo discurso persegue não o original, mas a imitação. Por isso, "para nosso uso, teremos de recorrer a um poeta ou contador de histórias mais austero e menos divertido, que corresponda aos nossos desígnios, só imite o estilo moderado e se restrinja na sua exposição a copiar os modelos que desde o início estabelecemos por lei, quando nos dispusemos a educar nossos soldados". Ainda atual, o problema é: deve haver uma completa autonomia da arte em relação à ética e à política? No trecho de *A República* (por volta de 380 a.C.) de Platão (427 a.C.–347 a.C.), lemos a famosa passagem em que ocorre a "expulsão do poeta da cidade".

**Temas:** política, ética, ontologia, poesia.

---

\* PLATÃO. *A República*. Belém: Editora da Universidade do Pará, 2000. p.145–163. Agradecemos à EDUFPA por autorizar a utilização do texto.

392 a     Daí precisarmos acabar com essas histórias que podem deixar nossos jovens levianos e maus.

Evidentemente, respondeu.

E agora, continuei, que outra forma de discurso ainda falta analisar, para vermos como deve ou não deve ser enunciado? Já assentamos como precisam ser tratados os deuses, os demônios, os heróis e os que demoram no Hades.

Perfeitamente.

Então, o que ainda falta diz respeito aos homens, não é verdade?

Sem dúvida.

Mas não nos será possível, amigo, pôr isso presentemente em ordem.

Porque seríamos obrigados a dizer, segundo creio, que a respeito

b   dos homens tanto os poetas como os oradores cometem os mais graves erros, quando afirmam terem sido felizes muitos homens injustos, e infelizes muitos justos; que a injustiça é proveitosa, quando não descoberta, e que a justiça, por sua vez, implica dano próprio e vantagem alheia. Teríamos de proibir-lhes tudo isso e recomendar-lhes que cantem e digam justamente o contrário, não te parece?

É assim mesmo que penso, disse.

Mais, uma vez que admites estar eu com a razão neste ponto, terei de concluir que ficaste também de acordo comigo a respeito do que há muito procuramos.

Conclusão muito certa, acrescentou.

c     Se devemos ou não falar dessa maneira a respeito dos homens, é o que só decidiremos quando descobrirmos o que seja a justiça e como pode ela ser naturalmente útil a quem a possui, pouco importando a conta em que é tida essa pessoa.

É muito verdadeiro, disse.

VI – A respeito do assunto, é quanto basta. Agora, acho que devemos considerar o estilo, para determinarmos por maneira completa como deve ser o conteúdo e a forma.

Então, falou Adimanto: Não entendo o que queres dizer com isso.

d     Mas é preciso que entendas, lhe repliquei. Talvez me faça compreender melhor da seguinte maneira: tudo o que os mitólogos e os poetas contam não é um relato de fatos passados, presentes ou futuros?

Que mais poderia ser? perguntou.

E não conseguem esse desiderato ou por simples exposição, ou por imitação, ou por ambos os modos ao mesmo tempo?

A tal respeito, respondeu, precisaria explicação mais particularizada.

Pelo que vejo, lhe falei, sou um professor caricato e nada claro. Vou proceder como os indivíduos que não sabem falar: em vez de

e     considerar a questão em seu conjunto, tomarei apenas uma parte, para mostrar-te o que pretendo. Diz-me uma coisa: não sabes como começa a Ilíada, os versos em que o poeta conta como Crises pediu a Agamémnone que lhe libertasse a filha, e como este se zangou, e

393 a   o outro, por não haver alcançado o que desejava, apelou para o deus contra os Aquivos?

Perfeitamente.

Sabes, portanto, que até ao verso:

*Implora aos Aquivos presentes,*
*sem exceção, mas mormente aos Atridas, que povos conduzem,*

quem fala é o poeta, o qual não procura levar nossa atenção para outra parte nem se esforça por parecer que não é ele, mas outra

b     pessoa que está com a palavra. Porém, logo a seguir, discorre como se ele fosse o próprio Crises, e lança mão de todos os meios para convencer-nos de que não é Homero que parece falar, mas o velho sacerdote. Do mesmo modo procedeu em quase todo o resto de sua narrativa, ao contar-nos o que se passou em Ílio e em Ítaca, como também em toda a Odisseia.

Isso mesmo, disse.

Há narração, por conseguinte, nos dois casos: tanto na reprodução das falas das personagens como nas partes intermédias.

Como não?

c   Mas, quando nos dirige qualquer fala como sendo de outra pessoa, não poderemos dizer que se esforça para deixar sua linguagem, tanto quanto possível, parecida com a da pessoa por ele mesmo anunciada antes que nos iria falar?

É o que diremos, sem dúvida.

Ora, imitar alguém, ou pela palavra ou pelo gesto, não é representar a pessoa imitada?

Sem dúvida.

Sendo assim, num caso como esse, ao que parece, tanto Homero como os demais poetas procedem em suas narrativas por imitação.

Perfeitamente.

Mas, se o poeta nunca se ocultasse, toda a sua narrativa dispensaria a imitação. E para que não nos venhas dizer mais uma vez que não compreendes como possa ser isso, vou explicar-te. Se depois de haver contado que Crises viera com o resgate da filha e suplicara aos Aquivos, principalmente aos dois Atridas, continuasse Homero a falar, não como se ele fosse Crises, porém sempre como Homero, fica sabendo que não se trataria de imitação, mas de uma exposição simples. Seria mais ou menos deste modo; não vou falar em verso, pois não sou poeta: Ao chegar o sacerdote, fez votos para que os deuses lhes concedessem tomar, incólumes, Troia e suplicou que lhe entregassem a filha a troco de resgate e em atenção aos deuses. A essas palavras, todos os Aquivos assentiram com demonstração de reverência; apenas Agamémnone se encolerizou e lhe deu ordem para retirar-se e não mais voltar à sua presença, pois não lhe serviriam de amparo nem o cetro nem as ínfulas sagradas do deus. Antes de ser-lhe a filha libertada, declarou, envelheceria com ele em Argos. Mandou que se fosse embora e deixasse de importuná-lo, caso quisessem voltar salvo para casa. Ao ouvir essas palavras, o velho atemorizou-se e se afastou sem dizer nada. Mas, quando se achou longe do acampamento, orou instantemente a Apolo, invocando-o

d

e

394 a

por todos os seus nomes e pedindo que, se alguma vez se agradara dos templos por ele construídos e das gratas vítimas que lhe sacrificara, lembrado agora disso, vingasse nos Aquivos as lágrimas por ele derramadas. Desse modo, meu caro, sem nenhuma imitação, é que se faz uma narração simples.

Compreendo, disse.

VII – Então, continuei, deves também compreender que segue precisamente o processo oposto quem omite as palavras insertas pelo poeta entre os discursos e deixa apenas o diálogo.

Compreendo também isso, respondeu; é assim que se passa na tragédia.

Apanhaste bem a questão, lhe repliquei, estando eu certo de que vou mostrar-te agora o que antes não me fora possível, a saber: que a poesia e a mitologia podem constar inteiramente de imitação, tal como se dá na tragédia e na comédia, conforme disseste, ou apenas da exposição do poeta. Os melhores exemplos desse tipo de composição encontrarás nos ditirambos; há uma terceira modalidade, em que se dá a combinação dos dois processos: é o que se verifica na epopeia e em muitas outras formas de poesia, se é que me fiz compreender.

Entendo, agora, perfeitamente, disse, o que querias significar.

Procura, então, recordar-te também do que afirmamos antes, que o conteúdo já estava esclarecido, mas faltava examinar a maneira de tratá-lo.

Sim, recordo-me.

Isso, justamente, é o que eu dizia, que precisávamos decidir: se permitiríamos ao poeta apresentar-nos as suas narrativas só por meio da imitação, ou se poderia imitar numas partes e deixar de fazê-lo noutras, e quais seriam elas; ou se qualquer modalidade de imitação lhe seria proibida?

Palpita-me, respondeu, que desejas esclarecer se devemos ou não permitir em nossa cidade a tragédia e a comédia.

Talvez, lhe respondi; talvez até mesmo mais do que isso. Por enquanto, eu próprio o ignoro. Teremos de caminhar por onde soprar a brisa do argumento.

É muito certo o que dizer, observou.

Considera também, Adimanto, se nossos guardas devem ou não devem ser imitadores. Não faz parte do que foi dito antes que cada um só pode sair-se bem em uma única profissão, não em muitas, e que se experimentar as forças em várias a um só tempo, fracassará totalmente e não se distinguirá em nenhuma?

Quem o duvidará?

E não é também o que se observa com a imitação? Poderá a mesma pessoa imitar muitas coisas tão bem como uma só?

É claro que não.

395 a    Dificilmente, portanto, conseguirá alguém exercer ao mesmo tempo, com eficiência, funções importantes ou ser um bom imitador de muitas coisas, pois nem mesmo as duas imitações que tão próximas parecem uma da outra podem ser praticadas com êxito por uma só pessoa; é o exemplo dos autores de comédias e de tragédias. Não disseste neste momento que ambas eram imitação?

Disse: e tens razão em achar que a mesma pessoa não pode sair-se bem nas duas.

Como não poderá ser ao mesmo tempo rapsodo e ator.

Exato.

b    E também não são os mesmos os atores de tragédias e de comédias. Tudo isso é imitação, não te parece?

Imitação.

A natureza humana, Adimanto, se me afigura dividida em pedacinhos ainda menores, de forma que é impossível a qualquer pessoa imitar bem muitas coisas ou fazer as próprias coisas que a imitação reproduz.

É muito certo, observou.

VIII – Se quisermos, portanto, manter de pé a primeira proposição, a saber: que os nossos guardas, dispensados de qualquer outra ocupação, se dedicariam exclusivamente à liberdade da cidade, sem empreenderem senão o que tendesse para esse fim, será preciso que não façam nada mais nem imitem coisa alguma. No caso, porém, de imitarem, deverão fazê-lo desde a meninice o que lhes convier para se tornarem corajosos, temperantes, santos, livres e tudo o mais do mesmo gênero, não devendo praticar nem procurar imitar o que não for nobre nem qualquer modalidade de torpeza, para que por meio de imitação não venham a encontrar prazer na realidade. Já não observaste que a imitação, quando começada em tenra idade e prolongada por muito tempo, se transforma em hábito e se torna uma segunda natureza, passando para o corpo, para a voz e até para a própria inteligência?

Sem dúvida, respondeu.

Não admitiremos, portanto, continuei, que os jovens de que cuidamos com o propósito de fazer deles cidadãos de bem, por isso mesmo que são homens, imitem as mulheres, tanto novas como velhas, ou seja, no ato de insultar qualquer delas o marido, ou quando alguma se ponha a rivalizar com os deuses, por pura jactância; isso, quando estão felizes; ou, na infelicidade, quando se entregam ao choro e a lamentações. Uma mulher doente, ou amorosa, ou em trabalho de parto, é o que nunca lhe permitiremos.

Tens toda a razão, disse.

Nem escravos e escravas, que realizam ocupações servis.

Isso também não.

Nem, ainda, indivíduos maus e pusilânimes, que fazem precisamente o contrário do que determinamos: troca de insultos, zombarias de uns para os outros e palavras obscenas, quer quando sóbrios, quer quando embriagados, e tudo o mais com que por atos ou palavras a si mesmos desagradam ou aos companheiros. Quer parecer-me, também, que não devem habituar-se a imitar a linguagem ou as ações dos loucos. É evidente que terão de conhecer pessoas más e insanas de ambos os sexos, porém não devem fazer nem imitar o que elas fazem.

É muito certo, disse.

Mais um exemplo, continuei: o trabalho de ferreiro ou de qualquer outro artífice, de remadores de trirremes ou de seus comandantes, e tudo o mais que se relaciona com essas atividades, não deverá também ser imitado.

Como fora possível, respondeu, se não lhes é permitido ocupar-se com qualquer outra profissão?

E o seguinte: cavalos a relinchar, touros a mugir, rios murmurantes, e o ruído do mar ou o barulho do trovão, e tudo o mais do mesmo gênero, será para imitar?

Foi-lhes proibido ser loucos ou imitar as ações dos loucos.

Se bem compreendo, prossegui, o que queres dizer, há uma modalidade de estilo narrativo em que poderá exprimir-se o indivíduo de verdadeiro valor, sempre que tiver o que dizer, como há outra que difere inteiramente dela e a que se atém em sua exposição quem, por dotes naturais e educação, for o oposto do primeiro.

Quais são? perguntou.

Sou de parecer, continuei, que, quando o indivíduo equilibrado tem de reproduzir no decurso de sua exposição algum dito ou gesto de homem de bem, esforça-se por falar como se fosse essa mesma pessoa e não se envergonha de imitá-la, principalmente quando a

d    imitação disser respeito a algum ato de firmeza e sabedoria que lhe seja atribuído; com menor disposição e mais raramente o imitará quando o vir cambaleante por efeito de doença ou do amor, ou mesmo por embriaguez ou qualquer outra infelicidade. Quando tiver de haver-se com quem não for digno dele, não se resolverá a imitar seriamente uma pessoa inferior, ou só o fará de passagem, numa ou noutra ação meritória. Sim, terá de envergonhar-se, a uma, por não ter o hábito

e    de imitar gente dessa laia; à outra, porque lhe repugna forçar a sua natureza em moldes inferiores; despreza do fundo da alma semelhante procedimento, a não ser como brinquedo.

É natural, replicou.

IX – Sendo assim, adotará um modo de narração semelhante ao que há pouco nos referimos, quando tratamos dos versos de Homero, vindo a participar sua exposição dos dois processos, a imitação e a narração simples, porém a primeira como parte mínima numa narrativa longa. Ou não terá sentido o que eu disse?

Tem muito, até; assim é que precisará ser o expositor por nós idealizado.

397 a    Nessas condições, continuei, quanto mais aquém desse ideal ficar o narrador, maior quantidade de coisas imitará, sem nada considerar indigno de si próprio, de forma que procurará imitar tudo com o maior empenho e na presença de todo o mundo, não apenas o a que há momentos nos referimos: o trovão, o barulho dos ventos e da saraiva, o chiar dos eixos e das polias, como também o som das trombetas, das flautas, das gaitas e dos demais instrumentos, a voz

b    dos cães, das ovelhas e dos pássaros. Desse modo, toda a sua exposição constará simplesmente da imitação de vozes e de gestos, com o mínimo possível de narração.

Necessariamente terá de ser assim.

Daí ter eu dito que há duas maneiras de narrar.

Sem dúvida.

Uma delas só em grau muito reduzido permite modificações; uma vez alcançada a harmonia e o ritmo convenientes, o bom expositor c manterá sempre o mesmo estilo da harmonia inicial, que, aliás, não admite variações de vulto. Vale o mesmo com relação ao ritmo.

É muito certo o que disseste, respondeu.

E com respeito à outra modalidade? Ao contrário da primeira, não exigirá todas as harmonias e todos os ritmos, se tiver de ser feita a exposição como é preciso que o seja, por isso mesmo que abrange toda sorte de modificações?

Exatamente.

Ora, os poetas e, de modo geral, as pessoas que expõem alguma coisa por meio da palavra, não se valem de um ou outro desses modos de expressão ou da combinação de ambos?

Necessariamente, disse.

d Então, como faremos? perguntei. Admitiremos na cidade todos os gêneros, ou um só dos gêneros puros, ou a mistura dos dois?

Se prevalecer minha maneira de pensar, disse, apenas um dos puros, o que imita as pessoas moderadas.

No entanto, Adimanto, o estilo misto é bem interessante e muito do gosto das crianças e de seus preceptores, o que também se observa com a grande maioria do povo.

É muito interessante, realmente.

Mas, sem dúvida, observei, irás dizer que esse estilo não convém e à nossa cidade, por não haver entre nós homens duplos nem múltiplos, visto ter cada pessoa apenas uma ocupação.

Não convém, de fato.

Eis a razão de somente nessa cidade verificarmos que o sapateiro é exclusivamente sapateiro, não piloto com o conhecimento de sapateiro; o lavrador é só lavrador, não juiz com conhecimento de agricultura; como é apenas combatente o guerreiro, sem ser comerciante que entenda de arte bélica, e assim com tudo o mais.

É muito certo, disse.

398 a Nessas condições, se viesse à nossa cidade algum indivíduo dotado da habilidade de assumir várias formas e de imitar todas as coisas, e se propusesse a fazer uma demonstração pessoal com seu poema, nós o reverenciaríamos como a um ser sagrado, admirável e divertido, mas lhe diríamos que em nossa cidade não há ninguém como ele nem é conveniente haver; e, depois de ungir-lhe a cabeça com mirra e de adorná-lo com fitas de lã, o poríamos no rumo de qualquer outra cidade.

b Para nosso uso, teremos de recorrer a um poeta ou contador de histórias mais austero e menos divertido, que corresponda aos nossos desígnios, só imite o estilo moderado e se restrinja na sua exposição a copiar os modelos que desde o início estabelecemos por lei, quando nos dispusemos a educar nossos soldados.

Sim, respondeu; é o que faríamos, se tivéssemos poder para tanto.

E com isso, meu caro, continuei, quer parecer-me que esgotamos a parte da música relativa aos discursos e às fábulas, pois já tratamos do conteúdo e da forma.

É também o que eu penso, disse.

c X – Agora, prossegui, só nos resta tratar do canto e da melodia.

Sem dúvida.

A esse respeito, por coerência com o que ficou exposto, todo o mundo descobrirá, de pronto, o que é preciso dizer e como devem ser ambos.

Pondo-se a rir, falou Glauco: Receio muito, Sócrates, que esse Todo o mundo não me abranja. Neste momento, pelo menos, não saberei dizer como ambos devem ser, apesar de fazer minhas conjecturas.

d De qualquer forma, lhe disse, desde já podes afirmar com segurança que uma canção se compõe de três partes: texto, melodia e ritmo.

Isso é verdade, respondeu.

Com relação às palavras, não há diferença entre elas e as que não são cantadas, pois, de qualquer modo, todas terão de ser enunciadas segundo os princípios de que já tratamos, não é verdade?

Exato.

O ritmo e a melodia terão de acompanhar as palavras.

Sem dúvida.

Mas, já dissemos acima, que não temos necessidade de queixas e lamentações em nosso texto.

É fato.

e Quais são as harmonias tristes? És músico; achas-te, portanto, em condições de enumerá-las.

A lidiana mista, disse, a lidiana aguda e outras do mesmo estilo.

Essas, então lhe falei, serão excluídas, por inúteis até mesmo para mulheres, que terão de ser moderadas; quanto mais para homens!

Perfeitamente.

A embriaguez, também, é imprópria para os guardas; a moleza e a indolência.

Como não?

E quais são as harmonias moles e usadas nos banquetes?

São denominadas moles, disse, a ioniana e uma variedade lidiana.

399 a     E essas, amigo, poderão ser de alguma utilidade para guerreiros?

De jeito nenhum, respondeu. Mas, ao que parece, só te sobraram a dórica e a frígica.

De harmonia nada entendo, lhe falei; mas resta-nos a modalidade indicada para imitar como convém a voz e a expressão do indivíduo que se comporta virilmente na guerra ou em qualquer situação difícil, e que, ao perceber em perigo sua causa, seja para ir de encontro a

b     ferimentos e à morte, seja quando se vê a braços com qualquer outra infelicidade, persevera no seu posto e enfrenta resoluto a sorte adversa. Reservemos a outra para ser por ele usada em tempo de paz, na execução de qualquer ato espontâneo, não porém, violento, mas nas atividades cotidianas, quando insiste junto de alguém ou procura convencê-lo, nas súplicas dirigidas a Deus ou na doutrinação e admoestação de qualquer pessoa, ou, pelo contrário, quando se mostra sensível a pedidos, lições ou advertências de terceiros, de acordo com os quais pauta o seu pro-

c     ceder, sem revelar orgulho e em todas as circunstâncias se comporta com modéstia e sabedoria, sempre satisfeito com os resultados obtidos. Essas duas modalidades de harmonia: a violenta e a voluntária, são as mais adequadas para imitar a linguagem da infelicidade e da felicidade, da sabedoria e da bravura; com essas é que precisamos ficar.

As que resolveste conservar, me disse, são justamente as duas a que há pouco me referi.

Por isso mesmo, observei, não precisaremos empregar em nossas canções e melodias instrumentos de muitas cordas e capazes de todas as tonalidades.

Acho também que não.

d     Sendo assim, não precisaremos sustentar fabricantes de triângulos e de harpas ou de instrumentos outros de muitas cordas, capazes de todas as harmonias.

Parece-me que não.

E agora: admitirás na cidade fabricantes ou tocadores de flauta? Não é a flauta o instrumento da maior quantidade de sons, não passando de simples imitação dela os instrumentos de muitas harmonias?

**PLATÃO** A REPÚBLICA

23

É evidente, respondeu.

Restam-te, por conseguinte, observei, para uso na cidade, apenas a lira e a cítara, e, para os pastores do campo, uma espécie de flauta de Pan.

Pelo menos, é a conclusão a que nos leva nosso argumento.

e     Aliás, meu caro amigo, lhe repliquei, não faremos nada de extraordinário preferindo Apolo e os instrumentos de Apolo a Mársias com os dele.

Não, por Zeus, me disse; essa, também, é a minha maneira de pensar.

Pelo cão! continuei; sem o percebermos expungimos outra vez nossa cidade das delícias de que há momentos a acusávamos.

E o fizemos com sabedoria, observou.

XI – Então, lhe falei, prossigamos em nosso trabalho de expurgo. Depois das harmonias, segue-se naturalmente o que diz respeito aos ritmos; não devemos procurar ritmos variados nem metros de toda a espécie, mas apenas determinar quais são os ritmos próprios para ex-

400 a     primir a vida bem regulada e corajosa e, uma vez descobertos, adaptar o metro e a melodia às palavras, não o contrário, o texto ao metro e à melodia. Como fizeste com as harmonias, a ti é que compete dizer quais são esses ritmos.

Por Zeus, replicou, não sei o que diga. O que por observação própria poderei adiantar é que há três formas fundamentais na composição dos metros, como há quatro nas dos sons, de que se originam todas as harmonias. Mas quais sejam as que imitam estas ou aquelas formas particulares da vida, é que não saberei dizer.

b     A esse respeito, observei, depois consultaremos Damão, para saber quais movimentos são indicados à baixeza, à insolência, à insânia e a outras variedades, e que ritmos devem ser reservados para as qualidades contrárias. Tenho vaga ideia de que certa vez ele me falou de um ritmo composto, a que deu o nome de enóplio, de um dáctilo, de um heroico, que dispunha não sei como, igualando as subidas e as quedas, para

c     terminarem em longas e curtas; falou também, se não me engano, de um iambo e de um tal troqueu, aos quais atribuía quantidades longas e curtas. Se mal não me lembro, em alguns desses metros ele criticava ou elogiava tanto a medida como o ritmo, ou talvez mesmo a combinação dos dois. Mas, como disse, deixemos essa parte para Damão; destrinçar semelhante assunto é matéria que exige muito tempo, não te parece?

Muito, por Zeus.

Uma coisa, no entanto, saberás distinguir: que a aparência graciosa ou desgraciosa é sempre decorrência do ritmo ou de sua falta.

Como não?

d      Mas a presença e a falta de ritmo resultam da boa ou da ruim maneira de falar, respectivamente, valendo o mesmo para a harmonia e a falta de harmonia, a estar certo o que dissemos há pouco, que o ritmo e a harmonia é que têm de regular-se pelas palavras, não o inverso, as palavras pelo ritmo e pela harmonia.

Sem dúvida, respondeu; estes é que terão de acompanhar o discurso.

E a respeito da maneira de falar, perguntei, e do seu próprio conteúdo, não dependem da disposição da alma?

É evidente.

E tudo o mais, não depende do discurso?

Sim.

e      Desse modo, a beleza do estilo, a harmonia, a graça e o ritmo decorrem da simplicidade da alma, não no sentido com que eufemisticamente designamos a tolice, mas no verdadeiro, do caráter ornado de beleza e bondade.

É muito certo, disse.

Assim, de todos os modos deverão os moços esforçar-se por adquirir essas qualidades, se quiserem cumprir bem sua missão.

É o que terão, sem dúvida, de fazer.

401 a    Cheia delas está a pintura e todos os trabalhos dessa natureza, a arte do tecelão, a do bordador e a do arquiteto, bem como a manufatura de objetos em geral, a estrutura dos corpos e o conjunto das plantas: em tudo se nota proporção ou desgraciosidade. A falta de graça, de ritmo ou de harmonia é parente próxima da linguagem viciosa e dos maus costumes, assim como seus contrários o são das qualidades opostas: a ponderação e a retidão de conduta; irmãs e cópias fiéis.

Muitíssimo certo, respondeu.

b      XII – Mas, teremos de restringir nossa vigilância apenas aos poetas, para obrigá-los a só apresentar em suas composições modelos de bons costumes, sem o que deverão abster-se de compor entre nós, ou precisaremos estender aos demais artistas essa fiscalização, para impedi-los de representar o vício, a intemperança, a baixeza, a indecência, tanto na pintura da vida como na das construções e em todos os trabalhos dos artesãos, ficando proibido de exercer sua atividade entre nós quem não puder obedecer a essas determinações? É de temer que venham a crescer os guardas no meio de imagens do vício, como num pasto

c  nocivo, em que colham e ingiram pequenas porém reiteradas doses de veneno das mais variadas espécies, do que resulta causarem na alma, imperceptivelmente, dano irreparável. Não; só devemos procurar os artistas felizmente dotados e capazes de descobrir por toda a parte o rastro do belo e do gracioso, para que nossos jovens, à maneira dos moradores de lugares sadios, tirem vantagem de tudo e que apenas as impressões de coisas belas lhes possam atingir os olhos ou os ouvidos,

d  tal como se dá com a brisa benéfica que sopra de uma região salubre, e os levem, desde a infância, insensivelmente, a amar e imitar os belos discursos e a se harmonizarem com eles.

Não poderiam ser educados, disse, por maneira mais bela.

E não é nisso, precisamente, Glauco, continuei, que consiste a superioridade da educação musical, por calarem fundo na alma o ritmo e a harmonia e aderirem nela fortemente? E porque servem de veículo ao decoro, não deixam honesta a alma, sempre que for bem orientada

e  a educação? Caso contrário, o oposto é o que se observa. E também pelo fato de perceber com acuidade quem nesse domínio desfruta de educação adequada, o que é falho menos belo nas obras de arte ou nas da natureza, e com mal-estar justificado, por esse fato, passa a elogiar as

402 a  coisas belas e a acolhê-las alegremente na alma, para delas alimentar-se e tornar-se nobre e bom, e a censurar, com toda a justiça, o feio, dedicando-lhe ódio nos anos em que ainda careça de entendimento para compreender a razão do fato; mas, uma vez chegada a razão, dar-lhe-á as boas vindas com tanto maior alegria, por se lhe ter tornado familiar em todo o processo de sua educação.

Eu, pelo menos, disse, considero essas, precisamente, as vantagens da educação musical.

O mesmo acontece, continuei, quando aprendemos a ler, pois só nos tornamos fortes depois de sabermos distinguir as letras, apesar de serem poucas, em todas as combinações em que elas ocorrem, sem

b  desprezá-las por insignificantes, quer ocupem grande, quer pequeno espaço, como se não fossem dignas de consideração, e nos esforçamos por compreendê-las onde quer que apareçam, visto não haver jeito de chegarmos a ser bons leitores sem passarmos por essa fase inicial do estudo.

É muito certo.

E não é também verdade que não reconheceremos as imagens das letras, quer nos apareçam na água, quer no espelho, se não conhecermos antes as próprias letras, por ser tudo isso objeto da mesma arte e do mesmo estudo?

Exatamente.

Ora bem! Do mesmo modo, pelos deuses! o que digo é que nunca

c  poderemos tornar-nos músicos, nem nós nem os guardas cuja educação vai ficar a nosso cargo, antes de sabermos distinguir as formas da temperança, da coragem, da liberdade, da generosidade e de todas as outras virtudes suas irmãs, bem como as de seus contrários, onde quer que nos surjam, e de reconhecer que são elas mesmas que ali se encontram, elas e suas imagens, sem desprezar nenhuma, nem nas pequenas nem nas grandes manifestações, por admitirmos que todas elas fazem parte da mesma arte e do mesmo estudo.

Necessariamente, observou.

d  Continuemos, lhe falei. Quando se der a ocorrência de belos traços da alma que correspondam e se harmonizem com um exterior impecável, por participarem do mesmo modelo fundamental, não constituirá isso o mais belo espetáculo para quem tiver olhos de ver?

O mais belo, sem dúvida.

Porém, o mais belo é também o mais amável, não é verdade?

Como não?

Logo, os indivíduos mais perfeitos sob esse aspecto terão de ser amados do músico, não o sendo, por seu lado, os dissonantes.

Não o serão, respondeu; máxime se se tratar de algum defeito da alma; porque, se for apenas do corpo, essa pessoa saberá dar o devido desconto e se esforçará por amá-lo.

e  Compreendo, lhe disse; é que tens, ou já tiveste, algum amado nessas condições, com o que só posso concordar contigo. Mas, diz-me uma coisa: haverá alguma afinidade entre a temperança e o abuso do prazer?

Como poderia haver, respondeu, se o prazer perturba a alma tanto quanto a dor?

E com relação à virtude em geral?

403 a  De forma alguma.

Não? E com a arrogância e a incontinência?

Sim, com essas, muitíssima afinidade.

E seria capaz de citar um prazer maior e mais violento do que o prazer do amor?

Não, respondeu; nem mais furioso.

Ao passo que o verdadeiro amor e amante da sabedoria e da beleza, temperante e músico ao mesmo tempo.

Sem dúvida, respondeu.

Assim, não deverá aproximar-se do verdadeiro amor nem a loucura nem o que tiver afinidade com a incontinência.

É muito certo.

b    Logo, esse prazer, também, não deverá aproximar-se do amor, como não devem ter o menor contato com aquele o amante e o amado ligados por legítima afeição.

Sim, por Zeus, disse; não deverá aproximar-se.

De tudo isso podemos concluir que terás de estabelecer por lei, na cidade por nós fundada, que o amante só deverá beijar o amado, conviver com ele ou tocar nele como se se tratasse de um filho, por amor ao belo, e assim mesmo somente de alcançar o seu consentimento; em tudo o mais, as relações com o jovem a quem se afeiçoou nunca devem
c    dar aso à suspeita de que foram além desse limite; caso contrário, será tido na conta de indivíduo grosseiro e carente de educação musical.

De inteiro acordo, respondeu.

E agora, perguntei, não te parece que chegamos ao fim de nossa exposição sobre a música? Pelo menos terminou onde deveria terminar, pois a música deve acabar no amor ao belo.

**Aristóteles**

Poética

# Poética*

## Aristóteles (384 a.C.–322 a.C.)

Tradução
*Eudoro de Souza*

Se abordamos a fruição de uma obra, devemos também analisar a sua estrutura narrativa. Por exemplo, como e quais eventos podem ser imitados pela poesia? E o que distingue a tragédia da comédia? Quais elementos da tragédia são responsáveis pela produção de efeitos emotivos singulares em seu espectador? "É, pois, a Tragédia imitação de uma ação de caráter elevado, completa e de certa extensão, em linguagem ornamentada e com as várias espécies de ornamentos distribuídas pelas diversas partes [do drama], [imitação que se efetua] não por narrativa, mas mediante atores, e que, suscitando o 'terror e a piedade, tem por efeito a purificação dessas emoções'". No trecho da *Poética* (335 a.C.) de Aristóteles (384 a.C.–322 a.C.) apresentado a seguir ao leitor, lemos sobre temas perenes na reflexão estética como a *mímesis*, a relação da filosofia com a arte e a *catharsis*.

**Temas:** drama, tragédia, comédia, *catharsis*, *mímesis*.

---

* ARISTÓTELES. *Poética*. Capítulo I ao XII. Ars Poetica Editora, 1981. p. 17-63. Agradecemos à Editora Ars Poetica por autorizar a utilização do texto.

## Poesia é imitação. Espécies de poesia imitativa, classificadas segundo o meio da imitação.

1447 a   1. Falemos da poesia – dela mesma e das suas espécies, da efetividade de cada uma delas, da composição que se deve dar aos Mitos, se quisermos que o poema resulte perfeito, e, ainda, de quantos e quais os elementos de
10   cada espécie e, semelhantemente, de tudo quanto pertence a esta indagação – começando, como é natural, pelas coisas primeiras.

2. A Epopeia, a Tragédia, assim como a poesia ditirâmbica e a
15   maior parte da aulética e da citarística, todas são, em geral, imitações. Diferem, porém, umas das outras, por três aspectos: ou porque imitam por meios diversos, ou porque imitam objetos diversos ou porque imitam por modos diversos e não da mesma maneira.

3. Pois tal como há os que imitam muitas coisas, exprimindo-se com cores e figuras (por arte ou por costume), assim acontece nas so-
20   breditas artes: na verdade, todas elas imitam com o ritmo, a linguagem e a harmonia, usando estes elementos separada ou conjuntamente. Por exemplo, só de harmonia e ritmo usam a aulética e a citarística
25   e quaisquer outras artes congêneres, como a siríngica; com o ritmo e sem harmonia, imita a arte dos dançarinos, porque também estes, por ritmos gesticulados, imitam caracteres, afetos e ações.

4. Mas [a Epopeia e] a arte que apenas recorre ao simples verbo, quer metrificado quer não, e, quando metrificado, misturando metros
1447 b   entre si diversos ou servindo-se de uma só espécie métrica – eis uma arte que, até hoje, permaneceu inominada. Efetivamente, não temos

10 denominador comum que designe os mimos de Sófron e de Xenarco, os diálogos socráticos e quaisquer outras composições imitativas, executadas mediante trímetros jâmbicos ou versos elegíacos ou outros versos que tais. Porém, ajuntando à palavra "poeta" o nome de uma só espécie métrica, aconteceu denominarem-se a uns de "poetas elegíacos", a outros de "poetas épicos", designando-os assim, não pela imitação
15 praticada, mas unicamente pelo metro usado.

5. Dessa maneira, se alguém compuser em verso um tratado de medicina ou de física, esse será vulgarmente chamado "poeta"; na verdade, porém, nada há de comum entre Homero e Empédocles, a não ser a metrificação: aquele merece o nome de "poeta", e este, o de
20 "fisiólogo", mais que o de poeta. Pelo mesmo motivo, se alguém fizer obra de imitação, ainda que misture versos de todas as espécies, como o fez Querémon no *Centauro*, que é uma rapsódia tecida de toda a casta de metros, nem por isso se lhe deve recusar o nome de "poeta".

6. Fiquem assim determinadas as distinções que tínhamos de estabelecer. Poesias há, contudo, que usam de todos os meios sobreditos;
25 isto é, de ritmo [25], canto e metro, como a poesia dos ditirambos e dos nomos, a Tragédia e a Comédia – só com uma diferença: as duas primeiras servem-se juntamente dos três meios, e as outras, de cada um por sua vez. Tais são as diferenças entre as artes, quanto aos meios de imitação.

## II
## Espécies de poesia imitativa, classificadas
### segundo o objeto da imitação.

1448 a     7. Mas, como os imitadores imitam homens que praticam alguma ação, e estes, necessariamente, são indivíduos de elevada ou de baixa índole (porque a variedade dos caracteres só se encontra nessas diferenças [e, quanto a caráter, todos os homens se distinguem pelo vício ou pela virtude]), necessariamente também sucederá que os poetas imitam
5 homens melhores, piores ou iguais a nós [5], como o fazem os pintores: Polignoto representava os homens superiores; Pauson, inferiores; Dionísio representava-os semelhantes a nós. Ora, é claro que cada uma das imitações referidas contém essas mesmas diferenças, e que cada uma delas há de variar, na imitação de coisas diversas, dessa maneira.

8. Porque tanto na dança como na aulética e na citarística pode haver
10 ver tal diferença; e, assim, também nos gêneros poéticos que usam, como

meio, a linguagem em prosa ou em verso [sem música]: Homero imitou homens superiores; Cleofão, semelhantes; Hegêmon de Taso, o primeiro que escreveu paródias, e Nicócares, autor da *Delíada*, imitaram homens inferiores. E a mesma diversidade se encontra nos ditirambos e nos nomos,
15 como o mostram [Ar]ga, Timóteo e Filóxeno, nos *Ciclopes*.

9. Pois a mesma diferença separa a Tragédia da Comédia; procura, esta, imitar os homens piores, e aquela, melhores do que eles ordinariamente são.

## III
## Espécies de poesia imitativa, classificadas segundo o modo da imitação: narrativa, mista, dramática. Etimologia de "drama" e "Comédia".

10. Há ainda uma terceira diferença entre as espécies [de poesias]
20 imitativas, a qual consiste no modo como se efetua a imitação. Efetivamente, com os mesmos objetos, quer na forma narrativa (assumindo a personalidade de outros, como o faz Homero, ou na própria pessoa, sem mudar nunca), quer mediante todas as pessoas imitadas, operando e agindo elas mesmas. Consiste, pois a imitação nessas três diferenças, como ao princípio dissemos – a saber: segundo os meios, os objetos
25 e o modo. Por isso, num sentido, é a imitação de Sófocles a mesma que a de Homero, porque ambos imitam pessoas de caráter elevado; e, noutro sentido, é a mesma que a de Aristófanes, pois ambos imitam pessoas que agem e obram diretamente.

11. Daí o sustentarem alguns que tais composições se denominam *dramas*, pelo fato de se imitarem *agentes* [*dróntas*]. Por isso, também, os
30 Dórios para si reclamam a invenção da Tragédia e da Comédia; a da Comédia, pretendem-na os megarenses, tanto os da metrópole, do tempo da democracia, como os da Sicília, porque lá viveu Epicarmo, que foi muito anterior a Quiônidas e Magnes; e da Tragédia também se dão por inventores alguns dos dórios que habitam o Peloponeso: dizem eles que,
35 na sua linguagem, chamam *kômai* às aldeias que os atenienses denominam *dêmoi*, e que os "comediantes" não derivam seu nome de *komázein* mas, sim, de andarem de aldeia em aldeia (*kómas*), por não serem tolerados na
1448b cidade; e dizem também que usam o verbo *drân* para [1448b] significar o "fazer", ao passo que os atenienses empregam o termo *práttein*.

12. Damos por dito tudo que se refere a quantas e quais sejam as diferenças da imitação poética.

34

# IV
## Origem da poesia. Causas. História
## da poesia trágica e cômica.

13. Ao que parece, duas causas, e ambas naturais, geraram a poesia. O imitar é congênito no homem (e nisso difere dos outros viventes, pois, de todos, é ele o mais imitador, e, por imitação, aprende as primeiras noções), e os homens se comprazem no imitado.

14. Sinal disso é o que acontece na experiência: nós contemplamos com prazer as imagens mais exatas daquelas mesmas coisas que olhamos com repugnância, por exemplo, [as representações de] animais ferozes e [de] cadáveres. Causa é que o aprender não só muito apraz aos filósofos, mas também, igualmente, aos demais homens, se bem que menos participem dele. Efetivamente, tal é o motivo por que se deleitam perante as imagens: olhando-as, aprendem e discorrem sobre o que seja cada uma delas, [e dirão], por exemplo, "este tal". Porque, se suceder que alguém não tenha visto o original, nenhum prazer lhe advirá da imagem, como imitada, mas tão-somente da execução, da cor ou qualquer outra causa da mesma espécie.

15. Sendo, pois, a imitação própria da nossa natureza (e a harmonia e o ritmo, porque é evidente que os metros são partes do ritmo), os que ao princípio foram mais naturalmente propensos para tais coisas pouco a pouco deram origem à poesia, procedendo desde os mais toscos improvisos.

16. A poesia tomou diferentes formas, segundo a diversa índole particular [dos poetas]. Os de mais alto ânimo imitam as ações nobres e das mais nobres personagens; e os de mais baixas inclinações voltaram-se para as ações ignóbeis, compondo, estes, vitupérios, e aqueles, hinos e encômios. Não podemos, é certo, citar poemas desse gênero, dos [poetas que viveram] antes de Homero, se bem que, verossimilmente, muitos tenham existido; mas, a começar em Homero, temos o *Margites* e outros poemas semelhantes, nos quais, por mais apto, se introduziu o metro jâmbico (que ainda hoje assim se denomina porque nesse metro se injuriavam [*iámbizon*]). De modo que, entre os antigos, uns foram poetas em verso heroico, outros o foram em verso jâmbico.

17. Mas Homero, tal como foi supremo poeta no gênero sério, pois se distingue não só pela excelência como pela feição dramática das suas imitações, assim também foi o primeiro que traçou as linhas

fundamentais da Comédia, dramatizando, não o vitupério, mas o ridículo. Na verdade, o *Margites* tem a mesma analogia com a Comédia que têm a *Ilíada* e a *Odisseia* com a Tragédia.

1449 a

18. Vindas à luz a Tragédia e a Comédia, os poetas, conforme a própria índole os atraía para este ou aquele gênero de poesia, uns, em vez de jambos, escreveram Comédias, outros, em lugar de Epopeias, compuseram Tragédias, por serem estas últimas formas mais estimáveis do que as primeiras.

19. Examinar, depois, se nas formas trágicas [a poesia austera] atinge ou não atinge a perfeição [do gênero], quer a consideremos em si mesma, quer no que respeita ao espetáculo – isso seria outra questão.

20. Mas, nascida de um princípio improvisado (tanto a Tragédia, como a Comédia: a Tragédia, dos solistas do ditirambo; a Comédia, dos solistas dos cantos fálicos, composições essas ainda hoje estimadas em muitas das nossas cidades), [a Tragédia] pouco a pouco foi evoluindo, à medida que se desenvolvia tudo quanto nela se manifestava; até que, passadas muitas transformações, a Tragédia se deteve, logo que atingiu a sua forma natural. Ésquilo foi o primeiro que elevou de um a dois o número dos atores, diminuiu a importância do coro e fez do diálogo protagonista. Sófocles introduziu três atores e a cenografia. Quanto à grandeza, tarde adquiriu [a Tragédia] o seu alto estilo: [só quando se afastou] dos argumentos breves e da elocução grotesca, [isto é,] do [elemento] satírico. Quanto ao metro, substituiu o tetrâmetro [trocaico] pelo [trímetro] jâmbico. Com efeito, os poetas usaram primeiro o tetrâmetro porque as suas composições eram satíricas e mais afins à dança; mas, quando se desenvolveu o diálogo, o engenho natural logo encontrou o metro adequado; pois o jambo é o metro que mais se conforma ao ritmo natural da linguagem corrente: demonstra-o o fato de muitas vezes proferirmos jambos na conversação, e só raramente hexâmetros, quando nos elevamos acima do tom comum.

21. Quanto ao número de episódios e outros ornamentos que se haja acrescentado a cada parte, consideremos o assunto tratado; muito laborioso seria discorrer sobre tudo isso em pormenor.

# V
## A Comédia: evolução do gênero.
## Comparação da Tragédia com a Epopeia.

22. A Comédia é, como dissemos, imitação de homens inferiores; não, todavia, quanto a toda a espécie de vícios, mas só quanto àquela

35 parte do torpe que é o ridículo. O ridículo é apenas certo defeito, torpeza anódina e inocente; que bem o demonstra, por exemplo, a máscara cômica, que, sendo feia e disforme, não tem [expressão de] dor.

23. Se as transformações da Tragédia e seus autores nos são conhecidas, as da Comédia, pelo contrário, estão ocultas, pois que delas se
1449 b não cuidou desde o início: só passado muito tempo o arconte concedeu o coro da Comédia, que outrora era constituído por voluntários. E também só depois que teve a Comédia alguma forma é que achamos memória dos que se dizem autores dela. Não se sabe, portanto, quem introduziu máscaras, prólogo, número de atores e outras coisas seme-
5 lhantes. A composição de argumentos é [prática] oriunda da Sicília [e os primeiros poetas cômicos teriam sido Epicarmo e Fórmide]; dos atenienses, foi Crates o primeiro que, abandonada a poesia jâmbica, inventou diálogos e argumentos de caráter universal.

24. A Epopeia e a Tragédia concordam somente em serem, am-
10 bas, imitação de homens superiores, em verso; mas difere a Epopeia da Tragédia, pelo seu metro único e a forma narrativa E também na extensão, porque a Tragédia procura, o mais que é possível, caber dentro de um período do sol, ou pouco excedê-lo, porém a Epopeia não tem limite ide tempo – e nisso diferem, ainda que a Tragédia, ao princípio,
15 igualmente fosse ilimitada no tempo, como os poemas épicos.

25. Quanto às partes constitutivas, algumas são as mesmas na Tragédia e na Epopeia, outras são só próprias da Tragédia. Por isso, quem quer que seja capaz de julgar da qualidade e dos defeitos da Tragédia tão bom juiz será da Epopeia. Porque todas as partes da poesia épica se encontram
20 na Tragédia, mas nem todas as da poesia trágica intervêm na Epopeia.

# VI
## Definição de Tragédia. Partes ou elementos essenciais.

26. Da imitação em hexâmetros e da Comédia trataremos depois; agora vamos falar da Tragédia, dando da sua essência a definição que resulta de quanto precedentemente dissemos.

27. É pois a Tragédia imitação de uma ação de caráter elevado, com-
25 pleta e de certa extensão, em linguagem ornamentada e com as várias espécies de ornamentos distribuídas pelas diversas partes [do drama], [imitação que se efetua] não por narrativa, mas mediante atores, e que, suscitando o "terror e a piedade, tem por efeito a purificação dessas emoções".

28. Digo "ornamentada" a linguagem que tem ritmo, harmonia
e canto, e o servir-se separadamente de cada uma das espécies de ornamentos significa que algumas partes da Tragédia adotam só o verso,
outras também o canto.

29. Como essa imitação é executada por atores, em primeiro lugar
o espetáculo cênico há de ser necessariamente uma das partes da Tragédia,
e depois, a Melopeia e a elocução, pois estes são os meios pelos quais os
atores efetuam a imitação. Por "elocução" entendo a mesma composição
métrica, e por "Melopeia", aquilo cujo efeito a todos é manifesto.

30. E como a Tragédia é a imitação de uma ação e se executa
mediante personagens que agem e que diversamente se apresentam,
conforme o próprio caráter e pensamento (porque é segundo estas
diferenças de caráter e pensamento que nós qualificamos as ações), daí
vem por consequência o serem duas as causas naturais que determinam
as ações: pensamento e caráter; e, nas ações [assim determinadas], tem
origem a boa ou má fortuna dos homens. Ora o Mito é imitação de
ações; e por "Mito" entendo a composição dos atos; por "caráter", o
que nos faz dizer das personagens que elas têm tal ou tal qualidade; e
por "pensamento", tudo quanto digam as personagens para demonstrar
o quer que seja ou para manifestar sua decisão.

31. É portanto necessário que sejam seis as partes da Tragédia que
constituam a sua qualidade, designadamente: Mito, caráter, elocução,
pensamento, espetáculo e Melopéia. De sorte que quanto aos meios
com que se imita são duas, quanto ao modo por que se imita é uma só,
e quanto aos objetos que se imitam, são três; e além dessas partes não
há mais nenhuma. Pode dizer-se que, de todos esses elementos, não
poucos poetas se serviram; com efeito, todas as Tragédias comportam
espetáculo, caracteres, Mito, Melopeia, elocução e pensamento.

32. Porém, o elemento mais importante é a trama dos fatos, pois
a Tragédia não é imitação de homens, mas de ações e de vida, de felicidade [e infelicidade; mas felicidade] ou infelicidade, reside na ação, e a
própria finalidade da vida é uma ação, não uma qualidade. Ora, os homens
possuem tal ou tal qualidade conformemente ao caráter, mas são bem ou
mal-aventurados pelas ações que praticam. Daqui se segue que, na Tragédia,
não agem as personagens para imitar caracteres, mas assumem caracteres
para efetuar certas ações; por isso as ações e o Mito constituem a finalidade
da Tragédia, e a finalidade é de tudo o que mais importa.

33. Sem ação não poderia haver Tragédia, mas poderia havê-la sem caracteres. As Tragédias da maior parte dos modernos não têm caracteres, e, em geral, há muitos poetas dessa espécie. Também, entre os pintores, assim é Zêuxis comparado com Polignoto, porque Polignoto é excelente pintor de caracteres e a pintura de Zêuxis não apresenta caráter nenhum.

34. Se, por conseguinte, alguém ordenar discursos em que se exprimam caracteres, por bem executados que sejam os pensamentos e as elocuções, nem por isso haverá logrado o efeito trágico; muito melhor o conseguirá a Tragédia que mais parcimoniosamente usar desses meios, tendo, no entanto, o Mito ou a trama dos fatos. Ajuntemos a isso que os principais meios por que a Tragédia move os ânimos também fazem parte do Mito; refiro-me a Peripécias e Reconhecimentos. Outro sinal da superioridade do Mito se mostra em que os principiantes melhores efeitos conseguem em elocuções e caracteres, do que no entrecho das ações: é o que se nota em quase todos os poetas antigos.

35. Portanto, o Mito é o princípio e como que a alma da Tragédia; só depois vêm os caracteres. Algo semelhante se verifica na pintura: se alguém aplicasse confusamente as mais belas cores, a sua obra não nos comprazeria tanto, como se apenas houvesse esboçado uma figura em branco. A Tragédia é, por conseguinte, imitação de uma ação e, através dela, principalmente, [imitação] de agentes.

36. Terceiro [elemento da Tragédia] é o pensamento: consiste em poder dizer sobre tal assunto o que lhe é inerente e a esse convém. Na eloquência, o pensamento é regulado pela política e pela oratória (efetivamente, nos antigos poetas, as personagens falavam a linguagem do cidadão, e nos modernos falam a do orador). Caráter é o que revela certa decisão ou, em caso de dúvida, o fim preferido ou evitado; por isso não têm caráter os discursos do indivíduo em que, de qualquer modo, se não revele o fim para que tende ou o qual repele. Pensamento é aquilo em que a pessoa demonstra que algo é ou não é ou enuncia uma sentença geral.

37. Quarto, entre os elementos [literários], é a elocução. Como disse, denomino "elocução" o enunciado dos pensamentos por meio das palavras, enunciado este que tem a mesma efetividade em verso ou em prosa.

38. Das restantes partes, a Melopeia é o principal ornamento.

39. Quanto ao espetáculo cênico, decerto que é o mais emocionante, mas também é o menos artístico e menos próprio da poesia.

Na verdade, mesmo sem representação e sem atores, pode a Tragédia manifestar seus efeitos; além disso, a realização de um bom espetáculo mais depende do cenógrafo que do poeta.

## VII
### Estrutura do Mito trágico. O Mito como ser vivente.

40. Assim determinados os elementos da Tragédia, digamos agora qual deve ser a composição dos atos, pois é essa parte, na Tragédia, a primeira e a mais importante.

41. Já ficou assente que a Tragédia é imitação de uma ação completa, constituindo um todo que tem certa grandeza, porque pode haver um todo que não tenha grandeza.

42. "Todo" é aquilo que tem princípio, meio e fim. "Princípio" é o que não contém em si mesmo o que quer que siga necessariamente outra coisa, e que, pelo contrário, tem depois de si algo com que está ou estará necessariamente unido. "Fim", ao invés, é o que naturalmente sucede a outra coisa, por necessidade ou porque assim acontece na maioria dos casos, e que, depois de si, nada tem. "Meio" é o que está depois de alguma coisa e tem outra depois de si.

43. É necessário, portanto, que os Mitos bem compostos não comecem nem terminem ao acaso, mas que se conformem aos mencionados princípios.

44. Além disto, o belo – ser vivente ou o que quer que se componha de partes – não só deve ter essas partes ordenadas, mas também uma grandeza que não seja qualquer. Porque o belo consiste na grandeza e na ordem, e portanto um organismo vivente, pequeníssimo, não poderia ser belo (pois a visão é confusa quando se olha por tempo quase imperceptível); e também não seria belo, grandíssimo (porque faltaria a visão do conjunto, escapando à vista dos espectadores a unidade e a totalidade; imagine-se, por exemplo, um animal de dez mil estádios...). Pelo que, tal como os corpos e organismos viventes devem possuir uma grandeza, e esta bem perceptível como um todo, assim também os Mitos devem ter uma extensão bem apreensível pela memória.

45. Determinar o limite prático dessa extensão, tendo em conta as circunstâncias dos concursos dramáticos e a impressão no público, tal não é o mister da arte poética, pois se houvesse que pôr em cena

cem Tragédias [em um só concurso dramático], o tempo teria de
ser regulado pela clepsidra, como dizem que se fazia antigamente.
10 Porém, o limite imposto pela própria natureza das coisas é o seguinte:
desde que se possa apreender o conjunto, uma Tragédia tanto mais
bela será quanto mais extensa. Dando uma definição mais simples,
podemos dizer que o limite suficiente de uma Tragédia é o que
permite que nas ações uma após outra sucedidas, conformemente
15 à verossimilhança e à necessidade, se dê o transe da infelicidade à
felicidade ou da felicidade à infelicidade.

## VIII
### Unidade de ação: unidade histórica e unidade poética

46. Uno é o Mito, mas não por se referir a uma só pessoa, como
creem alguns, pois há muitos acontecimentos e infinitamente vários,
respeitantes a um só indivíduo, entre os quais não é possível estabelecer
unidade alguma. Muitas são as ações que uma pessoa pode praticar, mas
20 nem por isso elas constituem uma ação una.

47. Assim, parece que tenham errado todos os poetas que compuseram uma *Heracleida* ou uma *Teseida* ou outros poemas que tais,
por entenderem que, sendo Héracles um só, todas as ações haviam de
constituir uma unidade.

48. Porém Homero, assim como se distingue em tudo o mais,
também parece ter visto bem, fosse por arte ou por engenho natural,
pois, ao compor a *Odisseia*, não poetou todos os sucessos da vida de
25 Ulisses, por exemplo o ter sido ferido no Parnaso e o simular-se louco
no momento em que se reuniu o exército. Porque, de haver acontecido
uma dessas coisas, não se seguia necessária e verossimilmente que a
outra houvesse de acontecer, mas compôs em torno de uma ação una
a *Odisseia* – una, no sentido que damos a essa palavra – e, de modo
30 semelhante, a *Ilíada*.

49. Por conseguinte, tal como é necessário que nas demais artes
miméticas una seja a imitação, quando o seja de um objeto uno, assim
também o Mito, porque é imitação de ações, deve imitar as que sejam
unas e completas, e todos os acontecimentos se devem suceder em
conexão tal que, uma vez suprimido ou deslocado um deles, também
se confunda ou mude a ordem do todo. Pois não faz parte de um todo
35 o que, quer seja quer não seja, não altera esse todo.

**ARISTÓTELES** POÉTICA

# IX
## Poesia e história. Mito trágico e Mito tradicional. Particular e universal. Piedade e terror. Surpreendente e maravilhoso.

50. Pelas precedentes considerações se manifesta que não é ofício de poeta narrar o que aconteceu; é, sim, o de representar o que poderia acontecer, quer dizer: o que é possível segundo a verossimilhança e a necessidade. Com efeito, não diferem o historiador e o poeta por escreverem verso ou prosa (pois que bem poderiam ser postos em verso as obras de Heródoto, e nem por isso deixariam de ser história, se fossem em verso o que eram em prosa) – diferem, sim, em que diz um as coisas que sucederam, e outro as que poderiam suceder. Por isso a poesia é algo de mais filosófico e mais sério do que a história, pois refere aquela principalmente o universal, e esta o particular. Por "referir-se ao universal" entendo eu atribuir a um indivíduo de determinada natureza pensamentos e ações que, por liame de necessidade e verossimilhança, convêm a tal natureza; e ao universal, assim entendido, visa a poesia, ainda que dê nomes às suas personagens; particular, pelo contrário, é o que fez Alcibíades ou o que lhe aconteceu.

51. Quanto à Comédia, já ficou demonstrado [esse caráter universal da poesia]; porque os comediógrafos, compondo a fábula segundo a verossimilhança, atribuem depois às personagens os nomes que lhes parecem, e não fazem como os poetas jâmbicos, que se referem a indivíduos particulares.

52. Mas na Tragédia mantêm-se os nomes já existentes. A razão é a seguinte: o que é possível é plausível; ora, enquanto as coisas não acontecem, não estamos dispostos a crer que elas sejam possíveis, mas é claro que são possíveis aquelas que aconteceram, pois não teriam acontecido se não fossem possíveis.

53. Todavia, sucede também que em algumas Tragédias são conhecidos os nomes de uma ou duas personagens, sendo os outros inventados; em outras Tragédias nenhum nome é conhecido, como no *Anteu* de Aragão, em que são fictícios tanto os nomes como os fatos, o que não impede que igualmente agrade. Pelo que não é necessário seguir à risca os Mitos tradicionais donde são extraídas as nossas Tragédias; pois seria ridícula fidelidade tal, quando é certo que ainda as coisas conhecidas são conhecidas de poucos, e contudo agradam elas a todos igualmente.

54. Daqui claramente se segue que o poeta deve ser mais fabulador que versificador; porque ele é poeta pela imitação e porque imita ações. E ainda que lhe aconteça fazer uso de sucessos reais, nem por 30 isso deixa de ser poeta, pois nada impede que algumas das coisas que realmente acontecem sejam, por natureza, verossímeis e possíveis e, por isso mesmo, venha o poeta a ser o autor delas.

55. Dos Mitos e ações simples, os episódicos são os piores. Digo "episódico" o Mito em que a relação entre um e outro episódio não 35 é necessária nem verossímil. Tais são os Mitos de maus poetas, por [imperícia] deles, e às vezes de bons poetas, por [condescendência com os] atores. É que, para compor partes declamatórias, chegam a forçar a fábula para além dos próprios limites e a romper o nexo da ação.

1452 a     56. Como, porém, a Tragédia não só é imitação de uma ação completa, como também de casos que suscitam o terror e a piedade, e essas emoções se manifestam principalmente quando se nos deparam 5 ações paradoxais, e, perante casos semelhantes, maior é o espanto que ante os feitos do acaso e da fortuna (porque, ainda entre os eventos fortuitos, mais maravilhosos parecem os que se nos afiguram acontecidos de propósito – tal é, por exemplo, o caso da estátua de Mítis em Argos, que matou, caindo-lhe em cima, o próprio causador da morte de Mítis, no momento em que a olhava –, pois fatos semelhantes não 10 parecem devidos ao mero acaso), daqui se segue serem indubitavelmente os melhores os Mitos assim concebidos.

## X
## Mitos simples e complexo. Reconhecimento e Peripécia.

57. Dos Mitos, uns são simples, outros complexos, porque tal distinção existe, por natureza, entre as ações que eles imitam.
15     58. Chamo ação "simples" aquela que, sendo una e coerente, do modo acima determinado, efetua a mutação de fortuna, sem Peripécia ou Reconhecimento; ação "complexa", denomino aquela em que a mudança se faz pelo Reconhecimento ou pela Peripécia, ou por ambos conjuntamente.

59. É porém necessário que a Peripécia e o Reconhecimento surjam da própria estrutura interna do Mito, de sorte que venham a 20 resultar dos sucessos antecedente, ou necessária ou verossimilmente. Porque é muito diverso acontecer uma coisa por causa de outra, ou acontecer meramente depois de outra.

# XI
## Elementos qualitativos do Mito complexo:
## Reconhecimento e Peripécia.

60. "Peripécia" é a mutação dos sucessos no contrário, efetuada do modo como dissemos; e essa inversão deve produzir-se, também o dissemos, verossímil e necessariamente. Assim, no *Édipo*, o mensageiro que viera no propósito de tranquilizar o rei e de libertá-lo do terror que sentia nas suas relações com a mãe, descobrindo quem ele era, causou o efeito contrário; e no *Linceu*: sendo Linceu levado para a morte, e seguindo-o Danau para o matar, acontece o oposto – este morre e aquele fica salvo.

61. O "Reconhecimento", como indica o próprio significado da palavra, é a passagem do ignorar ao conhecer, que se faz para amizade ou inimizade das personagens que estão destinadas para a dita ou para a desdita.

62. A mais bela de todas as formas de Reconhecimento é a que se dá juntamente com a Peripécia, como, por exemplo, no *Édipo*. E outras há ainda, referentes a objetos inanimados, quaisquer que sejam eles; e também constitui Reconhecimento o haver ou não haver praticado uma ação. Mas é a primeira forma aquela que melhor corresponde à essência do Mito e da ação, porque o Reconhecimento com Peripécia suscitará terror e piedade, e nós mostramos que a Tragédia é imitação de ações que despertam tais sentimentos. E demais, a boa ou má fortuna resultam naturalmente de tais ações.

63. Posto que o Reconhecimento é reconhecimento de pessoas, pode acontecer que ele ocorra apenas numa pessoa a respeito da outra, quando uma das duas fica sabendo quem seja esta outra [5]; noutros casos, ao invés, dá-se o Reconhecimento entre ambas as personagens. Assim, Ifigênia foi reconhecida por Orestes pelo envio da carta, mas, para que ela o reconhecesse a ele, foi mister outro Reconhecimento.

64. São estas duas das partes do Mito: Peripécia [10] e Reconhecimento. Terceira é a Catástrofe. Que sejam a Peripécia e o Reconhecimento, já o dissemos. A Catástrofe é uma ação perniciosa e dolorosa, como o são as mortes em cena, as dores veementes, os ferimentos e mais casos semelhantes.

**Plotino**

Sobre o belo

# Sobre o belo (Enéada I, 6)*

Plotino (205 d.C.–270 d.C.)

Tradução
*Imael Quiles*

---

"Qual é a causa por que os corpos parecem belos à nossa vista e de que nosso ouvido sinta inclinação aos sons belos? Por que tudo imediatamente ligado à alma é de alguma maneira belo? Todas as coisas belas o são por uma mesma e única beleza, ou a beleza do corpo é diversa da beleza dos outros seres? Em que consistem essa ou essas belezas?". Tais questões serão abordadas no texto apresentado agora ao leitor, publicado em 270 d.C. nas *Enéadas* ("Sobre o Belo", I.6). Em suma, Plotino (205 d.C.–270 d.C.) procura responder o que pretendemos dizer quando afirmamos que algo é belo, abordando o tema sob a sua reflexão (peculiar ao neoplatonismo) acerca das formas inteligíveis. Será simplesmente a simetria, ou a capacidade de agradar aos sentidos, o critério para decidirmos sobre a beleza de algo?

**Temas:** ontologia, neoplatonismo, epistemologia.

---

\* PLOTINO. "Sobre o belo, Enéada I, 6". In: *A alma, a beleza e a contemplação*. São Paulo: Associação Palas Athena, 1981, p. 54-62. Agradecemos à Associação Palas Athena por autorizar a utilização do texto.

1. Quase sempre percebemos o belo com a vista. Com o ouvido também percebemos na combinação de palavras e em toda classe de música, porque as melodias e os ritmos são belos. E se nos elevamos a um plano superior à sensação encontramos hábitos, ações, caracteres e até ciências e virtudes belas. Há, além disso, outra beleza mais elevada que essas? Nossa discussão elucidá-lo-á.

Qual é a causa por que os corpos parecem belos à nossa vista, e de que nosso ouvido sinta inclinação aos sons belos? Por que tudo imediatamente ligado à alma é de alguma maneira belo? Todas as coisas belas o são por uma mesma e única beleza, ou a beleza do corpo é diversa da beleza dos outros seres? Em que consistem essa ou essas belezas?

Em alguns seres – os corpos, por exemplo – a beleza não resulta dos próprios elementos substanciais, senão de uma participação; noutros é algo identificado a sua natureza; tal ou qual, por exemplo, a virtude.

Os corpos, com efeito, algumas vezes nos parecem belos e outras não, como se ser corpo fosse coisa diferente de ser belo. Em que consiste esse ser belo que habita os corpos? É o primeiro que devemos investigar.

Que é isso que faz os olhos dos espectadores, e atrai para si com a sedução e o deleite de sua contemplação? Se conseguirmos determiná-lo, talvez nos sirva logo como ponto de apoio para estudar outros casos.

É voz comum – generalizamos – que a beleza visível é fruto da mútua simetria das partes entre si e em relação ao todo, unida à vistosidade das cores; de maneira que, neste caso e universalmente em todos os casos, ser belo é ser simétrico e proporcionado. De ser verdadeira tal suposição seguir-se-ia necessariamente que nada simples seria formoso − unicamente o composto poderia sê-lo − e que a beleza seria privilégio do todo, enquanto que as partes careceriam dela, tendo estas como exclusiva finalidade o unirem-se no todo, que por elas seria belo.

Porém, se o todo é belo as partes também o serão, porque a beleza não é algo que resulta da agregação de elementos feitos, senão que compenetra todas as partes. Além disso, segundo essa opinião, teria de admitir-se que as belas cores (o mesmo se diga da luz do Sol) caem fora do âmbito da beleza, pois sendo simples não podem possuir uma beleza fundada em simetria. E como explicar-se-ia a beleza que há no ouro, ou de onde procederia a que contemplamos num relâmpago que fulgura na noite?

Nos sons encontramos a mesma dificuldade: os simples não teriam valor, contudo muitas vezes cada um dos que formam um conjunto formoso é em si mesmo formoso.

E se a isto se agrega que o mesmo rosto, conservando idêntica simetria, aparece algumas vezes formoso e outras não, como negar que a beleza consiste em algo mais que a simetria, e que a simetria é bela por outra coisa?

E, passando-se aos belos hábitos e às belas concepções mentais, se quisesse encontrar a causa de sua beleza na simetria, quem defenderia que há simetria nos belos hábitos, ou nas leis, nas matemáticas ou nas ciências? Que sentido haveria falar então de teoremas simétricos entre si...? Acaso são mutuamente coerentes...? Porém entre concepções não formosas também há correspondência e coerência; por exemplo, que o domínio racional de si mesmo é uma ingenuidade, está de acordo e coincide com que a justiça é uma candidez generosa: ambas as proposições são entre si coerentes.

Beleza da alma é a virtude, beleza num sentido muito mais real que as outras das quais antes falávamos; e que significaria falar nela de partes simétricas? Porque, embora fossem múltiplas as partes da alma, não seriam simétricas como as magnitudes ou os números. Com efeito, que proporção regeria a combinação ou mistura das partes da alma ou das concepções científicas?

Fora disso, que formosura poderia haver na inteligência pura[1]?

2. Retomemos, pois, o problema, determinando antes de tudo em que consiste a beleza dos corpos.

É algo que apenas se apresenta, se faz perceptível e move a alma a pronunciar seu verbo, como se intelectualmente se compenetrasse com ele. Há um reconhecimento, uma recepção e de certa maneira uma integração da alma com ele. Em troca, ante o feio, a alma se intranquiliza, sente repugnância e distancia-se como se não harmonizasse nem se assemelhasse com ele.

Digamos, em consequência, que a alma, por gozar da natureza da qual goza, e por estar em continuidade com a essência que na escala dos seres lhe é superior, regozija ao contemplar seres de seu mesmo gênero, ou que são vestígios de seu mesmo gênero. Ante eles, em êxtase de entusiasmo, surpreende-se, atrai-os em sua direção e lembra-se de si mesma e do que lhe é próprio.

Mas, que semelhanças têm as formosuras deste mundo com as do outro? E, se alguma semelhança têm (concedamos que tenham), de que depende a beleza de umas e outras?

Segundo meu parecer, da participação de uma ideia[2]. Porque tudo o que naturalmente está destinado a receber uma ideia e uma forma, se fica privado dela e não participa de sua ideia exemplar, é feio e fica fora do plano divino; nisso consiste a feiúra absoluta. Assim resulta também feio o que não está dominado por uma forma e um exemplo devido a ter a matéria recebido incompletamente a informação da ideia.

Porque a ideia que se introduz nele é o que constitui ao ser múltiplo em sua unidade, fazendo-o coerente e levando-o a um acabamento harmônico pela totalização do equilíbrio de suas partes: sendo ela uma, tem-se de ser também informado por ela, no grau de unidade que é capaz de receber o múltiplo.

---

[1] Em toda esta passagem, Plotino desenvolveu uma crítica profunda da teoria estoica da beleza; segundo os estoicos a beleza consiste essencialmente na simetria e proporção entre as partes de um corpo; resulta, assim, a beleza algo próprio do mundo material, e por elas devemos julgar o mundo inteligível. Plotino demonstra que a ordem superior é inversa; a beleza é essencialmente algo inteligível, e dessa ordem superior descende o mundo corpóreo.

[2] Solução evidentemente platônica. Porém, Plotino vai matizá-la com elementos aristotélicos, já que a ideia ou exemplar penetra o corpo, como a forma penetra a matéria; os termos aristotélicos *formar* e *informar* são familiares a Plotino.

E a beleza não se entrega ao ser até que este se unifique, porém, ao entregar-se penetra tanto no conjunto quanto nas partes, a não ser quando se encontra com um ser uno e homogêneo, pois em tal caso penetra todo o conjunto com uma mesma formosura. Seria como se uma potência natural, procedendo como procedem os métodos técnicos, embelezasse uma casa com suas partes no primeiro caso, e uma só pedra no segundo.

Por conseguinte a formosura corpórea brota da comunicação de um exemplar ideal vindo dos deuses.

3. Para reconhecer essa beleza temos na alma uma faculdade especialmente ordenada a ela; e embora toda a alma colabore na formação do juízo estético, com todo o fundamental dele, é obra dessa faculdade.

E quiçá tal capacidade de estimação encontra-se na alma graças a que ela mesma acomoda-se à sua própria ideia, e assim pode-se servir dela em seu juízo, como nós nos servimos de uma régua para verificar uma reta.

Porém, em que forma a beleza corpórea responde à beleza que é anterior ao corpo?

Em que forma o arquiteto faz corresponder, à ideia interior da casa, a casa extramental, para poder afirmar que é bela? É que a casa extramental – se se faz abstração das pedras – é a ideia íntima que se dividiu na massa exterior da matéria, e que apesar de seu ser indivisível mostra-se em partes múltiplas.

Da mesma maneira, quando a sensação capta a ideia que nos corpos une e domina a natureza adversa e informe, e uma forma que sobressai entre as demais luminosa e vitoriosamente, percebe com um só golpe de vista a multiplicidade dispersa, e a orienta, e a reduz à simples unidade mental, pondo-a assim em harmonia coerente e simpática ressonância com o mental. É o que acontece quando um homem de bem vê aparecer a doçura num jovem, como um vestígio de virtude que responde à verdadeira virtude inferior.

A formosura simples da cor provém de uma forma e da presença de uma luz incorpórea (exemplar e ideia), que domina a obscuridade da matéria. Por isso – exceção única entre todos os corpos – o fogo é belo em si mesmo, por ser o que detém a categoria de ideia entre os elementos. Ele, com efeito, está situado num plano superior; é o mais ligeiro de todos os corpos, por ser o mais próximo ao incorpóreo; está ilhado e não recebe em si os outros elementos, enquanto que os outros o acolhem, porque os outros podem esquentar-se, mas ele não se pode esfriar; e ele possui primitivamente a cor, enquanto que os outros recebem dele a ideia da cor. O fogo resplandece e brilha porque é ideia, e o que lhe é inferior, quando sua luminosidade não o faz perceptível, deixa de ser formoso, porque não participa absolutamente da ideia da cor.

E, quanto às harmonias, são as que estão ocultas nos sons as que causam as manifestadas, e fazem assim com que a alma tome consciência do belo, fazendo-a encontrar algo idêntico a si num sujeito diferente.

Disso segue-se que as harmonias sensíveis estão medidas por números que se regem não por qualquer proporção, senão pela que exige a submissão à ação dominadora da ideia.[3]

E isso é o que há de dizer sobre a beleza no sensível; essa beleza, que é de certa maneira imagem e sombra fugidia de outra parte, que embeleza a matéria ao vir refugiar-se nela, e que ao transfigurar-se deixa-nos maravilhados.

4. Agora, abandonando a sensação em seu plano inferior, devemos ascender à contemplação dessas belezas mais elevadas que escapam ao âmbito da percepção sensitiva: as que a alma intui e expressa sem órgão algum. Porém, assim como são incapazes de falar sobre as belezas sensíveis os que não as viram ou não as perceberam como belas – é o que acontece aos que nasceram cegos – da mesma maneira ninguém é capaz de falar sobre os belos hábitos, a não ser aquele que acolheu em si sua beleza, a das ciências e a das outras coisas semelhantes. E é impossível que fale sobre o resplendor da virtude aquele que não imagina a beleza do rosto da justiça ou do domínio racional de si mesmo; ou aquele que não sabe que nem a estrela da manhã, nem a da tarde, são tão belas quanto ela.

Para contemplar tudo isso é mister que a alma possua o órgão que tal intuição requer; porém quando chega a contemplá-lo não pode percebê-lo sem ficar maravilhada e arrebatada de admiração, muito mais veemente que no caso anterior, porque agora já toma contato com

---

[3] É verdadeiramente surpreendente a síntese a que chegou Plotino, conjugando elementos da tradição filosófica grega: dentro do ambiente platônico da teoria das ideias e da participação, faz conviver também a riqueza aristotélica da forma, e a atrevida teoria pitagórica da harmonia, constituída pelos números, como essência inteligível do mundo material.

realidades. Essas são, com efeito, as emoções que ante qualquer objeto belo hão de se experimentar inevitavelmente: admiração, agradável surpresa, desejo, amor e enlevo prazenteiro. Tais emoções podem-se experimentar, e de fato as experimentam ante os objetos visíveis: falando em geral, todas as almas a experimentam porém de maneira especial as que estão mais enamoradas desses objetos. É o mesmo que acontece com a beleza corpórea: todos a veem, mas nem todos são igualmente sensíveis à sua excitação, e há alguns – designamo-los com o nome de *enamorados* – que a percebem de maneira privilegiada.

5. Temos também de estudar o que labora o amor nas coisas não sensíveis.

Que é o que experimentais frente aos hábitos que se catalogam como formosos, ou frente aos caracteres belos e às maneiras de proceder conformes à razão, em geral frente aos atos e hábitos virtuosos, e frente à beleza das almas? Que experimentais ao contemplar vossa mesma beleza interior? Quão intensa ebriedade sentis e que veemente ânsia de conviver convosco, despojando-vos de vossos corpos! É o que sentem os verdadeiros enamorados.

E qual é o objeto dessas emoções? Não uma figura, ou uma cor, ou uma magnitude; é a alma, que não tem cor e que está adornada com o sábio domínio de si mesma, e o brilho das outras virtudes, coisas todas que carecem de cor. Vós as experimentais quando descobris em vós mesmos ou contemplais em outro a grandeza da alma, um caráter justo, um imaculado domínio próprio, o valor de um rosto enérgico, a venerabilidade e o pudor que se transfigura num modo de operar sereno e imperturbável, e sobretudo ao vos encontrardes ante o resplendor da inteligência plasmada à imagem de Deus.

Tendo, pois, inclinação e amor a todas essas coisas, em que sentido as chamamos belas? Porque elas o são manifestamente, e qualquer um que as veja afirmará que elas são as verdadeiras realidades.

Porém, que são essas realidades? Belas, sem dúvida; embora a razão deseje ainda saber o que elas são, para ser à alma amável.

Que é, pois, isso que brilha sobre todas as virtudes como uma luz? Querem opor-se-lhe as fealdades da alma para deter-se em seus contrários. Porque seria talvez útil ao objeto de nossa investigação saber o que é fealdade e por que ela se manifesta. Suponhamos, pois, uma alma feia, intemperante e injusta; ela está cheia de numerosos desejos e da maior turbação, temerosa, invejosa por sua mesquinhez; pensa bem, porém não pensa senão nos objetos mortais e daqui embaixo; sempre oblíqua, inclinada aos prazeres, vivendo da vida das paixões corporais, encontra seu prazer na fealdade. Não diremos que essa mesma feiura lhe sobrevém como um mal adquirido, que a mancha, a torna impura e a mescla de grandes males?

6. Pois, como diz um antigo pensamento, a temperança, o valor e toda virtude e mesmo a prudência, são purificações. Por isso os mistérios dizem com palavras encobertas que o ser não purificado, embora no Hades,[4] será colocado num lamaçal, porque o impuro, por sua maldade, ama esses lugares imundos, como se comprazem os suínos cujos corpos são impuros.

Em que consistirá, pois, a verdadeira temperança, senão em manter-se separado dos prazeres do corpo, e ainda em fugir deles, porque são impuros e impróprios de um ser puro?

O valor consiste em não temer a morte, e como a morte é a separação da alma e do corpo, não temerá essa separação aquele que deseja estar separado do corpo.

A magnanimidade é o desprezo das coisas daqui embaixo.

A prudência é o pensamento que se separa das coisas daqui embaixo, conduzindo a alma para cima.

A alma purificada vem a tornar-se como uma forma, uma razão; torna-se toda incorpórea e intelectiva, e pertence inteira ao divino, onde está a fonte da beleza, e de onde vêm todas as coisas do mesmo gênero (da alma).

Reduzida à inteligência, é a alma muito mais bela. E a inteligência, e aquilo que com ela vem, é para a alma uma beleza própria e não estranha, porque então ela é só alma.

Por isso se diz com razão que o bem e a beleza da alma consistem em se fazerem semelhantes a Deus, porque de Deus vem o belo e tudo o que constitui o domínio da realidade. Porém a beleza é uma realidade verdadeira e a fealdade uma natureza diferente desta realidade. É a mesma coisa a que primitivamente é feia e má, e assim também é a mesma coisa a que é boa e bela, ou a que é o Bem e a Beleza.

Tem-se de procurar, pois, por meios parecidos, o belo e o bem, o feio e o mau. Deve-se estabelecer desde um princípio que o belo

---

[4]  No outro mundo, para onde vão os que morrem.

é também o bem; desse bem, a inteligência tira imediatamente sua beleza, e a alma é bela pela inteligência: as outras belezas, a das ações e a das ocupações, provêm de que a alma lhes imprime sua forma. Esta faz também tudo que chamamos os corpos; sendo algo divino, e como uma parte da beleza, faz belas todas as coisas que toca e que domina, enquanto lhes é possível participar da beleza.

7. É necessário, pois, remontar-se novamente em direção ao Bem, em direção ao qual tende toda alma. Se alguém já o viu, sabe o que quero dizer, e em que sentido ele é belo. Como bem é desejado, e o desejo tende em direção a ele; porém só o alcançam aqueles que sobem em direção à região superior, voltam-se para ele e se despojam das vestes de que se cobriram ao descer; à maneira dos que sobem em direção aos santuários dos templos, devem purificar-se, deixar suas vestes antigas e subir nus, até que, havendo abandonado nessa subida tudo aquilo que é estranho a Deus, veem-se a si, sós em sua solidão, sua simplicidade e sua pureza. Para ele, que é o ser do qual tudo depende, em direção ao qual tudo olha, por ele que é o ser, a vida e o pensamento; porque ele é causa da vida, da inteligência e do ser.

Caso se o veja, que amores e que desejos não se sentirá, querendo unir-se a ele, e com que prazer não se o admirará? Porque aquele que não o viu ainda pode tender em sua direção como a um bem, porém aquele que o viu é a ele que pode amá-lo, por sua beleza e por estar pleno de espanto e de prazer, e permanecer num estupor benéfico; amá-lo com um verdadeiro amor, com desejos ardentes; escarnecer-se dos outros amores e desprezar em seguida as pretensas belezas: isso é o que experimentam todos aqueles que encontraram as formas divinas ou demoníacas, e já não mais admitem a beleza dos outros corpos.

Que cremos que experimentaria, se vissem o bem em si, em toda sua pureza, e não como aquele que está sentindo o peso da carne e do corpo, senão como aquele que, para ser inteiramente puro, está acima da terra e do céu? Todas as outras belezas são adquiridas, mescladas e de nenhuma maneira primitivas: elas provêm dele. Se, pois, vê-se aquele que provê de beleza a todas as coisas, porém que a dá permanecendo em si mesmo e que não recebe nada de ninguém em si; se se permanece nessa contemplação gozando dele, que beleza faltar-lhe-á ainda? Porque é ele a verdadeira e a primeira beleza, que embeleza seus próprios amantes e os faz dignos de serem amados.

Aqui impõe-se à alma a luta maior e suprema, e na qual deve realizar seu máximo esforço, a fim de não se privar de participar da melhor das visões; se a alma logra alcançá-lo, é feliz graças a essa visão de felicidade. Aquele que não a encontra é o verdadeiro desgraçado. Porque o que não encontra belas as cores ou os corpos não é mais desgraçado que o que não tem o poder, as magistraturas ou a realeza. O verdadeiro e o único desgraçado é aquele que não descobre o belo; para obtê-lo é necessário deixar de lado os reinos e a dominação de toda a terra, do mar e do céu, e, graças a esse abandono e a esse desprezo, pode voltar-se em direção a ele para vê-lo.

8. Qual é, pois, esse modo de visão? Qual é o meio? Como se verá essa beleza imensa, que permanece de certa maneira no interior dos santuários, e que não se adianta para fora para deixar-se ver pelos profanos? Que aquele que possa vá e a siga até sua intimidade; que abandone a visão dos olhos e não se volte para o resplendor dos corpos que admirava antes.

Porque se se veem as belezas corporais não se tem de correr até elas, e sim saber que elas são imagens, vestígios e sombras. É necessário fugir em direção a essa beleza da qual elas são imagens. Se se corre em direção a elas para alcançá-las como se fossem reais, faz-se como o homem que quis captar sua bela imagem refletida sobre as águas (como uma fábula o dá a entender, segundo creio): tendo-se afogado na profunda corrente, desapareceu.

O mesmo se diga daquele que está apagado à beleza dos corpos e não a abandona; não são os corpos e sim sua alma a que se irá afogar nas profundezas escuras e funestas à inteligência, e ele viverá nas sombras, morando cego no Hades.

Fujamos, pois, em direção à nossa querida pátria: eis aqui o verdadeiro conselho, que se nos poderia dar.

Mas qual é a essa fuga? Como subir? Como Ulisses, que escapou, segundo se diz, dos encantamentos de Circe e de Calipso; ou seja, que não consentiu em ficar com elas, apesar dos prazeres dos olhos e de todas as belezas sensíveis que encontrava. Nossa pátria é o lugar de onde viemos, e nosso pai está lá em cima.

Quais são, pois, essa viagem e essa fuga?

Não devemos fugir com os pés, porque nossos passos nos levam sempre de uma parte da terra a outra; não se tem de preparar tampouco nenhuma barraca e nenhum navio, e sim deixar de olhar, e, fechando os olhos, mudar essa maneira de ver por outra, e despertar essa faculdade que todo mundo possui, mas da qual poucos fazem uso.

9. E qual é esse olho interior? Em seu despertar ele não pode ver os objetos brilhantes. É necessário acostumar a própria alma a ver primeiro as ocupações belas; depois as obras belas, não as que executam as artes, e sim as dos homens de bem.

Logo, é necessário ver a alma daqueles que realizam as obras belas. Como se pode ver essa beleza da alma boa? Volta-te a ti mesmo e olha se tu não vês todavia a beleza em ti; faze como o escultor de uma estátua, que deve ser bela; toma uma parte, esculpe-a, pole-a e vai ensaiando até que tires linhas belas do mármore. Como aquele, tira o supérfluo, endireita o que é oblíquo, limpa o que está obscuro para torná-lo brilhante, e não cesses de esculpir tua própria estátua, até que o resplendor divino da virtude se manifeste, até que vejas a temperança sentada sobre um trono sagrado. Tu és já isso? É isso que tu vês aí? É isso o que tu viste, um comércio puro, um trato puro, sem nenhum obstáculo à tua unificação, sem que nada estranho esteja mesclado interiormente a ti mesmo? És tu todo inteiro uma luz verdadeira, não uma luz de dimensão ou de formas mensuráveis que pode diminuir ou aumentar indefinidamente em magnitude, senão uma luz que carece em absoluto de medida, porque ela é superior a toda medida e quantidade? Tu te vês nesse estado?

Então te tornaste uma visão; tem confiança em ti; embora permanecendo aqui, hás subido ao alto, e não tens necessidade de guia. Fixa seu olhar e contempla. Porque esse olho só é o que pode ver a grande beleza. Porém, se vai contemplar as manchas do vício, sem estar limpo, ou se é débil, tem pouca força para ver os objetos muito brilhantes, e não vê nada, ainda que se o ponha na presença de um objeto que pode ser visto.

Porque é necessário que o olho se faça semelhante e parecido com o objeto visto, para poder contemplá-lo. Jamais veria um olho o Sol, sem haver-se tornado semelhante ao Sol; nenhuma alma veria o belo sem ser bela. Que tudo se faça, pois, primeiro divino e belo, se se quer contemplar a Deus e ao belo. Que se vá primeiro remontando-se até a inteligência, e se saberá que nela todas as ideias são belas, e se confessará que ali está a beleza (a saber, as ideias: por elas, que são os produtos e a essência da inteligência, existem todas as belezas).

**PLOTINO** SOBRE O BELO

O que está além da beleza chamamos a natureza de Bem; o belo está colocado frente a ela.[5] Assim, numa expressão de conjunto, diremos que o primeiro é o belo, porém se se querem dividir os inteligíveis, ter-se-á de distinguir o belo, que é lugar das ideias, do Bem, que está além do belo e que é sua fonte e seu princípio. Ou colocar-se-ia o Bem e o belo num mesmo princípio. Em todo caso, o belo está no inteligível.

---

[5] A natureza do Bem.

**Tomás de Aquino**

Contra gentios
e Suma teológica

# Contra gentios e Suma teológica*

Tomás de Aquino (1225–1274)

Tradução
*Rodrigo Duarte*

---

É possível que o belo esteja em contradição com o bom? Tomás de Aquino (1225–1274) é categórico: não. Porque "belo é a mesma coisa que o bom". Além disso, se a beleza está submetida necessariamente à avaliação dos sentidos, é porque os sentidos capazes de avaliá-la, a visão e a audição, são aqueles diretamente relacionados à razão. O presente texto aborda tais questões, colocando-as em relação ao corpo teórico apresentado na *Suma Teológica* (entre 1265 e 1274) e em *Contra Gentiles* (1264), ou seja, trata-se de um autor para o qual a arte deve também ser pensada à luz da reflexão teológica.

**Temas:** moral, teologia.

---

\* Fonte: TOMÁS DE AQUINO. *Contra Gentiles*. Paris: P. Lethielleux, 1954. TOMÁS DE AQUINO. *Somme théologique*. Paris: Louis Vivés, 1863.

# I. Trechos de *Contra gentios*:

### 1. Do cap. X: "Como o bem é causa do mal".

Aparece, portanto, com evidência, como na ordem natural o bem é causa do mal apenas acidentalmente. E ocorre o mesmo no domínio da arte. *A arte imita de fato a natureza em seu movimento*, e os defeitos podem ser encontrados tanto em uma parte quanto em outra.

*Na ordem moral*, parece que é diferente. O mal moral, com efeito, não parece ser a resultante de um pormenor, já que a fraqueza apaga totalmente ou, pelo menos, diminui o mal moral. A fraqueza não merece a pena adequada ao pecado, mas antes a misericórdia e o esquecimento. O vício na ordem moral é algo de voluntário, e não de necessário.

### 2. Cap. XXXVI: "Como a felicidade não se encontra na arte".

É evidente que a felicidade não se encontra na arte. O conhecimento próprio à arte é, ele próprio, prático: ele é, portanto, conexo a um fim e não pode ser um fim último.

Os objetos fabricados são os fins da atividade artística; eles não podem ser o fim último da vida humana, já que, bem ao contrário, somos o seu fim: tudo está, de fato, a serviço do homem. Não é possível, portanto, que o agir próprio à arte seja a felicidade última do homem.

### 3. Do cap. LXIV: "Como, por sua providência, Deus governa o mundo".

[...] O mesmo ocorre numa arte, da qual o objeto é um fim qualquer: ele preside e impõe suas leis a todos os meios próprios a esse fim. Assim, o civil comanda o militar, o militar, a montaria, e a navegação, o arsenal. Já que todos os seres são orientados à bondade divina como a seu fim, é necessário que Deus, no qual se encontra principalmente essa bondade como substancialmente possuída, aderida e amada por ele, tem o governo do mundo inteiro.

### 4. Do cap. LXV: "Como Deus conserva as coisas no ser".

A toda obra de arte está suposta a obra da natureza e paralelamente a essa a obra de Deus criador, pois a matéria da obra de arte vem da natureza, e essa, de Deus por meio da criação. Mas o que se fabrica se mantém no ser graças à resistência, como a casa graças à dureza de seus tijolos. Toda a natureza é, portanto, conservada no ser pela virtude divina.

### 5. Do cap. LXXXVIII: "Como Deus governa as outras criaturas pelas criaturas inteligentes".

Nas potências hierarquizadas, essa governa a outra que melhor sabe a razão do movimento. Nós constatamos, por exemplo, no domínio das artes, que aquela que tem a razão do fim e na qual a obra inteira encontra seu sentido, dirige e comanda essa outra que nada faz senão realizar a obra. Por isso, a arte da navegação comanda a da construção de embarcações: aquela que dá a forma comanda aquela que prepara a matéria. Quanto aos instrumentos que não sabem a razão do movimento, eles são simplesmente vagos. Já que só as criaturas inteligentes podem conhecer as razões da ordem criada, é, pois, sua tarefa dirigir e comandar as outras criaturas.

### Do cap. CXI: "Como as criaturas racionais estão submissas à divina providência segundo um regime particular".

Essas [criaturas intelectuais e racionais – rd], de fato, superam as outras criaturas pela perfeição de sua natureza e dignidade de seu fim: pela perfeição de sua natureza porque só a criatura racional é dona de seus atos – ela se move livremente; as outras são mais movidas do que movem por suas operações próprias. Pela dignidade do seu fim: só mesmo a criatura racional, por sua operação, o conhecimento e o amor de Deus diz respeito ao fim último do universo. As outras criaturas lhes dizem respeito apenas por uma certa participação em sua semelhança. Portanto, toda forma de atividade varia com o fim ao qual se propõe e os elementos próprios da operação: uma arte é exercida diversamente de acordo com o propósito assinalado e a matéria trabalhada; assim, o médico aplica tratamentos diferentes se se trata de curar uma doença ou de consolidar uma saúde: é diferente ainda de acordo com a diferença dos temperamentos. E, como no governo da cidade, a ordem deve dobrar às diversas condições dos assuntos em questão e dos fins utilizáveis: legisla-se diferentemente em vista de preparar soldados para a guerra e artesãos para o bom sucesso de seu ofício.

## II. Trechos da *Suma teológica*

### *II<sup>a</sup> parte, questão XXVII, artigo 1:*

Belo é a mesma coisa que o bom: ele não se difere a não ser racionalmente. Como o bom é o que os seres desejam, ele tem essa coisa particular sobre a qual repousa o apetite. Mas a noção do belo indica que o apetite repousa no seu aspecto ou no seu conhecimento. Quais são também os sentidos que se relacionam ao belo? Aqueles que são particularmente as faculdades de conhecer, a saber, a visão e o ouvido, que são como que os ministros da razão. Dizemos: "belas visões", "belos sons"; mas não atribuímos a beleza às coisas que recaem sob o paladar, o olfato e o tato. Não dizemos nem "sabores graciosos", nem "belos odores".Vê-se, então, que o belo acresce ao bom a ideia de relação com a virtude cognitiva, de um modo que se chama bom o que apraz por si mesmo, e que se diz belo daquilo que apraz à percepção.

### *II<sup>a</sup> parte, questão CXLV, artigo II:*
### *Honesto é a mesma coisa que o belo?*

Parece que o honesto não é a mesma coisa que o belo:

1. Sendo o honesto uma coisa que se deseja por si mesma, tem seu assento na vontade. Ora, o belo é, antes de tudo, algo que apraz. Ele não se confundiria então com o honesto.

2. A beleza exige uma certa claridade que se relaciona à glória. O honesto, ao contrário, se relaciona à honra, que é diferente da glória, como já dissemos (quest. CIII, art. I). Assim, o honesto difere também do belo.

3. O honesto é a mesma coisa que a virtude. Ora, há uma beleza contrária à virtude, segundo a palavra de *Ezequiel*, XVI: "Porque tivestes confiança em tua beleza, prevaricastes em seu nome". Portanto, o honesto não a mesma coisa que o belo.

Mas São Paulo, I. *Conrinth*, XII, diz que "o que há de desonesto em nós reclama uma honestidade maior, enquanto o que há de honesto não tem carecimento". Ora, ele chama aqui de desonestos os membros pudicos e honestos os membros belos. Então, a honestidade e a beleza parecem ser a mesma coisa.

(Conclusão – não há diferença entre o honesto e o belo espiritual)

Segundo S. Dionísio, *De Div. Nom.*, IV, "a beleza exige a claridade com as proporções justas". Pois se diz que Deus é belo por causa de sua perfeita harmonia e de sua claridade. Do mesmo modo, a beleza do corpo consiste na justa proporção dos seus membros e na claridade da pele. A beleza espiritual consiste em que a vida do homem, quer dizer, suas ações, sejam bem proporcionadas segundo a claridade ou a luz espiritual da razão. Ora, é o honesto, i.e., a virtude, que regula todas as coisas humanas de acordo com a razão. É por isso que o honesto não é outra coisa que o belo espiritual. Também S. Agostinho, *Lib. LXXXIII Quaest.*, quest. XXX, diz: "chamo honestidade a beleza inteligível que denominamos propriamente espiritual". Ele acrescenta "que há muitas belezas visíveis que são menos corretamente chamadas de honestas".

Respondo aos argumentos:

1. É a vista do bem que subleva o apetite. Pois o que se vê de belo nele é considerado como conveniente e bom, segundo essa palavra de S. Dionísio "que o belo e o bom são amados por todos". É porque desejamos o honesto em virtude de sua beleza espiritual. Também Cícero, *De Offic.*, diz que "se se pudesse ver com os olhos a própria forma e como que a face do honesto, essa vista excitaria, segundo a palavra de Platão, os admiráveis amores da sabedoria".

2. A glória é o efeito da honra, pois é a honra ou o louvor que torna um homem ilustre aos olhos dos seus concidadãos. Se, igualmente, o que é honorífico é a mesma coisa que o que é glorioso, o honesto é o mesmo que o belo.

3. Trata-se, aqui, da beleza corporal, ainda que a beleza espiritual possa ser também a ocasião de nossa prevaricação, quando nós nos orgulhamos de acordo com a palavra de Ezequiel, XXVIII: "Teu coração elevou-se na contemplação de tua beleza; é por causa de tua beleza que hás perdido tua sabedoria".

### Parte I, questão V, artigo IV:

O belo e o bom são uma e mesma coisa no sujeito, já que eles repousam sobre uma base comum, a saber, sobre a forma, e eis por que um é predicado do outro: mas isso não impede que essas duas entidades não difiram racionalmente nas ideias que formamos para nós mesmos. Com efeito, o bom se relaciona propriamente à faculdade apetitiva, já que ele é o que apetece a qualquer coisa e forma; por isso mesmo, é causa final. Ao contrário, o belo se liga à faculdade cognitiva, considerando que se chamam belas as coisas que aprazem a vista. Ele consiste numa justa proporção, onde os sentidos reencontram sua semelhança com felicidade, pois ele é as próprias relações da ordem e da harmonia. E como, por um lado, a assimilação se liga à forma, o belo pertence propriamente à ideia de causa formal.

**Alexander Gottlieb Baumgarten**

Estética

# Estética*

## Alexander Gottlieb Baumgarten (1714–1762)

Tradução
*Míriam Sutter Medeiros*

O que é Estética afinal? "A Estética (como teoria das artes liberais, como gnoseologia inferior, como arte de pensar de modo belo, como arte do *análogon* da razão) é a ciência do conhecimento sensitivo". Inaugurando o sentido moderno da palavra Estética, o texto de Baumgarten (1714–1762) de 1750 pretende determinar qual é o seu objeto, enquanto ciência do conhecimento sensitivo, bem como diferenciá-la de outras definições. O autor ainda avança no sentido de descrever os efeitos da arte sobre a sensibilidade para a apreensão do belo.

**Temas:** metafísica, crítica, epistemologia.

---

\* BAUMGARTEN, A. G. "A estética". In: *Estética. A lógica da arte e do poema*. Petrópolis: Editora Vozes, 1993, p. 105-120. Agradecemos à Editora Vozes por autorizar a utilização do texto.

# Prolegômenos

### § 1

A Estética (como teoria das artes liberais, como gnoseologia inferior, como arte de pensar de modo belo, como arte do *análogon* da razão) é a ciência do conhecimento sensitivo.

### § 2

O grau natural das faculdades cognoscitivas, desenvolvido apenas na prática e aquém da cultura disciplinar, pode ser denominado de estética natural. Esta pode ser dividida, segundo a lógica natural, em inata – o belo talento inato – e em adquirida. Esta última, por sua vez, pode ser dividida em adquirida através do ensino e em adquirida através da prática.

### § 3

Entre outras possibilidades, a aplicação da estética artística (§ 1), que se volta para o natural, tornar-se-á maior se: 1) preparar, sobretudo pela percepção, um material conveniente às ciências do conhecimento; 2) adaptar cientificamente os conhecimentos à capacidade de compreensão de qualquer pessoa; 3) estender a aprimoração do conhecimento além ainda dos limites daquilo que conhecemos distintamente; 4) fornecer os princípios adequados para todos os estudos contemplativos espirituais e para as artes liberais; 5) na vida comum, superar a todos na meditação sobre as coisas, ainda que as demais hipóteses sejam semelhantes.

### § 4

A partir disso, destacam-se algumas aplicações especiais, a saber: 1) a filológica; 2) a hermenêutica; 3) a exegética; 4) a retórica; 5) a homilítica; 6) a poética; 7) a musical, etc.

### § 5

Algumas objeções poderiam ser levantadas à nova ciência (§ 1): 1) ela se apresenta demasiadamente ampla para que possa ser exaurida em um único e pequeno tratado e em uma única preleção. Minha resposta: admito essa crítica, mas é preferível alguma coisa a nada. 2) Ela é idêntica à Retórica e à Poética. Resp.: a) é mais abrangente; b) abarca o que essas duas disciplinas têm de comum entre si e o que têm de comum com as outras artes. Por intermédio dessas, neste livro e em seu devido lugar, sem tautologias inúteis, qualquer arte ocupar-se-á de seu campo com extremo êxito. 3) Ela é idêntica à crítica. Resp.: a) também existe a crítica lógica; b) um determinado tipo de crítica faz parte da Estética; c) para essa determinada parte da Estética é quase indispensável uma prenoção das demais Estéticas, a não ser que se queira discutir acerca de meros gostos no julgamento dos belos pensamentos, dos belos enunciados e dos belos escritos.

### § 6

Outras objeções poderiam ser feitas à nossa ciência, a saber: 4) as percepções sensitivas, o imaginário, as fábulas, as perturbações das paixões, etc. são indignas do filósofo e situam-se abaixo do seu horizonte. Resp.: a) o filósofo é um homem entre os homens e não julga bem se considerar tão extensa parte do pensamento humano alheio a ele; b) a teoria geral dos belos pensamentos confunde-se com a prática e com a realização particular.

### § 7

Objeção 5. A confusão é a mãe do erro. Resp.: a) mas é a condição *"sine qua non"*, para se descobrir a verdade, quando a natureza não efetua o salto das trevas para a luz. Da noite, através dos dedos róseos da aurora, chega-se ao meio-dia; b) por essa razão, devemos nos ocupar da confusão, a fim de que dela não provenham erros, como os tantos que ocorrem – e por que preço – entre os negligentes; c) não se recomenda a confusão, mas corrige-se a ação de conhecer, à medida que um resquício de confusão necessariamente intervier nela.

### § 8

Objeção 6. O conhecimento distinto é superior ao conhecimento confuso. Resp.: a) isso é válido para o pensamento finito apenas nas questões mais graves; b) a posição de um não exclui o outro; c) por essa razão, segundo as regras básicas distintamente conhecidas dos pensamentos, devemos ordenar os conhecimentos que se voltam primeiramente para o belo. Destes surge, no futuro, uma distinção mais perfeita (§ 3,7).

### § 9

Objeção 7. Pelo culto do *análogon* da razão, deve-se temer que o território do conhecimento firme e racional venha a ser prejudicado. Resp.: Esse argumento é mais pertinente aos que nos aprovam; pois, todas as vezes que se busca a perfeição composta, é esse mesmo perigo que induz à precaução e não recomenda a negligência da verdadeira perfeição do pensamento; b) quanto mais corrupto e não cultivado for o uso do *análogon* da razão tanto mais ele prejudicará a severa razão lógica.

### § 10

Objeção 8. A Estética é uma arte e não uma ciência. Resp.: a) a arte e a ciência não são maneiras de ser opostas. Quantas artes, que outrora eram apenas artes, agora são também ciências? A experiência provará que nossa arte pode ser demonstrada. É evidente "*a priori*" que a nossa arte merece ser elevada à categoria de ciência porque a psicologia e outras ciências fornecem certos princípios e porque as aplicações, mencionadas nos § 3, 4 e outros, o demonstram.

### § 11

Objeção 9. Como os poetas, os estetas não se tornam estetas, eles nascem estetas. Resp.: HOR. Ars poet., 408; CIC. De or. 2,6; BILFINGER. Dilucid., § 268: BREITINGER. Von den Gleichnissen, p. 6: uma teoria mais completa, mais recomendada pela autoridade da razão, mais exata, menos confusa, mais fixa e menos inquietante só ajuda aquele que já nasceu um esteta (§ 3).

## § 12

Objeção 10. As faculdades inferiores, a sensualidade antes devem ser debeladas do que estudadas e afirmadas. Resp.: a) pede-se o comando e não a tirania para as faculdades inferiores; b) para tanto, à medida que isso pode ser conseguido naturalmente, a Estética nos conduzirá, por assim dizer, pela mão; c) os estetas não devem estimular ou afirmar as faculdades inferiores, à medida que forem corrompidas, mas devem controlá-las para que não sejam ainda mais corrompidas por exercícios desfavoráveis ou para que o uso do talento concedido por Deus não seja tolhido sob cômodo pretexto de evitar um mau uso.

## § 13

Nossa Estética (§ 1), assim como a Lógica, nossa irmã mais velha, divide-se em: I) ESTÉTICA TEÓRICA, que ensina e prescreve as regras gerais (Parte I): 1) sobre as coisas e sobre os pensamentos; cap. I, HEURÍSTICA; 2) sobre a ordenação lúcida: cap. II, METODOLÓGICA; 3) sobre os signos do pensar e do ordenar de modo belo: cap. III, SEMIÓTICA; II) ESTÉTICA PRÁTICA, que trata do emprego em casos especiais (Parte II). Para ambas – a teórica e prática – vale o seguinte:

Quem escolher um assunto segundo suas forças, a este não faltará eloquência nem ordenação lúcida (HOR. Ep. ad Pis., 40).

Logo, o assunto deve ser o teu primeiro cuidado; a ordenação lúcida, o segundo; e, em terceiro e último lugar, cuida dos signos.

**Parte I: Estética Teórica**
**Capítulo I: Heurística**
**Seção 1: A beleza do conhecimento**

## § 14

O fim visado pela Estética é a perfeição do conhecimento sensitivo como tal (§ 1). Essa perfeição, todavia, é a beleza (Metafísica, § 521, 662). A imperfeição do conhecimento sensitivo (§ 1) é o disforme (Metafísica, § 521, 662), e como tal deve ser evitada.

## § 15

O esteta, enquanto esteta, não se ocupa das perfeições do conhecimento sensitivo, tão recônditas que nos permanecem totalmente obscuras ou que apenas podem ser intuídas pelo pensamento (§ 14).

## § 16

O esteta, enquanto esteta, não se ocupa das imperfeições do conhecimento sensitivo, tão recônditas que nos permanecem inteiramente obscuras ou que apenas podem ser desvendadas pelo julgamento do intelecto (§ 14).

## § 17

Tomado a partir de sua melhor denominação, o conhecimento sensitivo é o complexo de representações que subsistem abaixo da distinção. De sua manifestação, se quisermos considerar com o intelecto só a beleza e a elegância ou, simultaneamente, só o disforme – como um espectador de gosto refinado às vezes o intuirá – a distinção necessária à ciência sucumbiria, aniquilada pela fadiga, face ao volume de belezas ou desfigurações genéricas bem como específicas que se apresentam em suas diferentes classes (§ 1). Devido a isso, examinaremos primeiramente a beleza universal e geral, à medida que é comum a quase todo conhecimento sensitivo belo e, em seguida, a conformidade com o seu oposto (§ 14).

## § 18

Enquanto ainda nos abstraímos da sua ordem e dos seus signos, a beleza universal do conhecimento sensitivo (§ 14) será: 1) o consenso dos pensamentos entre si em direção à unidade: consenso este que se manifesta (§ 14; Met., § 662) como a BELEZA DAS COISAS E DOS PENSAMENTOS, que deve ser distinguida, por um lado, da beleza do conhecimento, da qual é a primeira e principal parte (§ 13), e, por outro, da beleza dos objetos e da matéria, com que é errônea e frequentemente confundida, devido ao significado genérico da palavra "coisa". As coisas feias, enquanto tais, podem ser concebidas de modo belo; e as mais belas, de modo feio.

## § 19

Já que não existe perfeição sem ordem (Met., § 95), a beleza universal do conhecimento sensitivo (§ 14) é: 2) o consenso da ordem, em que meditamos as coisas pensadas de modo belo e, à medida que esse consenso se manifesta (§ 14), é também o consenso interno à própria ordem e o consenso da ordem com as coisas. Referimo-nos, portanto, à BELEZA DA ORDEM e da disposição.

## § 20

Uma vez que não percebemos as coisas designadas sem os signos (Met., § 619), a beleza universal do conhecimento sensitivo é (§ 14): 3) o consenso interno dos signos e o consenso dos signos com a ordem e com as coisas, à medida que este se manifesta. A beleza universal do conhecimento sensitivo é a beleza das enunciações, tais como a dicção e o estilo, quando o signo é o discurso ou o diálogo, e, simultaneamente, a ação do orador, isto é, seus gestos, suas atitudes, etc., quando o discurso é proferido à viva voz. Temos, então, as três prerrogativas gerais do conhecimento (§ 18, § 19).

## § 21

As desfigurações, os defeitos, as máculas do conhecimento sensitivo, que devem ser evitados nos pensamentos e nas coisas (§ 18), ou na união de mais pensamentos (§ 19) ou na enunciação (§ 20), podem ser precisamente tantos quantos enumeramos por ordem no § 13.

## § 22

À medida que a riqueza, a magnitude, a verdade, a clareza, a certeza e a vida do conhecimento se harmonizarem entre si em uma noção – por exemplo, a riqueza e a magnitude com a clareza; a verdade e a clareza com a certeza; todas as outras com a vida – e à medida que as diversas outras marcas distintivas do conhecimento (§ 18 – § 20) se harmonizarem com as mesmas, elas produzem a perfeição de todo conhecimento (Met., § 69, § 94), gerando a beleza (§ 14) universal dos fenômenos sensitivos (§ 17), principalmente das coisas e dos pensamentos (§ 18), nos quais nos agrada a riqueza, a nobreza, a segura luz da verdade em movimento.

## § 23

A brevidade, a vulgaridade, a falsidade (Met., § 551), a obscuridade impenetrável, a hesitação dúbia (Met., § 531), a inércia (Met., § 669) são todas imperfeições do conhecimento (Met., § 94) e, em geral (§ 14), deformam o conhecimento sensitivo (§ 17), como principais defeitos dos conhecimentos e das coisas (§ 21).

## § 24

A beleza do conhecimento sensitivo (§ 14) e a própria elegância das coisas (§ 18) são perfeições, além de combinadas (§ 18-20, § 22), universais (§ 17; Met., § 96). Isso evidencia-se ainda do fato de nenhuma perfeição isolada manifestar-se a nós como fenômeno (Met., § 444). De um lado, admitem-se certamente muitas exceções, que não devem ser consideradas como defeitos, contanto que se manifestem como fenômeno e sobretudo que não destruam sua harmonia; por outro, que sejam o mais possível insignificantes e imperceptíveis (Met., § 445).

### § 25

Se falarmos de ELEGÂNCIA, a beleza fundamenta-se nas colocações acima. As EXCEÇÕES, que descrevemos no § 24, não serão deselegantes (Met. l, § 446), quando, por exemplo, uma regra de beleza menos eficaz cede lugar a uma mais eficaz; uma menos fecunda, a uma mais fecunda; uma mais próxima cede lugar a uma mais afastada, à qual estará subordinada. A partir daí, no estabelecimento das regras da beleza no ato de conhecer deve-se estar igualmente bem atento à força dessas regras (Met., § 180).

### § 26

Na medida em que uma percepção é uma causa determinante, ela é um argumento. Existem, portanto, argumentos que locupletam, argumentos que enobrecem, argumentos que louvam, que explicam, argumentos que persuadem, argumentos que dão vida e movimento (§ 22), dos quais a Estética não só exige a força e a eficácia (Met., § 515), mas também a elegância (§ 25). A parte do conhecimento em que uma elegância peculiar se revela é a FIGURA de retórica [esquema]. Existem, portanto, figuras 1) dos objetos e dos pensamentos (§ 18), as SENTENÇAS; 2) figuras da ordem (§ 19); 3) figuras da significação, a que pertencem as figuras de linguagem (§ 20). Existem tantos tipos de figuras quantos são os tipos de sentenças e os tipos de argumentos.

### § 27

Já que a beleza do conhecimento (§ 14), como efeito do pensar de modo belo, não é maior nem mais enobrecedora que as forças vivas (Met., § 331, 332), delinearemos de certo modo, antes de tudo, a gênese e a forma original daquele que tem a intenção de pensar de modo belo, ou seja, o caráter do esteta que possui talento. Procederemos à enumeração das causas que na alma estão naturalmente mais próximas da causa do conhecimento belo. Devido às razões mencionadas no

§ 17, deter-nos-emos agora no caráter geral e universal que os belos pensamentos requerem, não nos aprofundando em algum caráter especial, complemento do geral, e que se destina à realização de uma determinada espécie do belo conhecimento.

## Seção II: A Estética natural

### § 28

Do caráter geral do esteta bem-sucedido – supondo-se os traços mais gerais (§ 27) – exige-se: I) a estética natural inata (§ 2) (a *Physis*, a natureza, a boa aptidão, o cunho arquetípico do nascimento), que vem a ser a disposição natural e inata da alma para pensar de modo belo.

### § 29

À natureza do esteta, sobre a qual discorremos no § 28, deve pertencer: 1) um refinado e elegante talento (*ingenium*) inato, um talento inato em sentido mais amplo, cujas faculdades inferiores sejam mais facilmente excitadas e se harmonizem, numa proporção adequada, em função da elegância do conhecimento.

### § 30

Ao talento refinado, mencionado no § 29, devem pertencer: A) as faculdades cognitivas inferiores e suas disposições naturais de: a) agudamente perceber pelos sentidos (Met., § 540), não só para que a alma adquira a matéria-prima do pensar belamente com os sentidos externos, mas também para que possa experimentar e vir a dirigir as mudanças e os efeitos das suas outras faculdades com o sentido interno e com a profunda consciência (Met., § 535). Para que a faculdade de perceber pelos sentidos um dia se harmonize com as demais, ela deverá ser, no talento elegante, de tal porte que não venha, sempre e em toda a parte, a oprimir os pensamentos heterogêneos, sejam quais forem, com qualquer de suas sensações os pensamentos heterogêneos, sejam quais forem (§ 29).

### § 31

b) a aptidão natural para fantasiar (§30), que possibilite ao talento refinado ser rico de imaginação, uma vez que 1) frequentemente os eventos passados devem ser concebidos de modo belo; 2) os fatos presentes às vezes sobrepujam os passados antes que a bela concepção deles se complete; 3) não apenas dos acontecimentos presentes, mas também dos passados são deduzidos os acontecimentos futuros. Para que a imaginação algum dia se harmonize com as demais faculdades, ela deve ser tanta no talento refinado que não obscureça, sempre e em toda parte, com suas fantasias, as demais percepções, cada uma delas por natureza mais fraca que cada uma das fantasias (§29). Se à fantasia for atribuída a faculdade de fingir, como frequentemente o faziam os antigos, existe a dupla necessidade de ela ser maior no talento refinado.

### § 32

c) a aptidão natural para a perspicácia (§ 30, Met., § 573), pela qual, através do sentido e da fantasia, etc. (§ 30, 31), todas as coisas devem ser sugeridas, bem como lapidadas pela sutileza do espírito e pelo talento. Tanto a beleza do conhecimento – à medida que ela reclama harmonias manifestas e não admite desarmonias manifestas – quanto, em sentido mais amplo, a própria bela harmonia do talento devem ser atingidas através dessas faculdades (§ 29, M., § 572). Visto que a sutileza de espírito não raro se esconde sob o nome de talento, todo conhecimento belo às vezes é imputado ao talento. Todavia, para que algum dia a perspicácia se harmonize bem com as demais faculdades do espírito, ela deve ser tanta que só atue sobre uma matéria que já lhe tenha sido suficientemente preparada (§ 29).

### § 33

d) a aptidão natural para reconhecer e a memória (Met., 579). Mnemósima era chamada a mãe das musas pelos antigos, que também atribuíam à memória a capacidade de reproduzir algo imaginado (§ 31). Todavia, aquele que, por exemplo, vai narrar de modo belo, não pode se abster da própria faculdade de reconhecer e, sobretudo, convém que, ao inventar uma história, tenha uma boa memória, a fim de evitar uma contradição entre o que antecede e o que segue.

### § 34

e) a aptidão poética (Met., § 589), exigida em tal monta, que granjeou à classe mais eminente dos estetas práticos o nome de poetas. Um psicólogo que pondere com cuidado não há de se admirar de quão importante parte da bela meditação deve ser produzida pela combinação e disjunção das representações imaginárias. No entanto, para que essa faculdade se harmonize com as demais, ela deve ter seu campo de ação delimitado de modo que não possa subtrair o mundo, como se ele (o mundo) tivesse sido criado por ela, dos arremates (§ 29) das demais faculdades, por exemplo, da perspicácia (§ 31).

### § 35

f) a aptidão para o gosto fino e apurado (M., § 608) e não para o vulgar. O gosto fino e apurado, juntamente com a perspicácia, será o juiz inferior (M., § 607) das percepções sensíveis, das representações imaginárias, das criações, etc., sempre que for supérfluo (§ 15), no que concerne à beleza, submeter cada detalhe ao julgamento do intelecto (M., § 641).

### § 36

g) a disposição de prever (M., § 595) e de pressentir (M., § 610) o futuro. Os antigos, que observavam essa aptidão se manifestar de forma extraordinária não em muitos, mas nos talentos mais belos, atribuíam-na aos deuses como prodígio e, por vezes, como milagre. A partir daí, os poetas também foram considerados vates. Essa aptidão, contudo, não disponível em qualquer um de modo passageiro, não deve ser busca-da junto a não sei que oráculos estéticos, uma vez que, como beleza primária, é necessária a toda vida do conhecimento (§ 22, M., § 665). No entanto, para que essa faculdade, bem como a aptidão divinatória, possa estar em harmonia com as demais (§ 29, M., § 616), ela deve ser de tal monta que não ceda seu lugar assim como seu tempo à sensação e muito menos à imaginação heterogênea (§ 30, 31).

### § 37

h) a aptidão para expressar suas percepções (M., § 619), que é mais necessária ou menos necessária, segundo se queira prestar atenção nas características do esteta que apenas pensa belamente no âmago da sua alma, ou então, nas características do esteta que enuncia de modo belo os seus pensamentos. Essa aptidão, todavia, não pode estar completamente ausente no primeiro caso (§ 20). Para que ela se harmonize com as demais faculdades, seu campo de ação não deve se expandir a ponto de suprimir a intuição, que é necessária à beleza (§ 35; M., § 620).

## § 38

Devem pertencer ao talento refinado e gracioso, sobre o qual discorremos no parágrafo 29: B) as faculdades cognitivas superiores (M., § 624) à medida que a) o intelecto e razão, através do comando da alma sobre si mesma, não raro muito contribuem para estimular as faculdades cognitivas inferiores (M., § 730); b) o consenso dessas faculdades e a harmonia adequada à beleza frequentemente não serão obtidas a não ser pelo uso da razão e do intelecto (§ 29); c) a beleza do intelecto (M., § 637) e da razão é para o espírito o consequente natural da grande vivacidade do análogon da razão, ou seja, é a coesão do conhecimento extensivamente distinto.

## § 39

O talento refinado e gracioso é naturalmente tão bem ordenado, que sempre lhe é possível conceber algum estado fictício, como por exemplo um estado futuro, e este não somente a partir dos estados que vivenciou no passado, e que a memória pode reproduzir, mas também lhe é possível, a partir das próprias sensações externas, graças ao poder de abstração, considerar esse estado futuro, seja ele bom ou mau, com toda a perspicácia e, sob o comando do intelecto e da razão (§ 30–38), torná-lo visível através de signos adequados.

## § 40

Ou foi por gracejo ou por um grave erro que Demócrito excluiu os poetas de juízo perfeito do Helicão; mas é ainda mais estúpido, como o faz uma boa parte da humanidade, esperar obter como recompensa o título de homem com graça de estilo, sem que jamais tenha confiado a cabeça, que as três Antíciras não conseguiram curar, ao barbeiro Licino (Hor. Espírito. II, 3, 300).

## § 41

As faculdades inferiores mais importantes, e as que são tais por natureza, são exigidas naquele que tem a intenção de pensar de modo belo (§ 29). Elas de fato podem coexistir com as superioridades, que por natureza são mais importantes (M., § 649), mas sobretudo são indispensáveis a estas como condição *sine qua non* (M., § 647). A partir daí advém a opinião preconcebida de que a beleza do talento é por natureza incompatível com os dotes mais austeros da inteligência e do raciocínio, na medida em que são inatos por natureza.

### § 42

Pode existir um talento belo que infelizmente negligenciou o uso do intelecto e da razão; pode existir também um talento filosófico e matemático não suficientemente instruído pelos ornamentos do *análogon* da razão. Ou então pode existir um talento medianamente gracioso, mas, pela própria natureza, inepto para as ciências mais exatas. Mas não pode existir um talento que, tendo nascido para compreender essas ciências, seja incapaz de dotar o conhecimento de alguma graça (Met., § 649, § 247).

### § 43

Os talentos mais eminentes e universais de todos os tempos – Orfeu e os estatores de filosofia poética; Sócrates, chamado o Irônico; Platão, Aristóteles, Grotius, Descartes, Leibniz – ensinam *a posteriori* que a aptidão para pensar de modo belo e a aptidão para pensar de modo lógico se ajustam bem e podem coexistir em um único espaço, não demasiadamente estreito; o mesmo vale também para a disciplina mais rigorosa dos filósofos e dos matemáticos.

### § 44

Do esteta nato (§ 29) requer-se: 2) uma índole mais propensa a seguir o conhecimento digno e sugestivo e a harmonia das faculdades apetitivas, que facilita o caminho para alcançar o conhecimento belo. Referimo-nos ao TEMPERAMENTO ESTÉTICO INATO (Met., § 732).

### § 45

Como todo homem é atraído por bens de todo tipo que, uma vez conhecidos, lhe despertam desejos (Met., § 665), mencionaremos, como convém ao esteta (§ 15), alguns deles, segundo a ordem de importância: o dinheiro; o poder; o trabalho e seu termo de comparação, o lazer; as delícias externas; a liberdade; a honra; a amizade; o vigor e a firme saúde do corpo; as sombras da virtude; o belo conhecimento e seu corolário que é amável virtude; o conhecimento superior e seu corolário de virtude que deve ser venerada. Será, portanto, lícito atribuir aos temperamentos estéticos alguma GRANDEZA D'ALMA INATA, que se manifesta principalmente na atração instintiva pelas grandes coisas, notadamente entre os que atentam nelas a passagem que os conduzirá facilmente para as coisas supremas (§ 38, § 41).

### § 46

Segundo a doutrina habitual dos temperamentos, o temperamento melancólico costuma ser recomendado àqueles que não distinguem nitidamente as meditações belas mais prolixas das mais breves, que devem receber rapidamente sua forma definitiva. O temperamento sanguíneo, como é chamado, será mais apto a produzir as últimas, o melancólico, as primeiras. Uma vez que o temperamento colérico tem a preferência dos que a glória arrastou para o palco em seu carro rápido como o vento (HOR. Ep., II, 1, 177), que a mesma glória dê as forças aos que empreendem uma grande obra.

### § 47

Do caráter do esteta bem-sucedido exige-se: II) a ascese (exercício prático) e o EXERCÍCIO ESTÉTICO, que consiste na repetição mais frequente de ações homogêneas, no intuito de que haja um certo consenso entre o talento e a índole, descritos aos parágrafos 28-46. Esse consenso deve se realizar sobre um tema dado, ou principalmente – para que ninguém possa pensar que por tema dado entendemos o mesmo que um Orbílio entende – sobre um só pensamento, sobre um só assunto. O exercício deve, portanto, permitir a gradual aquisição do hábito de pensar com beleza (Met., § 577).

### § 48

A natureza estética, da qual tratamos na seção II, não pode se manter, mesmo por um breve período de tempo, num mesmo grau de perfeição (Met., § 550). Se suas disposições ou aptidões não forem aperfeiçoadas por exercícios contínuos; ela decresce um tanto (§ 47), por mais elevada que tenha sido no início, e acaba por entorpecer (Met., § 650). Não recomendo, porém, apenas os exercícios das faculdades mencionadas na Seção II, mas também os estéticos (§ 47). Há exercícios que corrompem e deturpam a natureza suficientemente bela; eles devem ser evitados. Sua manifestação (§ 16) junto a talentos ativos não pode ser evitada de modo mais feliz a não ser pela substituição recomendável de exercícios melhores (Met., § 698).

## § 49

Também exijo um certo consenso nos próprios exercícios estéticos e, na verdade, em todos (§ 47). Sem esse consenso os efeitos da natureza bela não existem e, portanto, não aumentarão sua força (47 Met., § 139). Mas exijo apenas um certo consenso: os exercícios militares não exigem tantos soldados quantos exige uma batalha. Admito, como esteta, alguns exercícios, que têm o efeito secundário de corromper ligeiramente a natureza suficientemente bela (§ 16). Admito também alguns exercícios que deturpam levemente (§ 48), contanto que promovam muito mais a harmonia que a desarmonia e contanto que esses exercícios sejam os que denominamos exercícios estéticos (§ 47). Destes, contudo, admito exercícios em que a deformidade é maior que a beleza, com a condição de que os acompanhe a consciência (§ 35) de preponderância desta deformidade, de forma que, através dela, se hoje se verificam males, amanhã não ocorrerá o mesmo (HOR. Carm., II, 10, 17; M., 666).

## § 50

Nos exercícios estéticos postulo um certo consenso não apenas de talento com ele mesmo, mas também o consenso do talento com a sua índole, sobre os quais tratamos na Seção II, § 49. Se o talento for cultivado por meio de exercícios sem vida e sem força, a índole será totalmente negligenciada ou totalmente corrompida e degradada, a ponto de, por exemplo, submergir sob o domínio de desejos e de paixões tirânicas, como a hipocrisia, o gosto feroz da luta atlética, as companhias perdulárias, as ambições, a licenciosidade, as orgias, a ociosidade, o interesse exclusivo por bens materiais ou simplesmente pelo dinheiro (§ 46). Então, quando a pobreza e a vulgaridade do espírito transparecer, ela deturpará tudo aquilo que parecia pensado com graça e elegância (§ 48).

## § 51

A índole, como poderá parecer, será preservada em seu estado natural ou será elevada (supondo-se que isso possa acontecer de modo diferente por outros meios) pelo talento (Met., § 732), abordado na Seção II. Se esse talento for abandonado em seu estado rude (Et., 403), talvez as sombras das virtudes, que mencionei no parágrafo 45, se originem dele, mas também, por um lado, em toda parte transparecerá a rudeza do talento, que deturpará (§ 48) os movimentos d'alma – ditos bons – de um, como se costuma dizer, bom coração; e, por outro lado, a alma, que às vezes sente aversão pelo conhecimento belo ou não tem suficiente inclinação para o mesmo, permitirá, não involuntariamente, que o talento, sob estes maus presságios, se enfraqueça ao ponto do não-retorno, a partir do qual nunca poderá novamente ser levado a pensar algo de modo belo (§ 27).

### § 52

Os exercícios estéticos serão 1) improvisações executadas sem o direcionamento da arte erudita, através das quais aquele que deve ser exercitado possa adquirir mestria. A essa categoria pertence aquele grosseiro verso satúrnio, com que o velho camponês dos tempos ancestrais se revigorava e aliviava o coração nos dias de festa:

*espalhou os opróbrios campestres em versos alternados*
(HOR. Ep., II, 1, 146).

A essa categoria pertencem também todas as imagens do belo conhecimento, criadas pelo homem antes do advento das artes eruditas; a ela pertencem ainda as primeiras centelhas de um dom mais belo que precedem qualquer arte. Assim como Ovídio, por exemplo, relata:

*Tudo que ele tentar dizer será um verso* (OVID. Trist., IV, 10, 26).

### § 53

Em assuntos estéticos, também devemos ter especial cuidado de não considerar iguais o talento rude e o talento inculto. Seguramente o talento de Homero, de Píndaro e de outros não foi rude nem inculto, nem grosseiro (HOR. Ep., I, 3, 22).

Suas obras, todavia, os primeiro modelos (arquétipos) das artes eruditas, foram melhores que as suas reproduções (éctipos). Uma pessoa inculta também pode possuir um talento estético sobremodo esmerado, assim como uma pessoa que possui erudição pode possuir um talento bastante rude no que concerne à beleza.

### § 54

Do mesmo modo que a música – como afirmou Leibniz – é um exercício aritmético inconsciente da alma daquele que não aprendeu a contar, assim também a criança, que ainda quase não tem consciência de que ela pensa e, sobretudo, de que pensa de modo belo, é exercitada pela expectativa de casos semelhantes, bem como, pelo primeiro impulso inato da imitação. O resultado será positivo se, graças a um acaso feliz, a criança a educar cair nas mãos de um artista que dê forma à delicada gagueira infantil (§ 37), um artista que, desde a primeira infância, desvia o seu ouvido das expressões obscenas e, em seguida, também modela seu espírito com preceitos amigos... relata feitos sábios, prepara as gerações futuras com exemplos conhecidos (HOR. Ep., II, 1, 126).

### § 55

Além disso, o belo talento inato também é exercitado – e evidentemente já se exercita a si próprio, embora não saiba o que esteja fazendo – quando a criança conversa; quando brinca, principalmente se ela inventa as brincadeiras ou é uma pequena líder entre as companheiras e, com estas, intensamente atenta, transpira, fala e se ocupa com tudo que há por fazer. E também é um exercício salutar para ela ver, ouvir e ler assuntos que poderá entender de modo belo desde que essas atividades estejam submetidas às regras indicadas nos parágrafos 49 a 51, que lhe garantam o estatuto de exercícios estéticos (§ 47).

### § 56

Também nós, os adultos, não raro somos enganados, quando, ao ler ou ouvir coisas ditas ou escritas de modo belo, as reconhecemos como belas. Nós as reconhecemos como belas e observamos a sua beleza e gostamos. Chegamos mesmo a aclamar em silêncio um autor: bravo!, perfeito!, muito bem! Todavia, não estamos com o espírito suficientemente preparado para pensar simultaneamente com ele de modo belo. Parece mais eficaz e, portanto, é recomendável um exercício estético que manuseie dia e noite os melhores autores. A musa deu aos gregos (e aos franceses[1]) o talento; deu aos gregos (e aos franceses) uma linguagem harmoniosa. Exceto a glória, nada cobiçam os gregos (e os franceses) (HOR. Ep., II, 3, 269).

---

[1] Acréscimo de Baumgarten aos versos de Horácio. (N.T.)

## § 57

É evidente por si mesmo que exercícios mais eficazes proporcionam forças maiores, como o testemunham as improvisações heurísticas, as quais a alma, sem outro recurso que sua própria força, produz espontaneamente, quando já aprendeu ou já nasceu com a aptidão de "nadar sem cortiça" (HOR. Sat., I, 4, 124).

## § 58

Os exercícios estéticos serão: 2) mais corretos e mais precisos, se à estética natural inata e adquirida – a senhora natureza – associar-se a estética erudita, sem a qual os talentos certamente belos, mas não divinos, hão de experimentar muitas vezes o caminho que conduz ao refinamento do conhecimento, que é tal como o caminho nas selvas, por entre a lua fugidia, sob uma luz maligna, quando Júpiter mergulhou o céu na sombra e a noite sombria subtraiu às coisas sua cor (VERG. En., VI, 270 sq.)

## § 59

Todas as vezes que um esteta praticar os dois tipos de exercício (§ 52, 58), ele lutará com mais eficiência pela beleza do conhecimento e extrairá da prática não só o talento, mas também o caráter e o temperamento estético e estará se fortalecendo pelo hábito (§ 42), reforçando, desta forma, a grandeza inata do pensamento (§ 46, M., 247).

## § 60

A ESTÉTICA DINÂMICA ou crítica, que tem por objeto a avaliação das forças de que dispõe um determinado homem para alcançar uma determinada beleza de um determinado conhecimento, não pode medir as forças inatas da natureza a não ser a partir dos efeitos, ou seja, dos exercícios estéticos (§ 27). Daí é justo concluir que tanto existem as improvisações, quanto existe o caráter de determinado homem; portanto, também existe tanto da sua natureza inata que poderá atingir sua meta com os exercícios precedentes (M., § 57). Não será igualmente justo concluir que as forças de um determinado homem, em seu estado atual, são insuficientes tanto para as improvisações, quanto para o caráter. Omite-se, portanto, a natureza inata, necessária para meditações desta espécie (M., § 60).

## § 61

O esteta dinâmico frequentemente terá necessidade de testes (ensaios) estéticos, escolhidos entre outros exercícios, com o intuito de experimentar se as forças, e quão grandes, de um determinado homem são suficientes para um determinado conhecimento belo (M., § 697). Então, se estes resultam positivos, a experiência é positiva e boa e as forças são consideradas suficientes (§ 60); se resultam menos positivas, nem sempre está em causa uma falta, muito menos vale a consequente conclusão – feita a partir da ausência de uma certa característica estética, que por acaso pode ser específica e é exigida para um determinado teste – de que haja a ausência geral do caráter estético, ou ainda, que haja a ausência de outras características específicas (§ 27). Os ensaios poéticos de Cícero, os ensaios épicos de Ovídio e os de Horácio não tiveram bom êxito.

**David Hume**

Do padrão do gosto

# Do padrão do gosto*

David Hume (1711–1776)

Tradução
*Luciano Trigo*

---

"É natural que se procure encontrar um *Padrão de Gosto*, uma regra capaz de conciliar as diversas opiniões dos homens, um consenso estabelecido que faça com que uma opinião seja aprovada e outra condenada". Mas a pergunta levantada por Hume (1711–1776) neste texto (publicado em 1757, junto a outros ensaios) é se estamos justificados a estabelecer um padrão de gosto quando nos deparamos com a diversidade de avaliações sobre a beleza. Além disso, devemos considerar que as observações negativas referentes a sensibilidades estéticas consideradas mais brutas podem também ser aplicadas ao emissor dessas observações. O texto a seguir é um momento da abordagem cética acerca da questão do juízo de gosto.

**Temas:** ceticismo, empirismo, gosto, literatura.

---

\* HUME, D. "Do padrão do gosto". In: *Ensaios morais, políticos e literários*. Rio de Janeiro: Topbooks, 2004, p. 367-396. Agradecemos à Editora Topbooks por autorizar a utilização do texto.

A extrema variedade de gostos e de opiniões que existe no mundo é demasiado evidente para deixar de ser notada pela observação de todos. Mesmo aqueles homens de conhecimentos parcos são capazes de observar as diferenças de gosto dentro do estreito círculo de suas relações, inclusive entre pessoas que foram educadas sob o mesmo governo e nas quais foram incutidos os mesmos preconceitos, desde cedo. Mas são aqueles indivíduos capazes de uma visão mais ampla e que conhecem nações distantes e épocas remotas os que se surpreendem ainda mais com essa grande incoerência e contradição. Temos propensão a chamar de bárbaro tudo o que se afasta de nosso gosto e de nossas concepções, mas prontamente notamos que este epíteto ou censura também pode ser aplicado a nós. E mesmo o homem mais arrogante e convicto acaba por se sentir abalado ao observar em toda parte uma segurança idêntica, passando a ter escrúpulos, em meio a tal contrariedade de sentimentos, em relação a pronunciar-se positivamente sobre si mesmo.

Se, por um lado, essa variedade de gostos é evidente até mesmo para o observador mais descuidado, por outro uma demonstração atenta evidenciará que ela é ainda maior na realidade que na aparência. Frequentemente as opiniões dos homens variam quanto à beleza ou à deformidade da espécie, mesmo quando o seu discurso geral é o mesmo. Em todas as línguas existem termos que implicam censura e outros que implicam aprovação e todos os homens que compartilham uma língua devem concordar no uso que fazem desses termos.

Todas as vozes se unem na exaltação da elegância, da propriedade, do espírito e da simplicidade no escrever, bem como na censura do estilo bombástico, da afetação, da frieza e do falso brilhantismo. Mas, quando os críticos discutem os casos particulares, essa aparente unanimidade se desvanece e então se descobre que muitos sentidos diferentes eram atribuídos àquelas expressões. Em todas as questões que envolvem a opinião e a ciência, ocorre o contrário: as divergências entre os homens surgem com mais frequência em relação a generalidades do que a casos particulares, e são mais aparentes do que reais. Geralmente, basta uma explicação dos termos para encerrar a controvérsia e os contendores descobrem, surpresos, que estavam discutindo quando, no fundo, concordavam em suas conclusões.

Os indivíduos para quem a moral depende mais do sentimento que da razão tendem a englobar a ética na primeira observação, sustentando que, em todas as questões relativas à conduta e aos costumes, as diferenças entre os homens, na realidade, são maiores do que poderia parecer à primeira vista. É evidente, sem dúvida, que os autores de todas as nações e todas as épocas estão de acordo em aplaudir a justiça, o humanitarismo, a magnanimidade, a prudência e a veracidade e em censurar as qualidades que lhes são contrárias. Mesmo entre os poetas e outros autores cujas composições se destinam principalmente a entreter a imaginação, observa-se, de HOMERO a FÉNELON, a defesa dos mesmos princípios orais e a concessão do aplauso e da censura às mesmas virtudes e vícios. Em geral, atribui-se à simples influência da razão essa unanimidade extrema; em todo caso, a razão inspira aos homens os mesmos sentimentos, evitando as controvérsias a que estão sujeitas as ciências abstratas. Na medida em que essa unanimidade é real, é forçoso considerar satisfatória essa explicação; contudo, é preciso reconhecer que, ao menos em parte, essa harmonia em relação à moral talvez possa ser explicada pela própria natureza da linguagem. A palavra *virtude*, que é equivalente em todas as línguas, implica aprovação, da mesma forma que *vício* implica censura. E ninguém poderia, sem cometer uma impropriedade óbvia e grosseira, ligar a ideia de censura a um termo que é geralmente entendido num sentido positivo ou evocar a ideia de aplauso quando o idioma exige a de reprovação. Os preceitos gerais de HOMERO, tais como ele os formula, nunca serão objeto de controvérsia, mas é evidente que, quando ele desenha cenas concretas de costumes e representa o heroísmo de AQUILES e a prudência de ULISSES, acrescenta um grau muito maior de ferocidade ao primeiro, e de astúcia e dissimulação ao segundo, do que poderia admitir FÉNELON. Na obra do poeta GREGO, o sábio ULISSES parece deliciar-se com suas mentiras e ficções, usando-as muitas vezes sem necessidade e mesmo sem extrair delas qualquer vantagem. Mas seu filho, mais escrupuloso, na obra do poeta épico FRANCÊS, prefere expor-se aos perigos mais iminentes a desviar-se do caminho da mais rigorosa fidelidade à verdade.

Os admiradores ou seguidores do ALCORÃO insistem nos excelentes preceitos morais que se encontram espalhados por essa obra caótica e absurda. Mas deve-se supor que as palavras árabes correspondentes a termos como equidade, justiça, temperança, egoísmo, caridade eram sempre tomadas num sentido positivo no uso corrente da língua. E que seria dar mostra de uma enorme ignorância, não da moral, mas da linguagem, usá-las com um significado diferente do elogio e da aprovação. Mas como podemos saber se o pretenso profeta conseguiu efetivamente atingir uma concepção justa da moral? Se nos concentrarmos na sua narrativa, verificaremos que ele aplaude atitudes como a traição, a desumanidade, a crueldade, a vingança e a beatice, que são inteiramente incompatíveis com a sociedade civilizada. Essa obra não parece ter seguido qualquer regra fixa de direito, e cada ação só é condenada ou exaltada na medida em que ela é benéfica ou prejudicial para os crentes autênticos.

O mérito de estabelecer preceitos éticos gerais autênticos é muito pequeno, inegavelmente. Quem recomenda qualquer virtude moral na verdade não faz mais do que aquilo que está implicado nos próprios termos. Os indivíduos que inventaram a palavra *caridade* e a usaram com um sentido positivo contribuíram de uma forma muito mais clara e eficaz para incutir o preceito "seja caridoso" do que qualquer pretenso legislador ou profeta que incluísse essa *máxima* em seus textos. De todas as expressões, são justamente aquelas que implicam, além de seu significado, um determinado grau de censura ou aprovação as que menos estão sujeitas a serem distorcidas ou mal compreendidas.

É natural que se procure encontrar um *Padrão de Gosto*, uma regra capaz de conciliar as diversas opiniões dos homens, um consenso estabelecido que faça com que uma opinião seja aprovada e outra condenada.

Existe um tipo de filosofia que impossibilita qualquer esperança nesse empreendimento, negando que seja possível estabelecer um padrão de gosto qualquer. Ela afirma que há uma diferença muito grande entre o julgamento e o sentimento. O sentimento está sempre certo; porque o referente só tem a si mesmo como referencial e é sempre real, quando se tem consciência dele. Mas nem todas as determinações do conhecimento são certas, porque elas têm como referente alguma coisa além de si mesmas, isto é, os fatos reais, que nem sempre estão de acordo com o seu padrão. Entre mil e uma opiniões que indivíduos diferentes podem ter sobre o mesmo assunto, existe uma e somente uma que é justa e verdadeira; e a única dificuldade é encontrá-la e confirmá-la. Por sua vez, os mil e um sentimentos diferentes despertados pelo mesmo objeto são todos certos, porque nenhum sentimento representa o que realmente está no objeto. Ele se limita a assinalar uma certa conformidade ou relação entre o objeto e os órgãos ou faculdades do espírito, e, se essa conformidade realmente não existisse, o sentimento jamais teria sido despertado. A beleza não é uma qualidade das próprias coisas; ela existe apenas no espírito que as contempla, e cada espírito percebe uma beleza diferente. É possível mesmo que um indivíduo encontre deformidade onde outro só vê beleza, e cada um deve ceder a seu próprio sentimento, sem ter a pretensão de controlar o dos outros. Tentar estabelecer uma beleza real ou uma deformidade real é uma investigação tão infrutífera quanto tentar determinar uma doçura real ou um amargor real. Segundo a disposição dos órgãos corporais, o mesmo objeto tanto pode ser doce como amargo, e o provérbio popular afirma com muita razão que gosto não se discute. É muito natural, e mesmo absolutamente necessário, aplicar esse axioma ao gosto espiritual, além do gosto corporal, e dessa forma o senso comum, que diverge com tanta frequência da filosofia, sobretudo da filosofia cética, pelo menos num caso concorda com ela, proferindo uma decisão idêntica.

Mas embora esse axioma se tenha transformado num provérbio, e portanto pareça ter recebido a sanção do senso comum, é inegável que existe um tipo de senso comum que lhe é oposto ou pelo menos tem a função de modificá-lo e limitá-lo. Qualquer um que afirmasse a igualdade de gênio e elegância de OGILBY e MILTON, de BUNYAN e ADDISON, não seria considerado menos extravagante que se afirmasse que um monte feito por uma toupeira é mais alto que o rochedo de TENERIFE ou que um charco é maior que o oceano. Embora se possa encontrar indivíduos que preferem os primeiros autores, ninguém dá importância a seu gosto e não temos escrúpulo algum em afirmar que a opinião desses pretensos críticos é absurda e ridícula. Nesse momento se esquece totalmente o princípio da igualdade natural dos gostos, que, embora seja admitido em alguns casos, quando os objetos parecem estar quase em igualdade, assume o aspecto de um paradoxo extravagante ou melhor, de um absurdo evidente, quando se comparam objetos tão desiguais.

É claro que nenhuma regra de composição é estabelecida por um raciocínio *a priori*, nem pode ser confundida com uma conclusão abstrata do entendimento, através da comparação daquelas tendências e relações de ideias que são eternas e imutáveis. O seu fundamento é o mesmo que o de todas as ciências práticas, isto é, a experiência. E elas não passam de observações gerais, relativas ao que universalmente se verificou agradar em todos os países e em todas as épocas. Muitas das belezas da poesia ou mesmo da eloquência se baseiam na falsidade, na ficção, em hipérboles, em metáforas e no abuso ou na perversão dos termos em relação ao seu significado natural. Eliminar a atuação da imaginação, reduzindo qualquer expressão a uma verdade e a uma exatidão absolutas, seria inteiramente contrário às leis da crítica. Pois o resultado seria a produção do tipo de obra que a experiência universal mostrou ser o mais insípido e desagradável. Contudo, embora a poesia nunca possa ser submetida à verdade exata, ainda assim ela deve ser limitada pelas regras da arte, descobertas pelo autor através de seu gênio ou da observação. Se alguns autores negligentes ou irregulares conseguiram agradar, isso não deve ser atribuído às suas transgressões das regras e da ordem; mas ao fato de que, apesar dessas transgressões, as suas obras possuíam outras belezas, que estavam de acordo com a crítica justa. E a força dessas belezas foi capaz de superar a censura, proporcionando ao espírito uma satisfação maior que o desagrado resultante de seus defeitos. Não é por causa de suas ficções monstruosas e improváveis que ARIOSTO nos agrada; nem da mistura bizarra que ele faz entre o estilo cômico e o estilo sério, nem da falta de coerência de suas histórias, nem das interrupções constantes de suas narrativas.

Ele nos encanta pela força e clareza de suas expressões, pelo engenho e a variedade de suas invenções, e pela naturalidade com que retrata as paixões, sobretudo as de tipo alegre e amoroso. Por mais que as suas deficiências possam diminuir a nossa satisfação, elas não são capazes de eliminá-la por completo. Mas, se o nosso prazer resultasse realmente daqueles aspectos de seu poema que consideramos defeituosos, isso não constituiria uma objeção à crítica em geral, mas apenas uma objeção contra regras determinadas da crítica que pretendem definir certas características como defeitos, apresentando-as como universalmente condenáveis. Se a observação mostra que elas agradam, então não podem ser defeitos, por mais que o prazer delas resultante pareça inesperado e incompreensível.

Mas, embora todas as regras gerais da arte estejam fundadas na experiência e na observação dos sentimentos comuns da natureza humana, não decorre daí que os homens sentem sempre da mesma maneira e em conformidade com essas regras. As emoções mais sutis do espírito são de natureza extremamente delicada e frágil, necessitando do concurso de um grande número de circunstâncias favoráveis para que funcionem de uma maneira fácil e exata, segundo seus princípios gerais e estabelecidos. O menor dano exterior causado a essas pequenas molas, a menor perturbação interna, é suficiente para desordenar seu movimento, comprometendo a operação do mecanismo inteiro. Se quisermos realizar um procedimento dessa natureza e avaliar a força de qualquer beleza ou deformidade, precisamos escolher cuidadosamente o momento e o local adequados, proporcionando à nossa fantasia a situação e a disposição certas. A serenidade perfeita do espírito, a concentração do pensamento, a atenção devida ao objeto: se qualquer dessas circunstâncias faltar, nosso experimento será enganoso, e seremos incapazes de avaliar a beleza católica e universal. A relação estabelecida pela natureza entre a forma e o sentimento será no mínimo mais obscura, tornando-se necessário um grande discernimento para a sua identificação e análise. Nós seremos capazes de determinar a sua influência, não a partir da atuação de cada beleza em particular, mas a partir da admiração duradoura despertada por aquelas obras que sobreviveram a todos os caprichos da moda e a todos os equívocos da ignorância e da inveja.

O mesmo HOMERO que encantava ATENAS e ROMA dois mil anos atrás ainda é admirado em PARIS e LONDRES. Todas as diferenças de clima, governo, religião e linguagem não foram capazes de obscurecer a sua glória. A autoridade e o preconceito podem dar prestígio temporário a um mau poeta ou orador; mas a sua reputação nunca será duradoura nem geral. Quando as suas obras forem examinadas pela posteridade ou por estrangeiros, seu encanto será dissipado, e suas deficiências aparecerão com suas cores verdadeiras. Ao contrário, no caso de um verdadeiro gênio, quanto mais tempo durarem as suas obras, maior será o seu reconhecimento, e mais sincera a admiração que ele desperta. Num círculo restrito há espaço para a inveja e o ciúme, e até mesmo a familiaridade com o indivíduo pode diminuir o aplauso que suas composições merecem. Quando esses obstáculos desaparecem, as belezas que estão naturalmente destinadas a provocar sentimentos agradáveis manifestarão a sua força imediatamente. E sempre, enquanto o mundo durar, elas conservarão a sua autoridade sobre os espíritos humanos.

Verificamos assim que, em meio a toda a variedade e o capricho dos gostos, existem determinados princípios gerais de aprovação ou censura cuja influência pode ser detectada por um olhar atento em todas as operações do espírito. Existem certas formas ou qualidades que, devido à estrutura original da constituição interna do espírito, estão destinadas a agradar, e outras a desagradar. Se elas deixam de ter efeito em algum caso particular, isso se deve a uma deficiência ou imperfeição evidente do órgão. Um homem com febre não pode esperar que seu paladar diferencie os sabores, e outro com icterícia não pode enunciar um veredicto a respeito das cores. Para todas as criaturas existem um estado saudável e um estado doente, e só do primeiro se pode esperar receber um padrão verdadeiro do gosto e do sentimento. Se no estado saudável do órgão observarmos uma uniformidade completa ou considerável nas opiniões e sentimentos dos homens, podemos deduzir daí uma ideia da beleza perfeita. Da mesma forma, aos olhos das pessoas saudáveis, a aparência dos objetos à luz do dia é considerada sua cor verdadeira e real, mesmo se sabendo que a cor é meramente um fantasma dos sentidos.

São muitas e frequentes as deficiências dos órgãos internos que anulam ou atenuam a influência daqueles princípios gerais de que depende o nosso sentimento da beleza ou da deformidade. Embora alguns objetivos sejam naturalmente destinados a produzir prazer, devido à estrutura do espírito, não é de esperar que em todos os indivíduos o prazer seja sentido da mesma maneira. Podem ocorrer certos incidentes e situações que ou lançam uma falsa luz sobre os objetos ou impedem que a luz verdadeira leve à imaginação o sentimento e a percepção adequados.

Uma razão evidente pela qual muitos indivíduos não experimentam o sentimento de beleza adequado é a ausência daquela *delicadeza* da imaginação necessária para alguém ser sensível às emoções mais sutis. Todos pretendem ser dotados dessa delicadeza, todos falam dela, procurando torná-la o padrão de todos os gostos e *sentimentos*. Mas, como neste ensaio a nossa intenção é combinar algumas luzes do entendimento com as impressões do sentimento, será oportuno fazer uma definição mais rigorosa da delicadeza do que as apresentadas até aqui. E, para não extrair a nossa filosofia de uma fonte demasiado profunda, recorreremos a um conhecido episódio de DOM QUIXOTE.[1]

"É com razão que pretendo ser um bom conhecedor de vinhos", diz SANCHO ao escudeiro de nariz comprido. "Esta é uma qualidade hereditária em minha família. Dois parentes meus foram certa vez chamados a dar sua opinião sobre um barril de vinho que se supunha ser excelente, pois era velho e de boa colheita. Um deles prova o vinho, avalia-o, e depois de uma madura reflexão declara que o vinho seria bom, se não fosse um ligeiro gosto de couro que encontrava nele. O outro, após adotar precauções semelhantes, também faz um parecer favorável ao vinho, com a única reserva de um sabor de ferro que nele facilmente se podia distinguir. Os dois foram enormemente ridicularizados pelo juízo que emitiram. Mas quem riu por último? Esvaziado o barril, achou-se no fundo uma velha chave com uma correia de couro amarelada."

É fácil entender como a grande semelhança entre o gosto mental e o corporal se aplica a essa história. Embora seja inquestionável que a beleza e a deformidade, mais do que a doçura e o amargor, não são qualidades externas aos objetos, mas pertencem inteiramente ao

---

[1] Cervantes, *Dom Quixote*, pt. 2, cap. 13.

sentimento, interno ou externo, é forçoso reconhecer que existem nos objetos determinadas qualidades que estão naturalmente destinadas a produzir esses sentimentos peculiares. Ora, uma vez que essas qualidades podem estar presentes num grau pequeno ou podem misturar-se e confundir-se umas com as outras, ocorre que muitas vezes o gosto não chega a ser afetado por essas qualidades diminutas ou é incapaz de distinguir entre os diversos sabores, em meio à desordem em que eles se apresentam. Quando os órgãos são tão refinados que não deixam passar nada e são suficientemente apurados para não deixar passar nenhum ingrediente de uma composição, dizemos que existe uma delicadeza de gosto, e esta expressão pode ser empregada tanto no sentido literal quanto no metafórico. Podemos, portanto, aplicar aqui as regras gerais da beleza, pois elas são tiradas de modelos estabelecidos e da observação daquilo que agrada ou desagrada, quando apresentado isoladamente e num grau elevado. Se, numa composição mista e em menor grau, essas mesmas qualidades não afetam os órgãos com um prazer ou desagrado sensível, essa pessoa não pode ter qualquer pretensão àquela delicadeza. Estabelecer essas regras gerais e padrões reconhecidos da composição é como encontrar a chave com correia de couro que explica o veredicto dos parentes de SANCHO, confundindo os pretensos juízes que os haviam censurado. Mesmo que o barril nunca fosse esvaziado, a delicadeza do gosto dos dois seria a mesma e o gosto dos seus juízes seria igualmente embotado. Mas seria muito mais difícil provar a superioridade daqueles, convencendo todos os presentes. De forma semelhante, mesmo que as belezas literárias nunca tivessem sido reduzidas metodicamente a princípios gerais e nunca tivessem sido definidos determinados modelos de excelência reconhecida, mesmo assim os diferentes graus de gosto continuariam existindo, e o veredicto de uns continuaria sendo preferível ao veredicto de outros. Mas seria muito mais difícil reduzir ao silêncio o mau crítico, já que ele insistiria em sua opinião pessoal, recusando submeter-se à de seu antagonista. Mas, se podemos lhe apresentar um princípio artístico reconhecido, quando ilustramos esse princípio com exemplos cujas operações, segundo seu próprio gosto pessoal, ele reconhece estarem de acordo com aquele princípio, e quando provamos que o mesmo princípio pode ser aplicado ao caso presente, embora ele não tenha conseguido perceber a sua presença ou influência, então ele é forçado a concluir que a falha é dele próprio, pois lhe falta a delicadeza necessária para torná-lo sensível a todas as belezas e deficiências, de qualquer composição ou discurso.

A capacidade de perceber de maneira exata os objetos mais minúsculos, sem deixar que nada escape à atenção e à observação, é reconhecida como sinal de perfeição dos sentidos e faculdades. Quanto menores forem os objetos que o olho puder captar, mais sensível será o órgão e mais elaboradas serão a sua constituição e composição. Não é com sabores fortes que se põe à prova um bom paladar, mas com uma mistura de pequenos ingredientes, procurando decidir se somos sensíveis a cada uma das partes, por mais ínfimas e misturadas com as demais. De uma forma similar, a percepção rápida e aguda da beleza deve ser um sinal da perfeição do nosso gosto mental, e nenhum homem pode ficar satisfeito consigo mesmo se suspeitar que lhe passou despercebida qualquer excelência ou deficiência de um discurso. Nesse caso se observa a união entre a perfeição do homem e a perfeição dos sentidos e dos sentimentos. Em diversas ocasiões, uma delicadeza de paladar desenvolvida pode ser um inconveniente grave tanto para quem a possui quanto para os seus amigos; mas a delicadeza de gosto do espírito pela beleza será sempre uma qualidade desejável, porque ela é a fonte de to-dos os prazeres mais refinados e puros a que está sujeita a natureza humana. Os sentimentos de todos os homens compartilham essa opinião. Sempre que demonstramos ter uma delicadeza de gosto, somos recebidos com aprovação, e a melhor forma de demonstrá-lo é recorrer aos modelos e princípios estabelecidos pelo consenso e pela experiência uniforme de todas as nações e de todas as épocas.

Embora exista, em relação a essa delicadeza, uma enorme diferença natural entre um indivíduo e outro, nada contribui mais para aumentar e aprimorar esse talento que a *prática* de uma arte e análise e a contemplação constantes de um determinado tipo de beleza. Quando qualquer objeto se apresenta ao olhar ou à imagi-nação pela primeira vez, o sentimento que ele provoca é obscuro e confuso, e o espírito se sente em grande medida incapaz de se pronunciar em relação às suas qualidades e defeitos. O gosto não consegue distinguir as várias excelências do objeto, e muito menos identificar o caráter particular de cada excelência, determinando o seu grau e sua qualidade. O máximo que se pode esperar é que se declare de uma maneira geral que o conjunto é belo ou disforme, e é natural que até mesmo essa opinião seja formulada por uma pessoa com bastante prática com a maior hesitação ou reserva. Mas se esta pessoa puder adquirir experiência desses objetos, o seu sentimento se tornará mais exato e sutil. Ela não apenas perceberá as belezas e defeitos de cada parte, como também assinalará o caráter distinto de cada qualidade, proferindo a aprovação ou a censura adequadas. Um sentimento claro e distinto acompanha toda a sua contemplação dos objetos, e ela é capaz de distinguir o grau ou o tipo de aprovação ou desprazer que cada parte está naturalmente destinada a provocar. Aquela névoa que antes parecia pairar sobre o objeto se dissipa. O órgão adquire assim uma perfeição maior em suas operações, tornando-se capaz de julgar, sem risco de erro, os méritos de qualquer produção. Resumindo, a prática proporciona à apreciação de qualquer trabalho a mesma competência e destreza que dá à sua execução, pelos mesmos meios.

Tão importante é a prática para o discernimento da beleza que, para sermos capazes de julgar qualquer obra importante, é necessário examinarmos mais de uma vez cada produção individual, estudando os seus diversos aspectos com a máxima atenção e deliberação. A primeira visão de qualquer obra vem sempre acompanhada de uma palpitação ou confusão do pensamento, que interfere entre as partes, nem se identificam os verdadeiros caracteres do estilo; e os diversos defeitos e imperfeições parecem envolvidos numa espécie de névoa confusa, apresentando-se de uma maneira distinta à imaginação. E isso sem lembrar que existe um determinado tipo de beleza, florida e superficial, que inicialmente agrada, porém, mais tarde, quando se descobre a sua incompatibilidade com a expressão justa da razão ou da paixão, logo torna o gosto insensível, passando a ser rejeitada com desprezo, ou ao menos passando a ser considerada de um valor muito inferior.

É impossível levar adiante a prática da contemplação de qualquer tipo de beleza sem se ser forçado constantemente a estabelecer comparações entre os diversos tipos ou graus de excelência, calculando a proporção existente entre eles. Quem nunca teve a oportunidade de comparar os diversos tipos de beleza certamente se encontra inteiramente incapacitado para emitir um julgamento sobre qualquer objeto que se lhe apresente. Somente através da comparação podemos determinar os epítetos da aprovação ou da censura, aprendendo a decidir sobre o devido grau de cada um. Mesmo a pintura mais grosseira pode apresentar um determinado brilho nas cores ou uma exatidão na imitação que, numa certa medida, também são belezas capazes de encher de admiração o espírito de um camponês ou de um indígena. Mesmo as baladas mais vulgares não são inteiramente destituídas de uma certa força ou harmonia, e somente quem estiver familiarizado com as belezas superiores poderá considerar o seu ritmo dissonante ou as suas letras desinteressantes. Uma beleza muito inferior causa desagrado nas pessoas familiarizadas com a perfeição mais elevada na mesma razão e por isso é considerada uma deformidade. Do mesmo modo, é natural que nós consideremos o objeto mais bem acabado que conhecemos como representando o ápice da perfeição, merecendo o aplauso mais entusiasmado. Só quem está acostumado a ver, examinar e ponderar as diferentes produções que foram apreciadas em diferentes épocas e nações pode avaliar os méritos de uma obra submetida a sua apreciação, apontado o seu devido lugar entre as obras de gênio.

Mas o crítico, para poder exercer mais plenamente a sua função, deve conservar o seu espírito acima de todo preconceito, nada levando em consideração senão o próprio objeto submetido à sua apreciação. Para produzir sobre o espírito o efeito devido, toda obra de arte deve ser encarada de um determinado ponto de vista, não podendo ser plenamente apreciada por pessoas cuja situação, real ou imaginária, não seja conforme à exigida pela obra. Um orador que se dirige a um determinado auditório deve levar em conta as inclinações, interesses, opiniões, paixões e preconceitos peculiares de seus ouvintes; do contrário será em vão que ele esperará comandar as suas opiniões e excitar os seus afetos. Mesmo que este público tenha alguma prevenção contra ele, por mais disparatada que seja, ele não deve subestimar essa desvantagem, e antes de entrar no assunto deve se esforçar para cair em suas boas graças e conquistar a sua afeição. O crítico de uma época ou de uma nação diferente que pretenda analisar esse discurso deve levar em

**DAVID HUME** DO PADRÃO DO GOSTO

consideração todas essas circunstâncias e colocar-se na mesma situação que esse auditório para chegar a um juízo correto sobre a obra. Da mesma forma, quando qualquer obra é apresentada ao público, mesmo que eu sinta amizade ou inimizade pelo autor, convém que eu me distancie dessa situação e, considerando-me a mim mesmo um indivíduo qualquer, fazer o possível para esquecer o que me particulariza e torna as minhas circunstâncias peculiares. Alguém que esteja influenciado por preconceitos não preenche esses requisitos, já que persevera teimosamente na sua posição natural, e é incapaz de colocar-se naquele ponto de vista pressuposto pela obra. Se esta se dirige a um público de uma época ou de uma nação diferentes, o indivíduo preconceituoso deixa de levar em conta as suas concepções e preconceitos particulares para, imbuído dos costumes de sua própria época e seu próprio país, condenar apressadamente aquilo que parecia admirável aos olhos daqueles a quem se destinava o discurso. Se a obra se destinar ao público, esta pessoa nunca conseguirá ampliar suficientemente a sua compreensão, nem deixar de lado o seu interesse como amigo ou inimigo, como rival ou comentador. Dessa forma a sua opinião será pervertida, e as mesmas belezas e defeitos não terão sobre ela o mesmo efeito que se ela tivesse imposto o rigor à própria imaginação, esquecendo-se de si mesma durante um momento. É evidente que o seu gosto não está de acordo com o verdadeiro padrão e, consequentemente, perde o crédito e a autoridade.

Sabe-se que, em todas as questões apresentadas ao conhecimento, o preconceito destrói a capacidade de raciocínio e perverte todas as operações das faculdades intelectuais, e não é menor o prejuízo que causa ao bom gosto, nem é menor a sua tendência a corromper o sentimento da beleza. Cabe ao bom senso contrariar a sua influência e, nesse caso, tal como em muitos outros, a razão, se não constitui uma parte fundamental do gosto, é no mínimo necessária para o funcionamento dessa faculdade. Em todas as produções do gênio existe uma relação de reciprocidade e correspondência entre as partes, e nem as belezas nem as deficiências podem ser percebidas por quem não tenha suficiente capacidade de raciocínio para apreender todas essas partes e compará-las umas com as outras, para avaliar a coerência e a uniformidade do todo. Toda obra de arte tem, ainda, um determinado objetivo ou finalidade, para a qual é calculada; e ela deve ser considerada mais ou menos perfeita conforme a sua capacidade de atingir essa finalidade. O objetivo da eloquência é persuadir, o da história é instruir, o da poesia agradar, estimulando as paixões e a imaginação. Ao examinarmos qualquer obra, devemos levar sempre em conta esses fins para sermos capazes de julgar em que grau os meios empregados são adequados às suas respectivas finalidades. Além disso, todos os tipos de composição, mesmo a mais poética, não são mais que encadeamentos de proposições e raciocínios; embora nem sempre estes sejam rigorosos e exatos, são sempre plausíveis, mesmo quando disfarçados pelo colorido da imaginação. Os personagens apresentados na tragédia e na poesia épicas devem ser representados raciocinando, pensando, concluindo e agindo em conformidade com o seu caráter e com a situação em que vivem; sem a capacidade do raciocínio, do gosto e da invenção, o poeta jamais poderá alcançar sucesso num empreendimento tão delicado. E vale lembrar que a mesma excelência das faculdades que contribui para o aperfeiçoamento da razão, a mesma clareza da concepção, a mesma exatidão nas distinções, a mesma vivacidade no entendimento são essenciais para o funcionamento do gosto autêntico; e, portanto, são seus acompanhantes inevitáveis. Um homem sensato, que possua alguma experiência da arte, raramente ou nunca será capaz de julgar sua beleza; ainda mais raro é encontrar uma pessoa de bom gosto que também não seja dotada de um entendimento adequado.

Assim, embora os princípios do gosto sejam universais e, se não inteiramente, aproximadamente os mesmos em todos os homens, ainda assim poucos são capazes de julgar qualquer obra de arte ou de impor o seu próprio sentimento como padrão de beleza. Raramente os órgãos da sensação interna são suficientemente perfeitos para permitir a ação plena dos princípios gerais, produzindo um sentimento correspondente a estes princípios. Ou eles possuem alguma deficiência ou são viciados por alguma perturbação, e consequentemente provocam um sentimento que deve ser considerado equivocado. Quando um crítico não possui delicadeza, julga sem qualquer critério, sendo influenciado apenas pelas características mais grosseiras e palpáveis do objeto: as pinceladas mais finas passam despercebidas e são desprezadas. O seu veredicto, quando não é ajudado pela prática, vem acompanhado de confusão de hesitação. Por não efetuar qualquer comparação, as belezas mais frívolas, que antes mereceriam ser julgadas defeitos, se tornam objetos de sua admiração. Por se deixarem dominar por preconceitos, todos os seus sentimentos naturais são pervertidos. Por lhe faltar o bom senso, ele é incapaz de discernir as belezas do discernimento e do raciocínio, que são as mais elevadas se excelentes. A maioria dos homens sofre de uma ou outra dessas imperfeições, e por isso um verdadeiro juiz das belas-artes, mesmo nas épocas mais cultas, é um personagem tão raro. Somente o bom senso, ligado à delicadeza do sentimento, aprimorado pela prática, aperfeiçoado pela comparação e livre de qualquer preconceito, pode conferir aos críticos aquela valiosa personalidade; e o veredicto conjunto daqueles que a possuem, onde quer que se encontrem, constitui o verdadeiro padrão do gosto e da beleza.

Mas onde se podem encontrar tais críticos? Por meio de que sinais podemos reconhecê-los? Como distingui-los dos impostores? Estas são perguntas embaraçosas, que parecem nos empurrar de volta àquela incerteza da qual estamos nos esforçando para escapar ao longo de todo este ensaio.

Mas uma visão correta mostra que se trata aqui de uma questão de fatos e não de sentimentos. Se um determinado indivíduo é ou não dotado de bom senso e delicadeza de imaginação, livre de preconceitos, é coisa que pode frequentemente suscitar disputas, sujeita a muita investigação e discussão. Mas, quando se trata de uma personalidade valiosa e estimável, é algo que ninguém pode contestar. Quando dúvidas assim aparecem, não se pode fazer mais que em outras questões polêmicas que se apresentam ao entendimento: é necessário apresentar os melhores argumentos que a invenção pode sugerir; é necessário reconhecer que em alguma parte deve existir um padrão verdadeiro de decisivo, a saber, os fatos concretos e a existência real; e é preciso ser indulgente em relação àqueles que divergem de nós mesmos em seu apelo a esse padrão. Para nossos objetivos, é suficiente demonstrar aqui que não é possível pôr no mesmo patamar o gosto de todos os indivíduos, e que geralmente alguns homens, por mais difícil que seja identificá-los com rigor, devem ser reconhecidos pela opinião universal como merecedores de preferência, acima de outros.

Mas, na verdade, a dificuldade de estabelecer um padrão do gosto, mesmo de maneira particular, não é tão grande como se pensa. Embora, em teoria, se possa reconhecer prontamente um certo critério na ciência e, ao mesmo tempo, negá-lo no sentimento, observa-se, na prática, que se trata de uma questão muito mais difícil de decidir no primeiro caso que no último. Durante um período, prevaleceram as teorias filosóficas abstratas e os sistemas de teologia profunda, mas logo todos foram universalmente destruídos. Os seu caráter absurdo foi descoberto, e outras teorias e sistemas ocuparam o seu lugar; estes, por sua vez, também foram substituídos por outros. E nada existe de mais sujeito às oscilações do acaso e da moda do que essas pretensas decisões da ciência. Já não é este o caso das belezas da eloquência e da poesia. É inevitável que as justas expressões da paixão e da natureza conquistem, decorrido algum tempo, o aplauso do público, e que o conservem para sempre. ARISTÓTELES,[2] PLATÃO, EPICURO[3] e DESCARTES puderam ceder o lugar uns aos outros, sucessivamente, mas TERÊNCIO e VIRGÍLIO continuam a exercer um domínio universal e incontestado sobre os espíritos dos homens. A filosofia abstrata de CÍCERO perdeu o seu prestígio, mas a veemência de sua oratória continua sendo objeto da nossa admiração.

Embora os homens de gosto delicado sejam raros, é fácil identificá-los na sociedade, pela solidez de seu entendimento e pela superioridade de suas faculdades sobre as do restante da humanidade. A ascendência que eles adquirem faz predominar aquela viva aprovação com que se recebem as obras de gênio e as torna predominantes. Quando são entregues a si próprios, muitos homens não são capazes de mais que uma percepção tênue e duvidosa da beleza, mas ainda assim eles são capazes de apreciar qualquer obra admirável que lhes seja apontada. Cada um dos que se deixam converter à admiração de um verdadeiro poeta ou orador, por sua vez, provocará uma nova conversão. Mesmo que os preconceitos possam dominar durante algum temo, eles jamais se unem para celebrar qualquer rival do verdadeiro gênio, acabando por ceder à força da natureza e do sentimento justo. Assim, embora

---

[2]  Aristóteles (384-322 a.C.), filósofo grego, foi a principal fonte da filosofia escolástica medieval.

[3]  Epicuro (341-270 a.C.), filósofo moral grego, professava o hedonismo, ou a visão de que o prazer é o maior bem do homem. Ver o ensaio de Hume intitulado "O epicurista".

uma nação civilizada possa se enganar facilmente na eleição de seu filósofo favorito, jamais ocorreu que alguma errasse na preferência por um determinado autor épico ou trágico.

Não obstante todos os nossos esforços para estabelecer um padrão do gosto e conciliar as concepções divergentes, continuam existindo, contudo, duas fontes de variação que, embora naturalmente não bastem para confundir todos os limites da beleza e da deformidade, frequentemente resultam numa diferença nos graus de nossa aprovação ou censura. Uma delas reside nas diferenças de temperamento entre os indivíduos, e a outra são os costumes e opiniões peculiares do nosso país e da nossa época. Os princípios gerais do gosto são uniformes na natureza humana. Quando se observa uma variação no juízo dos homens, geralmente se pode notar também alguma deficiência ou perversão das faculdades, resultante dos preconceitos, ou da falta de prática, ou da falta de delicadeza. E existem bons motivos para se aprovar um gosto e reprovar outro. Mas quando existe, na estrutura interna ou no contexto externo, uma diversidade tal que torna impossível condenar qualquer dos dois lados, não havendo como dar preferência a um sobre o outro, neste caso uma certa variação no julgamento é inevitável, e seria tolo procurarmos um padrão que pudesse conciliar as opiniões discordantes.

Um jovem que seja dotado de paixões cálidas será mais sensível às imagens amorosas e ternas que um homem de idade mais avançada, que encontra prazer em reflexões sábias e filosóficas sobre a conduta da vida e a moderação das paixões. Aos 20 anos, pode-se ter OVÍDIO como autor preferido; aos 40, HORÁCIO; e talvez TÁCITO aos 50. Nesses casos seria inútil tentarmos compartilhar os sentimentos alheios, despindo-nos daquelas inclinações naturais em nós. Elegemos nosso autor favorito da mesma forma como escolhemos um amigo, com base numa conformidade de temperamento e de disposição. A alegria ou a paixão, o sentimento ou a reflexão, aquilo que prevalecer em nosso temperamento produzirá em nós uma simpatia peculiar pelo autor que se nos assemelha.

O sublime agrada mais a uma pessoa, a ternura a outra, a ironia a uma terceira. Uma é extremamente sensível às falhas, e estuda com atenção a correção das obras, e outra é mais vivamente sensível às belezas, sendo capar de perdoar 20 absurdos ou defeitos em troca de uma só passagem inspirada ou poética. O ouvido de uma está inteiramente voltado para a concisão e a força, o de outra se deliciar principalmente com uma expressão copiosa, rica e harmoniosa. Uns preferem a simplicidade, outros, os ornamentos. A comédia, a tragédia, a sátira, as odes, cada gênero de escritura tem seus partidários, que o preferem a todos os outros. Seguramente seria um equívoco um crítico limitar sua aprovação a um único gênero ou estilo literário, condenando todos os demais. Mas é quase impossível deixar de sentir uma certa predileção por aquilo que se adapta melhor à nossa disposição e às nossas inclinações pessoais. Estas preferências são inocentes e naturais, e não seria sensato torná-las objetos de polêmica, pois não existe padrão que possa contribuir para se chegar a alguma decisão sobre elas.

É por um motivo semelhante que nos agrada mais encontrar, no curso de uma leitura, cenas e personagens que se assemelhem a objetos de nosso país e de nossa época do que aqueles que descrevem costumes diferentes. Não é sem um certo esforço que conseguimos aceitar a simplicidade dos costumes antigos, e contemplar princesas indo buscar água na fonte, e reis e heróis preparando as suas próprias provisões. Geralmente reconhecemos que a representação desses costumes não constitui um erro do autor nem uma deficiência da obra, mas não lhe somos sensíveis da mesma maneira. É por isso que é difícil transferir a comédia de uma nação para outra. A um FRANCÊS ou a um INGLÊS não agradam a ANDRIA de TERÊNCIO,[4] ou a CLÍTIA de MAQUIAVEL,[5] em que a bela senhora em torno da qual gira toda a peça não aparece uma vez sequer aos espectadores, ficando sempre oculta nos bastidores, em conformidade com o temperamento reservado dos antigos GREGOS e dos ITALIANOS. Um homem culto e inteligente é capaz de aceitar essas peculiaridades de costumes, mas uma plateia normal jamais será capaz de se despir de suas ideias e sentimentos habituais, a ponto de se satisfazer com cenas que de maneira alguma lhe são familiares.

---

[4] Terêncio, *Andria* (A dama de Andros). Glicérium, a jovem mulher em torno da qual a trama se desenrola, é uma *muta persone*, isto é, ela nada fala no palco.

[5] Em *Clísia*, de Maquiavel, que foi levada ao palco em 1525, a jovem Clísia não aparece em cena, mas é o centro da ação.

Mas, a esse propósito, cabe aqui uma reflexão que talvez possa ajudar a analisar a controvérsia célebre sobre o saber antigo o saber moderno, na qual frequentemente se vê um dos lados desculpar qualquer absurdo aparente dos antigos invocando os costumes da época, enquanto o outro lado rejeita essa desculpa ou só a aceita como uma desculpa para o autor, mas não para a obra. Na minha opinião, poucas vezes os limites dessa questão foram definidos adequadamente pelos participantes da polêmica. Quando se representam inocentes peculiaridades de costumes, como as citadas acima, é inquestionável que elas devem ser aceitas, e quem se mostrar chocado estará dando mostra evidente de falta de delicadeza e refinamento. *O monumento mais duradouro do que o bronze*[6] do poeta cairia por terra inevitavelmente, como se fosse feito de vulgar argila ou tijolo, se os homens não admitissem as contínuas transformações dos usos e costumes, e aceitassem unicamente o que está conforme a moda dominante. Seria sensato jogarmos fora os retratos de nossos antepassados, por causa de seus rufos e anquinhas? Mas quando as ideias da moral e da decência se modificam de uma época para outra, e quando se descrevem costumes viciosos, sem que estejam acompanhados dos devidos sinais de censura e desaprovação, deve-se reconhecer que tal fato desfigura o poema e constitui uma autêntica deformidade. Sou incapaz de compartilhar tais sentimentos, e nem seria adequado fazê-lo; mesmo que eu possa desculpar o poeta, levando em conta os costumes de sua época, jamais poderei apreciar a composição. A falta de humanidade e de decência, tão evidente nos personagens criados por vários poetas antigos, ou mesmo por HOMERO e pelos trágicos GREGOS, diminui consideravelmente o mérito de suas nobres obras, conferindo aos autores modernos uma vantagem sobre eles. Nós não nos interessamos pelo destino e pelos sentimentos daqueles rudes heróis, e nos desagrada ver a tal ponto confundidos os limites do vício e da virtude; e, por maior que seja a nossa indulgência em relação ao autor, levando em consideração os seus preconceitos, somos incapazes de impor a nós mesmos compartilhar seus sentimentos, ou sentir alguma simpatia por personagens que são tão claramente condenáveis.

---

[6] Horácio, *Carmina* (Odes) 3.30. I.

Os princípios morais não estão no mesmo caso dos princípios especulativos de qualquer espécie. Estes últimos estão em constante mudança e transformação. O filho adere a um sistema diferente de seu pai – e são poucos os homens que podem se gabar de grande constância e uniformidade nesse aspecto. Sejam quais forem os erros especulativos que se possa encontrar nas obras cultas de qualquer época ou qualquer país, eles pouco diminuem o seu valor. É suficiente uma pequena adaptação do pensamento ou da imaginação para podermos compartilhar todas as opiniões que então prevaleciam, e apreciar os sentimentos e conclusões que delas resultam. Mas é necessário um esforço violento para modificarmos o nosso juízo sobre os costumes, bem como para experimentar sentimentos de aprovação ou censura, de amor ou ódio, diferentes daqueles com que nosso espírito está longamente familiarizado. Quando alguém confia na retidão daqueles padrões morais com base nos quais forma seus juízos, tem por eles um zelo compreensível, e não permitirá que os sentimentos de seu coração sejam pervertido por um momento sequer, por complacência em relação a não importa que autor.

De todos os erros especulativos, os mais desculpáveis nas obras de gênio são os relativos à religião, e nem sempre é legítimo julgar a cultura e o saber de um povo, ou mesmo de um indivíduo, com base na banalidade ou na sutileza de seus princípios teológicos. O bom senso que orienta os homens nas circunstâncias normais da vida não é obedecido nas questões religiosas, já que elas se encontram acima do alcance da razão humana. Nessa ordem de ideias, todos os absurdos do sistema teológico pagão devem ser ignorados pelos críticos que pretendem chegar a uma noção rigorosa da poesia antiga, e por sua vez a nossa posteridade deverá mostrar a mesma indulgência em relação a seus predecessores. Enquanto permanecerem como meros princípios, sem se apoderarem do coração tão fortemente a ponto de merecerem a classificação de *beatice* ou *superstição*, os princípios religiosos nunca podem ser considerados erros dos poetas. Quando isso acontece, eles passam a perturbar os sentimentos morais e a alterar as fronteiras naturais que separam o vício da virtude. Eles devem, portanto, ser considerados eternamente como defeitos, conforme o princípio acima referido, e os preconceitos e falsas opiniões da época são insuficientes para justificá-los.

Uma das características essenciais da religião católica ROMANA é que ela precisa inspirar um ódio violento por todas as outras crenças, concebendo todos os pagãos, maometanos e hereges como objetos da cólera e da vingança divinas. Muito embora sejam na realidade altamente condenáveis, tais sentimentos são considerados virtudes pelos fanáticos dessa comunhão e são representados em suas tragédias e poemas épicos como uma espécie de divino heroísmo. Essa beatice teve como consequência desfigurar duas das mais belas tragédias do teatro FRANCÊS, POLIEUCTE e ATALIA,[7] nas quais o zelo mais destemperado por certas formas de culto é apresentado com toda a pompa que se pode imaginar, constituindo o traço dominante da personalidade de seus heróis. "O que é isso?", pergunta o sublime JOAD a JOSABET, ao encontrá-lo conversando com MATHAN, o sacerdote de BAAL. "A filha de DAVI fala com esse traidor? Pois não temeis que a terra se abra, e dela venham chamas que vos devorem a ambos? Ou que estas paredes sagradas desmoronem, enterrando--vos? O que ele pretende? Por que o inimigo de Deus vem a este lugar, envenenar o ar que respiramos com sua presença horrível?" Tais sentimentos são acolhidos com aplausos nos teatros de PARIS, mas em LONDRES os espectadores apreciariam igualmente ouvir AQUILES dizer a AGAMENON que ele é um cão em sua fronte, e um cervo em seu coração, ou JÚPITER ameaçar JUNO com uma bela surra, se ela não ficar calada.[8]

Os princípios religiosos também constituem uma falha, em qualquer obra culta, quando caem no nível da superstição, ou se intrometem em toda sorte de sentimentos, mesmo aqueles que não têm qualquer relação com religião. Não constitui uma desculpa

---

[7] *Polieucte, martyr* (1641–42), tragédia de Corneille, é a história de um nobre armênio cuja conversão ao Cristianismo e cujo martírio levaram à conversão de sua esposa, Pauline, e de seu sogro, Felix, o governador romano que condenou Polieucte à morte, por trair os deuses romanos. *Athalie* (1691), uma tragédia de Racine, se baseia no relato bíblico (*2 Reis II e 2 Crônicas* 22-23) da vitória do sacerdote de Deus sobre Atalia, rainha de Judá e adoradora do Baal. A cena descrita em seguida por Hume é de Atalia, ato 3, seç. 5.

[8] Ver Homero, *Ilíada I.* 225, para a ofensa de Aquiles a Agamenon, e I. 56-57 para a ameaça de Zeus (ou Júpiter) a Hera (ou Juno).

para o poeta que os costumes de seu país tenham sobrecarregado a existência com tal quantidade de rituais e cerimônias religiosas que nenhuma parte dela consiga escapar a seu jugo. PETRARCA[9] será sempre ridículo, necessariamente, na comparação que faz da sua amante, LAURA, com JESUS CRISTO. Igualmente ridículo é BOCCACCIO,[10] esse libertino encantador, quando, com toda a seriedade, dá graças a DEUS TODO-PODEROSO e às senhoras pelo auxílio que lhe deram, protegendo-o contra os seus inimigos.

---

[9] Hume provavelmente se refere à coletânea de 366 poemas de Francesco Petrarca (1304-74), que não tem um título definitivo, mas que é conhecida na Itália como *Canzioniere* ou *Rima*. A maioria dos poemas é sobre o amor de Petrarca por Laura, que começou quando ele a viu pela primeira vez na igreja, em 1327, e que continuou mesmo após a sua morte, em 1348. Parece que Laura estava acima do alcance de Petrarca, que a amava de longe. O amor de Petrarca por Laura se tornou um símbolo de sua própria busca pela salvação, enquanto Laura, depois de sua morte física, ressuscita como um ideal sublime com qualidades divinas.

[10] Ver Boccaccio, *Decameron*, Introdução a "O quarto dia".

**Immanuel Kant**

Crítica da faculdade
do juízo

# Crítica da faculdade do juízo*

Immanuel Kant (1724–1804)

Tradução
*Valério Rohden e António Marques*

---

O presente trecho reúne passagens significativas da estética de Immanuel Kant (1724–1804) apresentadas na última das suas três críticas, a saber, a *Crítica da faculdade do juízo* (1790). O leitor encontrará temas fundamentais como a articulação das faculdades em presença do belo e do sublime, a distinção dessas noções, a universalidade do juízo de gosto e a tese do gosto como uma complacência desinteressada, por sinal, tese amplamente discutida em filosofia, sobre a qual o autor nos informa: *"gosto* é a faculdade de ajuizamento de um objeto ou de um modo de representação mediante uma complacência ou descomplacência *independente de todo interesse"*.

**Temas:** sublime, belo, gosto, epistemologia.

---

\* KANT, I. *Crítica da Faculdade do Juízo*. Rio de Janeiro: Editora Forense Universitária, 1993, §§1-29, p. 47-112. Agradecemos à Editora Forense Universitária (GEN) por autorizar a utilização do texto.

Primeira Seção

# ANALÍTICA DA FACULDADE DO JUÍZO ESTÉTICA

## Primeiro Livro

# ANALÍTICA DO BELO

## Primeiro momento do juízo de gosto[1], segundo a qualidade

### § 1. O juízo de gosto é estético.

Para distinguir se algo é belo ou não, referimos a representação, não pelo entendimento ao objeto em vista do conhecimento, mas pela faculdade da imaginação (talvez ligada ao entendimento) ao sujeito e

---

[1] A definição do gosto, posta aqui a fundamento, é de que ele é a faculdade de ajuizamento <*Beurteilung*> * do belo. O que porém é requerido para denominar um objeto belo tem que a análise dos juízos de gosto descobri-lo. Investiguei os momentos, aos quais essa faculdade do juízo em sua reflexão presta atenção, segundo orientação das funções lógicas para julgar (pois no juízo de gosto está sempre contida ainda uma referência ao entendimento). Tomei em consideração primeiro os da qualidade, porque o juízo sobre o belo encara estes em primeiro lugar (K).

* A tradução de *Urteil* por juízo e *Beurteilung* por ajuizamento (outros traduziram-no por julgamento) teve em vista marcar mais uma diferença terminológica do que conceitual, não explicada em Kant. A diferença de sentido entre ambos os termos foi modernamente elaborada por W. Windelband (*Präludien*, 1884, p. 52 e segs.), para quem *Urteil* expressa a união de dois conteúdos representacionais, e *Beurteilung* a relação da consciência ajuizante com o objeto representado, não ampliando o conhecimento mas expressando aprovação ou desaprovação. (N.T.).

ao seu sentimento de prazer ou desprazer. O juízo do gosto não é, pois, nenhum juízo de conhecimento, por conseguinte não é lógico, e sim estético, pelo qual se entende aquilo cujo fundamento de determinação *não* pode ser *senão subjetivo*. Toda referência das representações, mesmo a das sensações, pode, porém, ser objetiva (e ela significa então o real de uma representação empírica); somente não pode sê-lo a referência ao sentimento de prazer e desprazer, pelo qual não é designado absolutamente nada no objeto, mas no qual o sujeito sente-se a si próprio do modo como ele é afetado pela sensação.

Apreender pela sua faculdade de conhecimento (quer em um modo de representação claro ou confuso) um edifício regular e conforme a fins é algo totalmente diverso do que ser consciente desta representação com a sensação de complacência. Aqui a representação é referida inteiramente ao sujeito e na verdade ao seu sentimento de vida, sob o nome de sentimentos de prazer ou desprazer, o qual funda uma faculdade de distinção e ajuizamento inteiramente peculiar, que em nada contribui para o conhecimento, mas somente mantém a representação dada no sujeito em relação com a inteira faculdade de representações, da qual o ânimo[2] torna-se consciente no sentimento

---

[2] Kant adota o termo *Gemüt*, do qual fornece em ocasiões diversas equivalentes latinos *animus* e *mens*, para designar o todo das faculdades de sentir, apetecer e pensar (cf. tb *CFJ*, LVII) e jamais só unilateralmente, com se faz depois dele, a unidade do sentimento (equivalente a *Herz* e *timós*). Ele adota *Gemüt* preferencialmente a *Seele* (*anima*) pela sua neutralidade face ao sentido metafísico desta última (cf. *Über das Organ der Seele*, A83). A tradução desse termo por "Ânimo" e não por "mente" oferece a vantagem de não o reduzir, por outro lado, nem às faculdades cognitivas nem à atual "philosophy of mind", entendida como filosofia analítica do espírito. Em muitas traduções e principalmente entre os franceses prevalece a tendência a confundir *Gemüt* (ânimo, faculdade geral transcendental) com *Geist* (espírito, faculdade estética produtiva) e *Seele* (alma, substância metafísica, cf. *CFJ*, § 49). Segundo Kant, o próprio *esprit* francês situa-se mais do lado *Geschmack* (gosto), enquanto *Geist* situa-se mais do lado do gênio (cf. *Reflexões* 930 e 944, v. XV). O termo "ânimo", que em português tem menor tradição em seu sentido especializado, tendendo a confundir-se com disposição e coragem (*Mut*) tem também o sentido de vida (seu sentido estético). Originalmente em latim (cf. o dicionário latim-alemão *Georges*) ele teve o mesmo sentido de complexo de faculdades do *Gemüt*, o qual contudo o termo alemão expressa melhor: *muot* no *ahd* (antigo alto alemão) significou já faculdade do pensar, querer e sentir; o prefixo *ge* é por sua vez uma partícula integradora que remete às partes de um todo; daí que *gemüte* tenha tomado no *mhd* (médio alto alemão) esse sentido originário de totalidade das faculdades (cf. o dicionário *Wahrig*). A perplexidade causada pelo abuso do sentido desse termo, já denunciado por Goethe, deve-se em grande parte ao fato de o próprio Kant pouco ter se preocupado em aclará-lo (N.T.).

de seu estado. Representações dadas em um juízo podem ser empíricas (por conseguinte estéticas); mas o juízo que é proferido através delas é lógico se elas são referidas ao objeto somente no juízo. Inversamente, porém – mesmo que as representações dadas fossem racionais, mas em um juízo fossem referidas meramente ao sujeito (seu sentimento) –, elas são sempre estéticas.[3]

### § 2. A complacência que determina o juízo de gosto é independente de todo interesse.

Chama-se interesse a complacência[4] que ligamos à representação da existência de um objeto. Por isso, um tal interesse sempre envolve ao mesmo tempo referência à faculdade da apetição, quer como seu fundamento de determinação, quer como vinculando-se necessariamente ao seu fundamento de determinação. Agora, se a questão é se algo é belo, então não se quer saber se a nós ou a qualquer um importa ou sequer possa importar algo da existência da coisa, e sim como a ajuizamos na simples contemplação (intuição ou reflexão). Se alguém me pergunta se acho belo o palácio que vejo ante mim, então posso na verdade dizer: não gosto dessa espécie de coisas que são feitas simplesmente para embasbacar, ou, como aquele chefe iroquês, de que em Paris nada lhe agrada mais do que as tabernas; posso, além disso, em bom estilo *rousseauniano*, recriminar a vaidade dos grandes,

---

[3] C: Ele é sempre estético.

[4] Sobre a tradução de *Wohlgefallen* por "complacência", veja, no próprio Kant, *CFJ*, § 5, B 15: *Komplazenz*; e *Anthropologie*, § 69, Acad. 244: *Der Geschmack... enthält eine Empfänglichkeit, durch diese Mitteilung selbst mit Lust affiziert, ein* Wohlgeffallen (complacentia) *daran gemeinschaftlich mit anderen gesellschaftlich zu empfinden* (o gosto contém uma receptividade, afetada por prazer mediante essa própria comunicação, de ter em sociedade a sensação de uma *complacência* (*complacentia*) comunitariamente com outros). Na *Reflexão* 1030 (Acad. XV) Kant escreve: *Iudicium per complacentiam et displacentiam est diudicatio: Beurteilung.* No sentido de comprazer, do latim *complacere* = *cum alio placere*, a tradução proposta expressa o pensamento original de Kant, não obstante o seu difundido sentido pejorativo em português. Cf. também A. Nascentes: comprazer = agradar a muitos. Ao gênero da complacência, equivalente a *Lust* (prazer), pertencem as espécies chamadas *Geschmack* (gosto), um prazer refletido, em parte sensível em parte intelectual, e *Vergnügen* (deleite), que, tendo por negativo *Schmerz* (dor), seria mais precisamente traduzido pela expressão "prazer da sensação", para o qual Kant fornece também o equivalente latino *voluptas* e ao qual se vincula *Genuss* (gozo). Na estética kantiana é preciso ter em mente essa família de sentidos do conceito de prazer (N.T.).

que se servem do suor do povo para coisas tão supérfluas; finalmente, posso convencer-me facilmente de que, se me encontrasse em uma ilha inabitada, sem esperança de algum dia retornar aos homens, e se pelo meu simples desejo pudesse produzir por encanto um tal edifício suntuoso, nem por isso dar-me-ia uma vez sequer esse trabalho se já tivesse uma cabana que me fosse suficientemente cômoda. Pode-se conceder-me e aprovar tudo isto; só que agora não se trata disso. Quer-se saber somente se essa simples representação do objeto em mim é acompanhada de complacência, por indiferente que sempre eu possa ser com respeito à existência do objeto dessa representação. Vê-se facilmente que se trata do que faço dessa representação em mim mesmo, não daquilo em que dependo da existência do objeto, para dizer que ele é *belo* e para provar que tenho gosto. Cada um tem de reconhecer que aquele juízo sobre beleza, ao qual se mescla o mínimo interesse, é muito faccioso e não é nenhum juízo-de-gosto puro. Não se tem que simpatizar minimamente com a existência da coisa, mas ser a esse respeito completamente indiferente para em matéria de gosto desempenhar o papel de juiz.

Mas não podemos elucidar melhor essa proposição, que é de importância primordial, do que se contrapomos à complacência pura e desinteressada[5] no juízo de gosto, aquela que é ligada a interesse; principalmente se ao mesmo tempo podemos estar certos de que não há mais espécies de interesse do que as que precisamente agora devem ser nomeadas.

### § 3. A complacência no agradável é ligada a interesse.

*Agradável é o que apraz aos sentidos na sensação.* Aqui se mostra de imediato a ocasião para censurar uma confusão bem usual e chamar a atenção para ela, relativamente ao duplo significado que a palavra *sensação* pode ter. Toda complacência (diz-se ou pensa-se) é ela própria sensação (de um prazer). Portanto, tudo o que apraz é precisamente pelo fato de que apraz, agradável (e, segundo os diferentes graus ou também relações com outras sensações agradáveis,

---

[5] Um juízo sobre um objeto da complacência pode ser totalmente *desinteressado* e ser contudo muito *interessante*, isto é, ele não se funda sobre nenhum interesse, mas produz um interesse; tais são todos os juízos morais puros. Mas em si os juízos de gosto também não fundam absolutamente interesse algum. Somente em sociedade torna-se *interessante* ter gosto, e a razão disso é indicada no que se segue (K).

*gracioso, encantador, deleitável,* etc.). Se isso, porém, for concedido, então impressões dos sentidos, que determinam a inclinação, ou princípios da razão, que determinam a vontade, ou simples formas refletidas da intuição, que determinam a faculdade do juízo, são, no que concerne ao efeito sobre sentimento de prazer, inteiramente a mesma coisa. Pois esse efeito seria o agrado na sensação de seu estado; e, já que enfim todo o cultivo de nossas faculdades tem de ter em vista o prático e unificar-se nele como em seu objetivo, assim não se poderia pretender delas nenhuma outra avaliação das coisas e de seu valor do que a que consiste no deleite que elas prometem. O modo como elas o conseguem, não importa enfim absolutamente; e como unicamente a escolha dos meios pode fazer nisso uma diferença, assim os homens poderiam culpar-se reciprocamente de tolice e de insensatez, jamais, porém, de vileza e maldade; porque todos eles, cada um segundo o seu modo de ver as coisas, tendem a um objetivo que é para qualquer um o deleite.

Se uma determinação do sentimento de prazer ou desprazer é denominada sensação, então essa expressão significa algo totalmente diverso do que se denomina a representação de uma coisa (pelos sentidos, como uma receptividade pertencente à faculdade do conhecimento),[6] sensação. Pois, no último caso, a representação é referida ao objeto; no primeiro, porém, meramente ao sujeito, e não serve absolutamente para nenhum conhecimento, tampouco para aquele pelo qual o próprio sujeito se conhece.

Na definição dada, entendemos contudo pela palavra "sensação" uma representação objetiva dos sentidos; e, para não corrermos sempre perigo de ser falsamente interpretados, queremos chamar aquilo que sempre tem de permanecer simplesmente subjetivo, e que absolutamente não pode constituir nenhuma representação de um objeto, pelo nome, aliás, usual de sentimento. A cor verde dos prados pertence à sensação *objetiva*, como percepção de um objeto do sentido; o seu agrado, porém, pertence à sensação *subjetiva*, pela qual nenhum objeto é representado: isto é, ao sentimento pelo qual o objeto <*Gegenstand*> é considerado como objeto <*Objekt*> da complacência (a qual não é nenhum conhecimento do mesmo).

---

[6]   A: pertencente ao conhecimento

*Explicação do belo inferida do primeiro momento.*

*Gosto* é a faculdade de ajuizamento de um objeto ou de um modo de representação mediante uma complacência ou descomplacência *independente de todo interesse*. O objeto de uma tal complacência chama-se *belo*.

*Segundo momento do juízo de gosto, a saber, segundo sua quantidade.*

### § 6. O belo é o que é representado sem conceitos como objeto de uma complacência universal.

Esta explicação do belo pode ser inferida da sua explicação anterior, como um objeto da complacência independente de todo interesse. Pois aquilo, a respeito de cuja complacência alguém é consciente de que ela é nele próprio independente de todo interesse, isso ele não pode ajuizar de outro modo, senão de que tenha de conter um fundamento da complacência para qualquer um. Pois, visto que não se funda sobre qualquer inclinação do sujeito (nem sobre qualquer outro interesse deliberado), mas, visto que o julgante sente-se inteiramente *livre* com respeito à complacência que ele dedica ao objeto; assim, ele não pode descobrir nenhuma condição privada como fundamento da complacência à qual, unicamente, seu sujeito se afeiçoasse, e por isso tem que considerá-lo como fundado naquilo que ele também pode pressupor em todo outro; consequentemente, ele tem de crer que possui razão para pretender de qualquer um uma complacência semelhante. Ele falará pois, do belo como se a beleza fosse uma qualidade do objeto e o juízo fosse lógico (constituindo através de conceitos do objeto de um conhecimento do mesmo), conquanto ele seja somente estético e contenha simplesmente uma referência da representação do objeto ao sujeito; porque ele contudo possui semelhança com o lógico, pode-se pressupor a sua validade para qualquer um. Mas de conceitos essa universalidade tampouco pode surgir. Pois conceitos não oferecem nenhuma passagem ao sentimento de prazer ou desprazer (exceto em leis práticas puras, que, porém, levam consigo um interesse, semelhante ao qual não se encontra nenhum ligado ao juízo de gosto puro). Consequentemente, se tem que atribuir ao juízo de gosto, com a consciência da separação nele de todo interesse, uma reivindicação de validade para qualquer um, sem universalidade fundada sobre objetos. Isto é, uma reivindicação de universalidade subjetiva tem que estar ligada a esse juízo.

## § 7. Comparação do belo com o agradável e o bom através da característica acima.

Com respeito ao *agradável*, cada um resigna-se com o fato de que seu juízo, que ele funda sobre um sentimento privado e mediante o qual ele diz de um objeto que ele lhe apraz, limita-se também simplesmente a sua pessoa. Por isso, ele de bom grado contenta-se com o fato de que se ele diz "o vinho espumante das Canárias é agradável", um outro corrige-lhe a expressão e recorda-lhe que deve dizer "ele me é agradável"; e assim não somente no gosto da língua, do céu da boca e da garganta, mas também no que possa ser agradável aos olhos e ouvidos de cada um. Pois a um a cor violeta é suave e amena, a outra morta e fenecida. Um ama o som dos instrumentos de sopro, outro o dos instrumentos de corda. Altercar sobre isso, com o objetivo de censurar como incorreto o juízo de outros, que é diverso do nosso, como se fosse logicamente oposto a este, seria tolice; portanto, acerca do agradável vale o princípio: *cada um tem seu próprio*[7] gosto (dos sentidos).

Com o belo passa-se de modo totalmente diverso. Seria (precisamente ao contrário) ridículo que alguém que se gabasse de seu gosto pensasse justificar-se com isto: este objeto (o edifício que vemos, o traje que aquele veste, o conceito que ouvimos, o poema que é apresentado ao ajuizamento) é para mim belo. Pois ele não tem que denominá-lo *belo* se apraz meramente a ele. Muita coisa pode ter atrativo e agrado para ele, com isso ninguém se preocupa; se ele, porém, toma algo por belo, então atribui a outros precisamente a mesma complacência: ele não julga simplesmente por si, mas por qualquer um e nesse caso fala da beleza como se ela fosse uma propriedade das coisas. Por isso ele diz: a *coisa* é bela e não conta com o acordo unânime de outros em seu juízo de complacência porque ele a tenha considerado mais vezes em acordo com o seu juízo, mas a *exige* deles. Ele censura-os se julgam diversamente e nega-lhe o gosto, todavia pretendendo que eles devam possuí-lo; e nessa medida não se pode dizer: cada um possui seu gosto particular. Isso equivaleria a dizer: não existe absolutamente gosto algum, isto é, um juízo estético que pudesse legitimamente reivindicar o assentimento de qualquer um.

---

[7] A: particular

Contudo, descobre-se também a respeito do agradável, que no seu ajuizamento pode ser encontrada unanimidade entre pessoas, com vistas à qual se nega a alguns o gosto e a outros sê-lo concede, e na verdade não no significado de sentido orgânico mas de faculdade de ajuizamento com respeito ao agradável em geral. Assim, se diz de alguém que sabe entreter seus hóspedes com amenidades (do gozo através de todos os sentidos), de modo tal que apraz a todos, que ele tem gosto. Mas aqui a universalidade é tomada só comparativamente; e então há somente regras *gerais* (como o são todas as empíricas), não *universais*, como as que o juízo de gosto sobre o belo toma a seu encargo ou reivindica. Trata-se de um juízo em referência à sociabilidade, na medida em que ela se baseia em regras empíricas. Com respeito ao bom, os juízos na verdade também reivindicam, com razão, validade para qualquer um; todavia, o bom é representado somente por um conceito como objeto de uma complacência universal, o que não é o caso nem do agradável nem do belo.

### § 8. A universalidade da complacência é representada em um juízo de gosto somente como subjetiva.

Esta particular determinação da universalidade de um juízo estético, que pode ser encontrada em um juízo de gosto, é na verdade uma curiosidade não para o lógico, mas sim para o filósofo transcendental; ela desafia seu não pequeno esforço para descobrir a origem da mesma, mas em compensação desvela também uma propriedade de nossa faculdade de conhecimento, a qual sem esse desmembramento teria ficado desconhecida.

Antes de tudo, é preciso convencer-se inteiramente de que pelo juízo de gosto (sobre o belo) imputa-se a *qualquer um* a complacência no objeto, sem contudo se fundar sobre um conceito (pois então se trataria do bom); e que essa reivindicação de validade universal pertence tão essencialmente a um juízo pelo qual declaramos algo *belo*, que sem pensar essa universalidade ninguém teria ideia de usar essa expressão, mas tudo o que apraz sem conceito seria computado como agradável, com respeito ao qual deixa-se a cada um seguir sua própria cabeça e nenhum presume do outro adesão a seu juízo de gosto, o que, entretanto, sempre ocorre no juízo de gosto sobre a beleza. Posso denominar o primeiro gosto dos sentidos, o segundo, de gosto da reflexão: enquanto o primeiro profere meramente juízos privados, o segundo, por sua vez, profere pretensos juízos comumente válidos (públicos), de ambos os lados, porém, juízos estéticos (não práticos) sobre um objeto simplesmente com respeito à relação de sua representação com o sentimento de prazer e desprazer. Ora, é contudo estranho que – visto que a respeito do gosto dos sentidos não apenas a experiência mostra que seu juízo (de prazer ou desprazer em algo qualquer) não vale universalmente, mas qualquer um também é por si tão despretensioso que precisamente não imputa a outros este acordo unânime (se bem que efetiva e frequentemente se encontre uma unanimidade muito ampla também nesses juízos) – o gosto de reflexão, que, como o ensina a experiência, também é bastante frequentemente rejeitado com sua reivindicação de validade universal de seu juízo (sobre o belo) para qualquer um, não obstante possa considerar possível (o que ele também faz efetivamente) representar-se juízos que pudessem exigir universalmente esse acordo unânime e de fato o presume para cada um de seus juízos de gosto, sem que aqueles que julgam estejam em conflito quanto à possibilidade de uma tal reivindicação, mas somente em casos particulares não podem unir-se a propósito do emprego correto dessa faculdade.

Ora, aqui se deve notar, antes de tudo, que uma universalidade que não se baseia em conceitos de objetos (ainda que somente empíricos) não é absolutamente lógica, mas estética, isto é, não contém nenhuma quantidade objetiva do juízo, mas somente uma subjetiva, para a qual também utilizo a expressão *validade comum* <*Gemeingültigkeit*>, a qual designa a validade não da referência de uma representação à faculdade de conhecimento, mas ao sentimento de prazer e desprazer para cada sujeito. (A gente pode, porém, servir-se também da mesma expressão para a quantidade lógica do juízo, desde que acrescente: validade universal *objetiva*, à diferença da simplesmente subjetiva, que é sempre estética).

Ora, um *juízo objetiva* e *universalmente válido* também é sempre subjetivo, isto é, se o juízo vale para tudo o que está contido sob um conceito dado, então ele vale também para qualquer um que represente um objeto através deste conceito. Mas de uma *validade universal subjetiva*, isto é, estética, que não se baseie em nenhum conceito, não se pode deduzir a validade universal lógica, porque aquela espécie de juízo não remete absolutamente ao objeto. Justamente por isso, todavia, a universalidade estética, que é conferida a um juízo, também tem que ser de índole peculiar, porque ela[8] não conecta o predicado da beleza ao conceito do *objeto*, considerado em sua inteira esfera lógica[9], e no entanto estende o mesmo sobre a esfera inteira *dos que julgam*.

No que concerne à quantidade lógica, todos os juízos de gosto são juízos *singulares*. Pois, porque tenho de ater o objeto imediatamente a meu sentimento de prazer, e contudo não através de conceitos, assim aqueles não podem ter a quantidade de um juízo objetiva e comumente válido;[10] se bem que, se a representação singular do objeto do juízo de gosto, segundo as condições que determinam o último, for por comparação convertida em um conceito, um juízo lógico universal poderá resultar disso: por exemplo, a rosa, que contemplo, declaro-a bela mediante um juízo de gosto. Contrariamente, o juízo que surge por comparação de vários singulares – as rosas, em geral, são belas – não é desde então enunciado simplesmente como estético, mas como um juízo lógico fundado sobre um juízo estético. Ora, o juízo "a rosa é (de odor)[11] agradável" na verdade é também um juízo estético e singular, mas nenhum juízo de gosto e sim dos sentidos. Ele distingue-se do primeiro no fato de que o juízo de gosto traz consigo uma *quantidade estética* da universalidade, isto é, da validade para qualquer um, a qual não pode ser encontrada no juízo sobre o agradável. Só e unicamente os juízos sobre o bom, conquanto determinem também a complacência em um objeto, possuem universalidade lógica, não meramente estética; pois eles valem sobre o objeto, como conhecimento do mesmo, e por isso para qualquer um.

Quando se julgam objetos simplesmente segundo conceitos, toda a representação da beleza é perdida. Logo, não pode haver tampouco uma regra, segundo a qual alguém devesse ser coagido a reconhecer algo como belo. Se um vestido, uma casa, uma flor é bela, disso a gente não deixa seu juízo persuadir-se por nenhuma razão ou princípio. A gente quer submeter o objeto aos seus próprios olhos, como se sua complacência dependesse da sensação; e contudo, se a gente então chama o objeto de belo, crê ter em seu favor uma voz universal e reivindica

---

[8]  B: porque não se conecta.

[9]  "lógica", acréscimo de B.

[10]  C: juízos objetiva e comumente válidos.

[11]  Kant: uso; corrigido por Erdmann.

a adesão de qualquer um, já que do contrário cada sensação privada decidiria só e unicamente para o observador e sua complacência.

Ora, aqui se trata de ver que no juízo do gosto nada é postulado <*postuliert*>, a não ser uma tal *voz universal* com vistas à complacência, sem mediação dos conceitos; por conseguinte, a *possibilidade* de um juízo estético que, ao mesmo tempo, possa ser considerado como válido para qualquer um. O próprio juízo de gosto não *postula* o acordo unânime de qualquer um (pois isso só pode fazê-lo um juízo lógico-universal, porque ele pode alegar razões); ele somente imputa <*es sinnt an*>, a qualquer um esse acordo como um caso da regra, com vistas ao qual espera a confirmação não de conceitos, mas da adesão de outros. A voz universal é, portanto, somente uma ideia (em que ela se baseia, não será ainda investigado aqui). Que aquele que crê proferir um juízo de gosto, de fato julgue conformemente a essa ideia, pode ser incerto; mas que ele, contudo, o refira a ela, consequentemente que ele deva ser um juízo de gosto, anuncia-o através da expressão "beleza". Por si próprio, porém, ele pode estar certo disso pela simples consciência da separação, de tudo o que pertence ao agradável e ao bom, da complacência que ainda lhe resta; e isso é tudo para o qual ele se promete o assentimento de qualquer um; uma pretensão para qual, sob essas condições, ele também estaria autorizado, se ele não incorresse frequentemente em falta contra elas e por isso proferisse um juízo de gosto errôneo.

### § 9. Investigação da questão, se no juízo de gosto o sentimento de prazer precede o ajuizamento do objeto ou se este ajuizamento precede o prazer.

A solução deste problema é a chave da crítica do gosto e por isso digna de toda a atenção.

Se o prazer no objeto dado fosse o antecedente e no juízo de gosto somente a comunicabilidade <*Mitteilbarkeit*>[12] universal do

---

[12] O verbo *mitteilen* tem o sentido literal de compartir ou compartilhar. Embora autores não kantianos (p. ex., Luhmann) considerem o substantivo *Mitteilung* como apenas designando um dos elementos da comunicação, especialistas kantianos entendem-no simplesmente no sentido de comunicação. Cf. p. ex. J. Kulemkanpff, *Kants Logik des ästhetischen Urteils, 1978*, p. 80: "*allgemein kommunizierbar (allgemein mitteilbar)*". E.R. Kaulbach, em *Ästhetische Welterkenntnis bei Kant*, 1984, p. 71 entende *Mitteilbarkeit der Gefühle* como uma harmonia comunicativa, *kommunikativen Harmonie*. O próprio Kant assim se expressa na *Reflexão 767*: *Der Geschmack macht, daß der Genuß sich kommuniziert* (o gosto faz com que o gozo se *comunique*) (N.T.).

prazer devesse ser concedida à representação do objeto, então um tal procedimento estaria em contradição consigo mesmo. Pois tal prazer não seria nenhum outro que o simples agrado na sensação sensorial e, por isso, de acordo com sua natureza, somente poderia ter validade privada, porque dependeria imediatamente da representação pela qual o objeto *é dado*.

Logo, é a universal capacidade de comunicação do estado de ânimo na representação dada que, como condição subjetiva do juízo de gosto, têm de jazer como fundamento do mesmo e ter como consequência o prazer no objeto. Nada, porém, pode ser comunicado universalmente, a não ser conhecimento e representação, na medida em que ela pertence ao conhecimento. Pois só e unicamente nessa medida a última é objetiva e só assim tem um ponto de referência universal, com o qual a faculdade de representação de todos é coagida a concordar. Ora, se o fundamento determinante do juízo sobre essa comunicabilidade universal da representação deve ser pensado apenas subjetivamente, ou seja, sem um conceito do objeto, então ele não pode ser nenhum outro senão o estado de ânimo, que é encontrado na relação recíproca das faculdades de representação, na medida em que elas referem uma representação dada ao *conhecimento em geral*.

[...]

*Explicação do belo inferida do segundo momento.*

*Belo é o que apraz universalmente sem conceito.*

*Terceiro momento do juízo de gosto,*
*segundo a relação dos fins que nele é considerada*

### § 10. Da conformidade a fins em geral.

Se quisermos explicar o que seja um fim segundo suas determinações transcendentais (sem pressupor algo empírico, como é o caso do sentimento de prazer), então fim é o objeto de um conceito, na medida em que este for considerado como a causa daquele (o fundamento real de sua possibilidade); e a causalidade de um *conceito* com respeito a seu *objeto* é a conformidade a fins (*forma finalis*). Onde, pois, não é porventura pensado simplesmente o conhecimento de um objeto, mas o próprio objeto (a forma ou existência do mesmo) como efeito, enquanto possível somente mediante um conceito do último, aí se pensa um fim. A representação do efeito é aqui o fundamento determinante de sua causa e precede-a. A consciência da causalidade de uma representação com vistas ao estado do sujeito, para *conservar* a este nesse estado, pode aqui de modo geral designar aquilo que se chama prazer; contrariamente, desprazer é aquela representação que possui o fundamento para determinar o estado das representações ao seu próprio oposto (para impedi-las ou eliminá-las).[13]

A faculdade da apetição, na medida em que é determinável somente por conceitos, isto é, a agir conformemente à representação de um fim, seria a vontade. Conforme a um fim, porém, chama-se um objeto ou um estado de ânimo ou também uma ação, ainda que sua possibilidade não pressuponha necessariamente a representação de um fim, simplesmente porque sua possibilidade somente pode ser explicada ou concebida por nós na medida em que admitimos como fundamento da mesma uma causalidade segundo fins, isto é, uma vontade, que a tivesse ordenado desse modo segundo a representação de uma certa regra. A conformidade a fins pode, pois, ser sem fim, na medida em que não pomos as causas dessa forma em uma vontade, e contudo somente podemos tornar compreensível a nós a explicação de sua possibilidade enquanto a deduzimos de uma vontade. Ora, não temos sempre necessidade de descortinar pela razão[14] (segundo a sua

---

[13] Impedi-las ou eliminá-las falta em A.

[14] Tanto por falta de linguagem filosófica como de clareza conceitual, o termo *Einsehen / Einsicht* (inglês: *insight*) não encontrou no português até agora uma tradução aceitável. Adotou-se ora discernir/discernimento (Santo/Morujão), intelecção (Heck) ou entrever/introvisão (Rodhen). É curioso que a própria língua inglesa, que possui em *insight* um consagrado termo equivalente, não tenha feito uso dele na tradução da *Critic of Judgment* de Meredith, onde encontramos para *einsehen*... (orig. p. 33): *to look with the eye of reason*, e para *Einsicht, Understanding*. Em outras tentativas de tradução encontramos *saisir/juger* (Philonenko), *comprendre/examen* (Delamarre), *riguarda/sapere* (Garglulo/Verra), *considerar/investigación* (Morente). *Insight* também tem sido traduzido do inglês ao alemão por *Durchblick* (perspectiva). Outros termos que lhe convêm são os latinos *inspicere/inspectio* (inspecionar, inspeção) e também *perspicere/perspicatia* (ver através, perspicácia), como o grego *frónesis*. Ligado à percepção visual, o termo visual, o termo *Einsicht* significa uma apreensão de estruturas ou de um todo dotado de sentido. Psicologicamente o fenômeno é assim descrito: "Uma pessoa vê-se confrontada com um estado de coisas, inicialmetne opaco <*undurschaubar*>, fechado, indistinto, confuso e tenta então, mediante escolha de uma posição ou ângulo visual, apreender melhor oticamente esses estados de coisas e conhecê-los em suas interconexões (K.

possibilidade) aquilo que observamos. Logo, podemos pelo menos observar uma conformidade a fins segundo a forma – mesmo que não lhe ponhamos como fundamento um fim – como matéria do *nexus finalis* – e notá-la em objetos, embora de nenhum outro modo senão por reflexão.

§ *11. O juízo de gosto não tem por fundamento senão a* **forma da conformidade a fins** *de um objeto (ou do seu modo de representação).*

Todo fim, se é considerado como fundamento da complacência, comporta sempre um interesse como fundamento de determinação do juízo sobre o objeto do prazer. Logo, não pode haver nenhum fim subjetivo como fundamento do juízo de gosto. Mas também nenhuma representação de um fim objetivo, isto é, da possibilidade do próprio objeto segundo princípios da ligação a fins, por conseguinte nenhum

---

Müller, In: J. Rittler (ed), *Hist. Wörtb. d. Phil.*, 1972 (1):415). J. Bennet observa que é uma condição necessária mas não suficiente de uma conduta dotada de *Einsicht* (*insight*) que ela "prove um saber prévio ou uma pré-convicção do caminho correto para a solução de um problema prático" (*Rationalität*, trad. alemã, 1967, p. 127). Ele liga ainda *Einsicht/insight* a uma generalização conceitual e faz depender o valor teórico do conceito de seu reconhecimento linguístico e público. Do ponto de vista de que uma palavra demasiado vaga não serve para a ciência (Bennett), tem sentido a conclusão de G.H. Hartmann, em "Begriff und Kriterien der Einsicht", de que o sentido desse termo continua uma terra incógnita, com uma aplicação apressada ao comportamento animal, sem que se conhecesse suficientemente o seu admitido correlato humano. De um ponto de vista kantiano e também na direção da concepção apontada por Bennett, tem sentido a pergunta de Hartmann: "É Einsicht uma espécie do *genus* inteligência ou vice-versa? (In: Graumann (ed.). *Denken*, 1969, p. 143). Vale atentar a esse respeito para a versão kantiana dos termos da *Psychologia empirica* de Baumgarten, no vol. XV da Acad., *Kants handschriftlicher Nachlaß*).

Na seção V: *Perspicacia*, observa Baumgarten que "o hábito de observar a identidade das coisas chama-se engenho em sentido estrito" <*Witz*> e que o "hábito de observar a diversidade das coisas chama-se acumen": <*Scharfsinnigkeit*> (argudeza, penetração, sagacidade). Donde a reunião de (agudeza e engenho chama-se perspicácia = uma *feine Einsicht*). *Einsicht* liga-se aí à capacidade de, na apreensão das diferenças, perceber a sua identidade. Daí que o termo "discernimento", enquanto significa do latim *discernere*, distinguir, seja desse ponto de vista menos adequado para traduzir *Einsicht*. Mas segundo Kant tampouco "compreensão", "intelecção" e "saber" são-lhe adequados, de acordo com a seguinte Reflexão: "Representar algo (representatio); perceber algo (*perceptio*) (com consciência); conhecer (*cognitio*) (distinguir de outro); saber (*scientia*) (diverso de admitir (*crer*)); entender (*intellectio*) (conhecer pelo entendimento); perspiscientia: Einsehen (pela razão); comprehensio: conceber (suficiente segundo a grandeza (o grau))" (Reflexão 426, vol. XV, p. 171). Por essa vinculação de *Einsicht* à razão, Kant estabelece mais adiante para esse tipo de conhecimento princípios diferentes dos do entendimento, identificando-o a uma faculdade de julgar *a priori*.

conceito de bom pode determinar o juízo de gosto; porque ele é um juízo estético e não um juízo de conhecimento, o qual, pois, não concerne a nenhum *conceito* da natureza e da possibilidade interna ou externa do objeto através desta ou daquela causa, mas simplesmente à relação das faculdades de representação entre si, na medida em que elas são determinadas por uma representação.

Ora, é esta relação na determinação de um objeto, como um objeto belo ligado ao sentimento de prazer, que é ao mesmo tempo declarado pelo juízo de gosto como válida para todos; consequentemente, nem uma amenidade que acompanha a representação, nem a

---

"*Principia des Einsehens sind von denen des Verstehens unterschieden. Das Vermögem, a priori zu urtellen (schließen), ist Vernunft. Einsehen.*" (Reflexão 437, p. 180). Nesse mesmo sentido parece que a abordagem mais extensa sobre o termo *Einsicht* encontra-se na carta de Kant ao príncipe Alexander von Beloselsky (esboço), do verão de 1792. Aí a *Einsehen, perspicere*, como um ver através, é dado um sentido racional dedutivo: A esfera do *Einsehen, perspicere* é a da "dedução do particular do universal, isto é, a esfera da razão" (Acad. v. XI, p. 345), tendo também o sentido de uma faculdade de inventar princípios para as múltiplas regras. Por fim, "a esfera da perspicacité é a da perspiciência (Einsicht) sistemática da interconexão da razão dos conceitos em um sistema" (p. 346). Na medida pois em que, de um lado, o alemão traduz do latim *inspicere* por *einsehen/durchblicken* (examinar, ver com atenção, ver através) e, de outro, o termo kantiano é ligado explicitamente a *perspicere/perspicatia*, do qual também provém perspectiva, encontramos alguns equivalentes a *Einsicht* em inspeção, introvisão, perspectiva, perspicácia. Mas o unicamente satisfatório no caso parece-nos a adoção em português do próprio termo latino proposto por Kant para este tipo de saber racional: "perspiciência" cujo latino *perspicientia* o dicionário latino-alemão Georges traduz por *Durchschauung = die in etwas erlangte vollständinge Einsicht*, remetendo-o ao *De Officiis* 1, 14 de Cícero. A partir do exame dessa fonte – que aliás constitui a principal influência sobre a ética de Kant –, podemos concluir com certeza que Kant, ao redigir a citada Reflexão 426, tomou de Cícero o termo *perspicientia*, com o qual identificou *Einsicht*; *Aut enim perspicientia veri sollertiaque versatur* (a tradução alemã desse texto adotou para o termo em questão a expressão *Durschauen-und-Verstehen*). Favorável a essa nossa interpretação é a frase que se segue logo depois, em que Cícero vincula perspiciência a prudência e sabedoria, como também perspicácia e agudeza (veja referência acima a Baumgarten): "Üt enim quisque maxime perspicit, quid in re quaque verissimum sit quisque acutissime et celerrime podest et videre et explicare rationem, ist prudentissimus et sapientissimus rite haberi solet" (Je mehr einer nämlich durchschaut, was in jeder Hinsicht die letzte Wahrheit sei, und wer am scharfsinnigsten und schnellsten imstande ist, *den Grund eisusehen* und zu erklären – der pflegt mit Recht für den Klugsten und Weisesten gehalten zu werden"). Cf. M.T., Cícero, *De Officiis*, latim e alemão (trad. de H. Gunermann, Reclam 1984, pgs. 16-18). É de desejar-se que essa recondução às fontes latinas de termos e conceitos kantianos favoreça a compreensão de *Einsicht* como uma forma de juízo preponderantemente prático-racional, bem como a aceitação de sua tradução pelo neologismo "perspiciência", a nosso ver assimilável por uma linguagem filosófica. Já o velho *einsehen*, na falta de melhor equivalente, resta-nos traduzi-lo por "ter perspiciência", "descortinar" (no sentido de ver longe e com agudeza) (N.T.).

representação[15] da perfeição do objeto e o conceito de bom podem conter esse fundamento de determinação. Logo, nenhuma outra coisa senão a conformidade a fins subjetiva, na representação de um objeto sem qualquer fim (objetivo ou subjetivo), consequentemente a simples forma da conformidade a fins na representação, pela qual um objeto nos é *dado*, pode, na medida em que somos conscientes dela, constituir a complacência, que julgamos como comunicável universalmente sem conceito, por conseguinte, o fundamento determinante do juízo de gosto.

*Explicação do belo deduzida deste terceiro momento.*

Beleza é a forma da *conformidade a fins* de um objeto, na medida em que ela é percebida nele *sem representação de um fim.*[16]

**Quarto momento do juízo de gosto segundo a modalidade da complacência no objeto.[17]**

**§ 18. O que é a modalidade de um juízo de gosto.**

De cada representação posso dizer que é pelo menos *possível* que ela (como conhecimento) seja ligada a um prazer. Daquilo que denomino *agradável* digo que ele *efetivamente* produz prazer em mim. Do *belo*, porém, se pensa que ele tenha uma referência *necessária* à complacência. Ora, essa necessidade é de uma modalidade peculiar: ela não é uma necessidade objetiva teórica, na qual pode ser conhecido *a priori* que qualquer um *sentirá* essa complacência no objeto que denomino belo; nem será uma necessidade prática, na qual, através de conceitos de uma vontade racional pura – que serve de regra a entes que agem livremente

---

[15] "representação" falta em A.

[16] Poder-se-ia alegar, como instância contra essa explicação, que existem coisas nas quais se vê uma forma conforme a fins, sem reconhecer nelas um fim; por exemplo, os utensílios de pedra, frequentemente retirados de antigos túmulos, dotados de um orifício como se fosse para um cabo, conquanto em sua figura traiam claramente uma conformidade a fins, para a qual não se conhece o fim, e nem por isso são declarados belos. Todavia o fato de que são considerados uma obra de arte é já suficiente para ter que admitir que a gente refere a sua figura a alguma intenção qualquer e a um fim determinado. Daí também a absoluta ausência de qualquer complacência imediata em sua intuição. Ao contrário uma flor, por exemplo uma tulipa, é tida por bela porque em sua percepção é encontrada uma certa conformidade a fins, que do modo como a ajuizamos não é referida absolutamente nenhum fim (K).

[17] C: nos objetos.

–, esta complacência é a consequência necessária de uma lei objetiva e não significa senão que simplesmente (sem intenção ulterior) se deve agir de um certo modo. Mas, como necessidade que é pensada em um juízo estético, ela só pode ser denominada *exemplar*, isto é, uma necessidade de assentimento de todos a um juízo que é considerado como exemplo de uma regra universal que não se pode indicar. Visto que um juízo estético não é nenhum juízo objetivo e de conhecimento, essa necessidade não pode ser deduzida de conceitos determinados e não é, pois, apodíctica. Muito menos pode ela ser inferida da generalidade da experiência (de um a unanimidade geral dos juízos sobre a beleza de um certo objeto). Pois, não só pelo fato de que a experiência dificilmente conseguiria documentos suficientemente numerosos, nenhum conceito de necessidade pode fundamentar-se sobre juízos empíricos.

### § 19. A necessidade subjetiva que atribuímos ao juízo de gosto é condicionada.

O juízo de gosto imputa o assentimento a qualquer um; e quem declara algo belo quer que qualquer um *deva* aprovar o objeto em apreço e igualmente declará-lo belo. O *dever*, no juízo estético, segundo todos os dados que são requeridos para o ajuizamento, é, portanto, ele mesmo expresso só condicionadamente. Procura-se ganhar o assentimento de cada um, porque se tem para isso um fundamento que é comum a todos; com esse assentimento[18] também se poderia contar se apenas se estivesse sempre seguro de que o caso seria subsumido corretamente sob aquele fundamento como regra da aprovação.

### § 20. A condição da necessidade que um juízo de gosto pretende é a idéia de um sentido comum.

Se juízos de gosto (identicamente aos juízos de conhecimento) tivessem um princípio objetivo determinado, então aquele que os profere segundo esses princípios reivindicaria necessidade incondicionada de seu juízo. Se eles fossem desprovidos de todo princípio, como os do simples gosto dos sentidos, então ninguém absolutamente teria a ideia de alguma necessidade dos mesmos. Logo, eles têm que possuir um princípio subjetivo, o qual determine, somente através de sentimento e não de conceitos, e contudo de modo universalmente válido, o que

---

[18] "assentimento" falta em A.

apraz ou desapraz. Um tal princípio, porém, somente poderia ser considerado como um *sentido comum*, o qual é essencialmente distinto do entendimento comum, que às vezes também se chama senso comum (*sensus communis*); nesse caso, ele não julga segundo o sentimento, mas sempre segundo conceitos, se bem que habitualmente somente ao modo de princípios obscuramente representados.

Portanto, somente sob a pressuposição de que exista um sentido comum (pelo qual, porém, não entendemos nenhum sentido externo, mas o efeito decorrente do jogo livre de nossas faculdades de conhecimento), somente sob a pressuposição, digo eu, de um tal sentido comum o juízo de gosto pode ser proferido.

### § 21. Se se pode com razão pressupor um sentido comum.

Conhecimentos e juízos, juntamente com a convicção que os acompanha, têm que poder comunicar-se universalmente; pois, do contrário, eles não alcançariam nenhuma concordância com o objeto; eles seriam em suma um jogo simplesmente subjetivo das faculdades de representação, precisamente como o ceticismo o reclama. Se, porém, conhecimentos devem poder comunicar-se, então também o estado de ânimo, isto é, a disposição das faculdades de conhecimento para um conhecimento em geral, e na verdade aquela proporção que se presta a uma representação (pela qual um objeto nos é dado) para fazê-la um conhecimento, tem que poder comunicar-se universalmente: porque sem essa condição subjetiva do conhecer, o conhecimento como efeito não poderia surgir. Isso também acontece efetivamente sempre que um objeto dado leva, através dos sentidos, a faculdade da imaginação à composição do múltiplo, e esta por sua vez põe em movimento o entendimento para unidade do mesmo[19] em conceitos. Mas essa disposição das faculdades de conhecimento tem uma proporção diversa, de acordo com a diversidade dos objetos que são dados. Todavia, tem que haver uma proporção, na qual essa relação interna para a vivificação, (de uma pela outra) é a mais propícia para ambas as faculdades do ânimo com vistas ao conhecimento (de objetos dados) em geral; e esta disposição não pode ser determinada de outro modo senão pelo

---

[19] Vorländer propõe que "mesmo" se refira a "múltiplo", e altera *derselben* (Kant) para *desselben*, aceito pela Academia. O texto de Kant "da mesma" remete a "composição", o que não parece desproprositado. (N.T.).

sentimento (não segundo conceitos). Ora, visto que essa própria disposição tem que poder comunicar-se universalmente e por conseguinte também o sentimento da mesma (em uma representação dada), mas visto que a comunicabilidade universal de um sentimento pressupõe um sentido comum; assim, este poderá ser admitido com razão, e na verdade sem nesse caso se apoiar em observações psicológicas, mas como a condição necessária da comunicabilidade universal de nosso conhecimento, a qual tem que[20] ser pressuposta em toda lógica e em todo princípio dos conhecimentos que não seja cético.

### § 22. A necessidade do assentimento universal, que é pensada em um juízo de gosto, é uma necessidade subjetiva que sob a pressuposição de um sentido comum é representada como objetiva.

Em todos os juízos pelos quais declaramos algo belo não permitimos a ninguém ser de outra opinião, sem com isso fundarmos nosso juízo sobre conceitos, mas somente sobre nosso sentimento; o qual, pois, colocamos a fundamento, não como sentimento privado, mas como um sentimento comunitário <gemeinschaftliches>. Ora, esse sentido comum não pode, para esse fim, ser fundado sobre a experiência; pois ele quer dar direito a juízos que contêm um dever; ele não diz que qualquer um irá concordar com nosso juízo, mas que deve concordar com ele. Logo, o sentido comum, de cujo juízo indico aqui o meu juízo de gosto como um exemplo e por cujo motivo eu lhe confiro validade exemplar, é uma simples norma ideal, sob cuja pressuposição poder-se-ia, com direito, tomar um juízo – que com ela concorde e uma complacência em um objeto, expressa no mesmo – [como] regra para qualquer um; porque o princípio, na verdade admitido só subjetivamente, mas contudo como subjetivo-universal (uma ideia necessária para qualquer um), poderia, no que concerne à unanimidade de julgantes diversos, identicamente a um princípio objetivo, exigir assentimento universal, contanto que apenas se estivesse seguro de ter feito a subsunção correta.

Essa norma indeterminada de um sentido comum é efetivamente pressuposta por nós, o que prova nossa presunção de proferir juízos de gosto. Se de fato existe um tal sentido comum como princípio constitutivo da possibilidade da experiência, ou se um princípio ainda superior

---

[20] "tem que" falta em B e C.

136    FILÕESTÉTICA

da razão no-lo torne somente princípio regulativo, antes de tudo para produzir em nós um sentido comum para fins superiores; se, portanto, o gosto é uma faculdade original e natural, ou somente a ideia de uma faculdade fictícia e a ser ainda adquirida de modo que um juízo de gosto, com sua pretensão a um assentimento universal, de fato seja somente uma exigência da razão de produzir uma tal unanimidade do modo de sentir, e que o dever, isto é, a necessidade objetiva da confluência do sentimento de qualquer um com o sentimento particular de cada um, signifique somente a possibilidade dessa unanimidade, e o juízo de gosto forneça um exemplo somente de aplicação deste princípio; aqui não queremos, e não podemos, ainda investigar isso; por ora, cabe-nos somente decompor a faculdade do gosto em seus elementos e[21] uni-la finalmente na ideia de um sentido comum.

*Explicação do belo inferida do quarto momento.*

*Belo* é o que é conhecido sem conceito como objeto de uma complacência *necessária*.

### § 24. Da divisão de uma investigação do sentimento do sublime.

No que concerne à divisão dos momentos do ajuizamento estético dos objetos em referência ao sentimento do sublime, a Analítica poderá seguir o mesmo princípio ocorrido na análise dos juízos de gosto. Pois enquanto juízo da faculdade de juízo estético-reflexiva, a complacência no sublime, tanto como no belo, tem que representar[22] segundo a *quantidade*, de modo universalmente válido; segundo a *qualidade*, sem interesse; e tem que representar, segundo a *relação*, uma conformidade a fins subjetiva; e, segundo a *modalidade*, essa última como necessária. Nisso, portanto, o método não diferirá do método da seção anterior, pois ter-se-ia que tomar em conta o fato de que lá, onde o juízo estético concernia à forma do objeto, começamos da investigação da qualidade; aqui, porém, no caso da ausência de forma, que pode convir ao que denominamos sublime, começaremos da quantidade como o primeiro momento do juízo estético

---

[21] C: para.

[22] A frase kantiana parece, com respeito à quantidade e qualidade, sem objeto (a nosso ver refere-se ao sublime), tendo Erdmann, seguido por Vorländer, acrescentado para os dois primeiros casos o verbo "ser", deixando "representar" para os demais. (N.T.).

sobre o sublime; a razão desse procedimento pode ser deduzida do parágrafo precedente.[23]

Mas a análise do sublime necessita de uma divisão da qual a análise do belo não carece, a saber: em *matemático-sublime* e em *dinâmico-sublime*.

Pois, visto que o sentimento do sublime comporta, como característica própria, um *movimento* do ânimo ligado ao ajuizamento do objeto, ao passo que o gosto no belo pressupõe e mantém o ânimo em *serena* contemplação, mas visto que esse movimento deve ser ajuizado como subjetivamente conforme a fins (porque o sublime apraz), assim ele é referido pela faculdade da imaginação ou à *faculdade do conhecimento* ou à *faculdade da apetição*, mas em ambos os casos a conformidade a fins da representação dada é ajuizada somente com vistas a estas *faculdade* (sem fim ou interesse); nesse caso, então, a primeira é atribuída ao objeto como disposição *matemática*; a segunda, como disposição dinâmica da faculdade da imaginação e por conseguinte esse objeto é representado como sublime dos dois modos mencionados.

## A. DO MATEMÁTICO-SUBLIME

### § 25. Definição nominal do sublime

Denominamos *sublime* o que é absolutamente grande. Mas grande e grandeza[24] são conceitos totalmente distintos (*magnitudo e quantitas*). Do mesmo modo *dizer simplesmente* (*simpliciter*) que algo é grande é totalmente diverso de dizer que ele seja *absolutamente grande* (*absolute, non comparative, magnum*). O último é *o que é grande acima de toda comparação.* Que significa então a expressão: "algo é grande ou pequeno ou médio"? Não é um conceito puro do entendimento que é denotado através dela[25]; menos ainda uma intuição dos sentidos; e tampouco um conceito da razão, porque não comporta absolutamente nenhum

---

[23] Como se vê, também na análise do sublime Kant guia-se pela tábua das categorias: no § 26, da quantidade; no § 27, da qualidade; no § 28, da relação; no § 29, da modalidade. Posteriormente ele privilegiará, com respeito ao juízo sobre o sublime, a categoria da relação; com respeito ao juízo sobre o belo, a da qualidade; com respeito ao juízo sobre o agradável, a da quantidade; e com respeito ao juízo sobre o bom, a da modalidade. (N.T.).

[24] Kant joga aqui com os termos *groß* (grande) e *Große* (= grandeza, magnitude, quantidade). Nesse contexto, porém, o termo "grandeza" assumirá, além da conotação matemática, um sentido estético, justificando a opção por esta tradução. (N.T.).

[25] "que é denotado através disso" falta em A.

138      FILÕESTÉTICA

princípio do conhecimento. Logo, tem de tratar-se de um conceito da faculdade do juízo, ou derivar de um tal conceito e pôr como fundamento uma conformidade a fins subjetiva da representação em referência à faculdade do juízo. Que algo seja uma grandeza (*quantum*) pode-se reconhecer desde a própria coisa sem nenhuma comparação com outras, a saber, quando a pluralidade do homogêneo, tomado em conjunto, constitui uma unidade. *Quão grande*, porém o seja, requer sempre para sua medida algo diverso que também seja uma grandeza. Visto, porém, que no ajuizamento da grandeza não se trata simplesmente da pluralidade (número), mas também da grandeza da unidade (da medida) e a grandeza desta última sempre precisa por sua vez de algo diverso como medida, com a qual ela possa ser comparada, assim vemos que toda determinação de grandeza dos fenômenos simplesmente não pode fornecer nenhum conceito absoluto de uma grandeza, mas sempre somente um conceito de comparação.

Ora, se eu digo simplesmente que algo seja grande, então parece que eu absolutamente não tenho em vista nenhuma comparação, pelo menos com alguma medida objetiva, porque desse modo não é absolutamente determinado quão grande o objeto seja. Mas se bem que o padrão de medida da comparação seja meramente subjetivo, o juízo nem por isso reclama assentimento[26] universal; os juízos "o homem é belo" e "ele é grande" não se restringem meramente ao sujeito que julga mas reivindicam, como os juízos teóricos, o assentimento de qualquer um.

Mas porque em um juízo, pelo qual algo é denotado simplesmente como grande, não se quer meramente dizer que o objeto tenha uma grandeza, e sim que esta ao mesmo tempo lhe é atribuída de preferência a muitas outras da mesma espécie, sem contudo indicar determinadamente essa preferência; assim certamente é posto como fundamento da mesma um padrão de medida que se pressupõe poder admitir como o mesmo para qualquer um, que, porém, não é utilizável para nenhum ajuizamento lógico (matematicamente determinado), mas somente estético da grandeza, porque ele é um padrão de medida que se encontra só subjetivamente à base do juízo reflexivo sobre grandeza. Ele pode, aliás, ser empírico, como, por assim dizer, a grandeza média dos a nós

---

[26] Kant: determinação <*Bestimmung*>; corrigido por Hartenstein e Rosenkrans para "assentimento" <*Beistimmung*>.

conhecidos homens, animais de certa espécie, árvores, casas, montes, etc., ou um padrão de medida dado *a priori*, que, pelas deficiências do sujeito ajuizante,[27] é limitado a condições subjetivas da apresentação *in concreto*, como no prático a grandeza de uma certa virtude ou da liberdade e justiça públicas em um país; ou no teórico a grandeza da correção ou incorreção de uma observação ou mensuração feita etc.

Ora, é aqui digno de nota que, conquanto não tenhamos absolutamente nenhum interesse no objeto, isto é, a existência do mesmo é-nos indiferente, todavia a simples grandeza do mesmo, até quando ele é observado como sem forma, possa comportar uma complacência que é comunicável universalmente, por conseguinte contém consciência de uma conformidade a fins subjetiva no uso de nossa faculdade de conhecimento; mas não, por assim dizer, uma complacência no objeto como no belo (porque ele pode ser sem forma) – em cujo caso a faculdade de juízo reflexiva encontra-se disposta conformemente a fins em referência ao conhecimento em geral – e sim na ampliação da faculdade da imaginação em si mesma.

Se (sob a limitação mencionada acima) dizemos simplesmente de um objeto que ele é grande, então este não é nenhum juízo matematicamente determinante, mas um simples juízo de reflexão sobre sua representação, que é subjetivamente conforme aos fins de um certo uso de nossas faculdades de conhecimento na apreciação da grandeza; e nós, então, ligamos sempre à representação uma espécie de respeito, assim como a denominamos simplesmente pequeno um desrespeito. Aliás, o ajuizamento das coisas como grandes ou pequenas concerne a tudo, mesmo a todas as propriedades das coisas; por isso nós próprios denominamos a beleza grande ou pequena; a razão disso deve ser procurada no fato de que o que quer que segundo a prescrição da faculdade do juízo possamos apresentar na intuição (por conseguinte representar esteticamente), é em suma fenômeno, por conseguinte também um *quantum*.

Se, porém, denominamos algo não somente grande, mas simplesmente, absolutamente e em todos os sentidos (acima de toda a comparação) grande, isto é, sublime, então se tem a imediata perspiciência de que não permitimos procurar para o mesmo nenhum padrão de

---

[27] "ajuizante" falta em A.

medida adequado a ele fora dele, mas simplesmente nele. Trata-se de uma grandeza que é igual simplesmente a si mesma. Disso segue-se, portanto, que o sublime não deve ser procurado nas coisas da natureza, mas unicamente em nossas ideias; em quais delas, porém, ele se situa é algo que tem que ser reservado para a dedução.

A definição acima também pode ser expressa assim: *sublime é aquilo em comparação com o qual tudo o mais é pequeno.* Aqui se vê facilmente que na natureza nada pode ser dado, por grande que ele também seja ajuizado por nós, que, considerado em uma outra relação, não pudesse ser degradado até o infinitamente pequeno; e inversamente nada tão pequeno que em comparação com padrões de medida ainda menores, não se deixasse ampliar, para a nossa faculdade de imaginação, até uma grandeza cósmica. Os telescópios forneceram-nos rico material para fazer a primeira observação, os microscópios para fazermos a última. Nada, portanto, que pode ser objeto dos sentidos, visto sobre essa base, deve denominar-se sublime. Mas precisamente pelo fato de que em nossa faculdade da imaginação encontra-se uma aspiração ao progresso até o infinito, e em nossa razão, porém, uma pretensão à totalidade absoluta como a uma ideia real, mesmo aquela inadequação a esta ideia de nossa faculdade de avaliação da grandeza das coisas do mundo dos sentidos desperta o sentimento de uma faculdade suprassensível em nós; e o que é absolutamente grande não é, porém, o objeto dos sentidos, e sim o uso que a faculdade do juízo naturalmente faz de certos objetos para o fim daquele (sentimento), com respeito ao qual, todavia, todo outro uso é pequeno. Por conseguinte, o que deve denominar-se sublime não é o objeto e sim a disposição de espírito através de uma certa representação que ocupa a faculdade de juízo reflexiva.

Podemos, pois, acrescentar às fórmulas precedentes de definição do sublime ainda esta: *sublime é o que somente pelo fato de poder também pensá-lo prova uma faculdade do ânimo que ultrapassa todo padrão de medida dos sentidos.*

### § 26. Da avaliação das grandezas das coisas da natureza, que é requerida para a idéia do sublime

A avaliação das grandezas através de conceitos numéricos (ou seus sinais na álgebra) é matemática, mas a sua avaliação na simples intuição (segundo a medida ocular) é estética. Ora, na verdade somente[28] através

---

[28] "somente" falta em A.

de números podemos obter determinados conceitos de quão *grande* seja algo (quando muito, aproximações através de séries numéricas prosseguindo até o infinito), cuja unidade é a medida; e desse modo toda avaliação de grandezas lógica é matemática. Todavia, visto que a grandeza da medida tem que ser admitida como conhecida, assim, se esta agora tivesse que ser avaliada de novo somente por números, cuja unidade tivesse que ser uma outra medida, por conseguinte devesse ser avaliada matematicamente, jamais poderíamos ter uma medida primeira ou fundamental, por conseguinte tampouco algum conceito determinado de uma grandeza dada. Logo a avaliação da grandeza da medida fundamental tem que consistir simplesmente no fato de que se pode captá-la imediatamente em uma intuição e utilizá-la pela faculdade da imaginação para a apresentação dos conceitos numéricos, isto é, toda avaliação das grandezas dos objetos da natureza é por fim estética (isto é, determinada subjetivamente e não objetivamente).

Ora, para a avaliação matemática das grandezas, na verdade não existe nenhum máximo (pois o poder dos números vai até o infinito); mas para a avaliação estética das grandezas certamente existe um máximo; e acerca deste digo que, se ele é ajuizado como medida absoluta, acima da qual não é subjetivamente (ao sujeito ajuizador) possível medida maior, então ele comporta a ideia do sublime e produz aquela comoção que nenhuma avaliação matemática das grandezas pode efetuar através de números (a não ser que e enquanto aquela medida-fundamental estética, presente à faculdade da imaginação, seja mantida viva); porque a última sempre apresenta somente a grandeza relativa por comparação com outras da mesma espécie, a primeira, porém, a grandeza simplesmente, na medida em que o ânimo pode captá-la em uma intuição.

Admitir intuitivamente um *quantum* na faculdade da imaginação, para poder utilizá-lo como medida ou como unidade para a avaliação da grandeza por números, implica duas ações dessa faculdade: *Apreensão*[29] (*apprehensio*) e *compreensão* (*comprehensio aesthetica*). Com a apreensão isso não é difícil, pois com ela pode-se ir até o infinito; mas a compreensão torna-se sempre mais difícil quanto mais a apreensão avança e atinge logo o seu máximo, a saber, a medida fundamental esteticamente-máxima da avaliação das grandezas.

---

[29] Para os termos "apreensão" e "compreensão" Kant usa, respectivamente, *Auffassung* e *Zusammenfassung*, seguidos de seus correspondentes latinos. (N.T.).

# B. DO DINÂMICO-SUBLIME DA NATUREZA

### § 28. Da natureza como um poder.

Poder <*Macht*> é uma faculdade que se sobrepõe a grandes obstáculos. Esta chama-se força <*Gewalt*> quando se sobrepõe também à resistência daquilo que possui ele próprio poder. A natureza, considerada no juízo estético como poder que não possui nenhuma força sobre nós, é *dinamicamente-sublime*.

Se a natureza deve ser julgada por nós dinamicamente como sublime, então ela tem que ser representada como suscitando medo (embora inversamente nem todo objeto que suscita medo seja considerado sublime em nosso juízo estético). Pois no ajuizamento estético (sem conceito) a superioridade sobre obstáculos pode ser ajuizada somente segundo a grandeza da resistência. Ora bem, aquilo ao qual nos esforçamos por resistir é um mal e, se não consideramos nossa faculdade à altura dele, é um objeto de medo. Portanto, para a faculdade de juízo estética a natureza somente pode valer como poder, por conseguinte como dinamicamente-sublime, na medida em que ela é considerada como objeto de medo.

Pode-se, porém, considerar um objeto como temível sem se temer *diante* dele, a saber: quando o ajuizamos *imaginando* simplesmente o caso em que porventura quiséssemos opor-lhe resistência e em tal caso toda resistência seria de longe vã. Assim o virtuoso teme a Deus sem temer a si diante dele, porque querer resistir a Deus e a seus mandamentos não é um caso que ele imagine preocupá-*lo*, mas em cada um desses casos, que ele não imagina como em si impossível, ele reconhece-O como terrível.

Quem teme a si não pode absolutamente julgar sobre o sublime da natureza, tampouco sobre o belo quem é tomado de inclinação e apetite. Aquele foge da contemplação de um objeto que lhe incute medo; e é impossível encontrar complacência em um terror que fosse tomado a sério. Por isso o agrado resultante da cessação de uma situação é *contentamento*. Este, porém, devido à libertação de um perigo, é um contentamento com o propósito de jamais expor-se de novo a ele; antes, não se gosta de recordar-se uma vez sequer daquela sensação, quanto mais de procurar a ocasião para tanto.

Rochedos audazes, sobressaindo-se por assim dizer ameaçadores, nuvens carregadas acumulando-se no céu, avançando com relâmpagos e estampidos, vulcões em sua inteira força destruidora, furacões com a devastação deixada para trás, o ilimitado oceano revolto, uma alta queda-d'água de um rio poderoso, etc. tornam a nossa capacidade de resistência de uma pequenez insignificante em comparação como seu poder. Mas o seu espetáculo só se torna tanto mais atraente quanto mais terrível ele é, contanto que, somente, nos encontremos em segurança; e de bom grado denominamos esses objetos sublimes, porque eles elevam a fortaleza da alma acima de seu nível médio e permitem descobrir em nós uma faculdade de resistência de espécie totalmente diversa, a qual nos encoraja a medir-nos com a aparente onipotência da natureza.

Pois, assim como na verdade encontramos a nossa própria limitação na incomensurabilidade da natureza e na insuficiência da nossa faculdade para tomar um padrão de medida proporcionado à avaliação estética da grandeza de seu *domínio*, e contudo também ao mesmo tempo encontramos em nossa faculdade da razão um outro padrão de medida não sensível, que tem sob si como unidade aquela própria infinitude e em confronto como qual tudo na natureza é pequeno, por conseguinte encontramos em nosso ânimo uma superioridade sobre a própria natureza em sua incomensurabilidade; assim também o caráter irresistível de sue poder dá-nos a conhecer, a nós considerados como antes da natureza, a nossa impotência física,[30] mas descobre ao mesmo tempo uma faculdade de ajuizar-nos como independentes dela e uma superioridade sobre a natureza, sobre a qual se funda uma autoconservação de espécie totalmente diversa daquela que pode ser atacada e posta em perigo pela natureza fora de nós, com o que a humanidade em nossa pessoa não fica rebaixada, mesmo que o homem tivesse que sucumbir àquela força. Dessa maneira a natureza não é ajuizada como sublime em nosso juízo estético enquanto provocadora de medo, porque ela convoca a nossa força (que não é natureza) para considerar como pequeno aquilo pelo qual estamos preocupados (bens, saúde e vida) e por isso, contudo, não considerar seu poder (ao qual sem dúvida estamos submetidos com respeito a essas coisas) absolutamente

---

[30] "física" falta em A.

como uma tal[31] força para nós e nossa personalidade, e sob a qual tivéssemos que nos curvar, quando se tratasse dos nossos mais altos princípios e da sua afirmação ou seu abandono. Portanto, a natureza aqui chama-se sublime simplesmente porque ela eleva a faculdade da imaginação à apresentação daqueles casos nos quais o ânimo pode tornar capaz de ser sentida a sublimidade própria da sua destinação, mesmo acima da natureza.

Esta autoestima não perde nada pelo fato de que temos de sentir-nos seguros para poder sentir essa complacência entusiasmante; por conseguinte, o fato de o perigo não ser tomado a sério não implica que (como poderia parecer) tampouco se tomaria a sério a sublimidade de nossa faculdade espiritual. Pois a complacência concerne aqui somente à *destinação* de nossa faculdade que se descobre em tal caso, do modo como a disposição a esta encontra-se em nossa natureza, enquanto o desenvolvimento e o exercício dessa faculdade são confiados a nós e permanecem[32] obrigação nossa. E isso é verdadeiro por mais que o homem, quando estende sua reflexão até aí, possa ser consciente de uma efetiva impotência atual.

Esse princípio na verdade parece ser demasiadamente pouco convincente e demasiadamente racionalizado, por conseguinte exagerado para um juízo estético; todavia, a observação do homem prova o contrário, e que ele pode jazer como fundamento dos ajuizamentos mais comuns, embora não se seja sempre consciente do mesmo. Pois, que é isso que, mesmo para o selvagem, é um objeto da máxima admiração? Um homem que não se apavora, que não teme a si, portanto, que não cede ao perigo, mas ao mesmo tempo procede energicamente com inteira reflexão. Até no estado maximamente civilizado prevalece esse apreço superior pelo guerreiro; só que ainda se exige, além disso, que ele ao mesmo tempo comprove possuir todas as virtudes da paz, mansidão, compaixão e mesmo o devido cuidado por sua própria pessoa; justamente porque nisso é conhecida a invencibilidade de seu ânimo pelo perigo. Por isso se pode ainda polemizar tanto quanto se queira na comparação do estadista com o general sobre a superioridade do respeito que um merece sobre o

---

[31] "tal" falta em A.

[32] A: é

outro; o juízo estético decide em favor do último. Mesmo a guerra, se é conduzida com ordem e com sagrado respeito pelos direitos civis, tem em si algo de sublime e ao mesmo tempo torna a maneira de pensar do povo que a conduz assim tanto mais sublime quanto mais numerosos eram os perigos a que ele estava exposto e sob os quais tenha podido afirmar-se valentemente; já que contrariamente uma paz longa encarrega-se de fazer prevalecer o mero espírito de comércio,[33] com ele, porém, o baixo interesse pessoal, a covardia e moleza, e de humilhar a maneira de pensar do povo.

Parece conflitar com essa análise do conceito de sublime, na medida em que este é atribuído ao poder, o fato de que nas intempéries, na tempestade, no terremoto, etc., costumamos representar Deus em estado de cólera, mas também como se apresentando em sua sublimidade, no que contudo a imaginação de uma superioridade de nosso ânimo sobre os efeitos e, como parece, até sobre as intenções de um tal poder, seria tolice e ultraje ao mesmo tempo. Aqui parece que nenhum sentimento da sublimidade de nossa própria natureza, mas muito mais submissão, anulação e sentimento de total impotência constitua a disposição de ânimo que convém ao fenômeno de um tal objeto e também costumeiramente trata de estar ligada à ideia do mesmo em semelhante evento da natureza. Na religião em geral parece que o prostrar-se, a adoração com a cabeça inclinada, com gestos e vozes contritos, cheios de temor, sejam o único comportamento conveniente em presença da divindade, que por isso também a maioria dos povos adotou e ainda observa. Todavia, tampouco essa disposição de ânimo nem de longe está em si e necessariamente ligada à *ideia da sublimidade* de uma religião e de seu objeto. O homem que efetivamente teme a si, porque ele encontra em si razão para tal enquanto é autoconsciente de com sua condenável atitude faltar a um poder cuja vontade é irresistível e ao mesmo tempo justa, não se encontra absolutamente na postura de ânimo para admirar a grandeza divina, para a qual são requeridos uma disposição à calma contemplação e um juízo totalmente livre.[34] Somente quando ele é autoconsciente de sua atitude sincera e agradável a Deus, aqueles efeitos do poder

---

[33] Corrigido em C de *Handlungsgeist* para *Handelsgeist*, adotado também pela ed. Acad. (N.T.).

[34] A: "juízo livre de coerção".

servem para despertar nele a ideia da sublimidade deste ente, na medida em que ele reconhece em si próprio uma sublimidade de atitude conforme àquela vontade e deste modo é elevado acima do medo face a tais efeitos da natureza, que ele não considera como expressões de sua cólera. Mesmo a humildade, como ajuizamento não conveniente de suas falhas, que, do contrário, na consciência de atitudes boas facilmente poderiam ser encobertas com a fragilidade da natureza humana, é uma disposição-de-ânimo sublime de submissão espontânea à dor da autorrepreensão para eliminar pouco a pouco sua causa. Unicamente deste modo a religião distingue-se internamente da superstição, a qual não funda no ânimo a veneração pelo sublime, mas o medo e a angústia diante do ente todo-poderoso, a cuja vontade o homem aterrorizado vê-se submetido, sem contudo a apreciar muito; do que pois certamente não pode surgir nada senão granjeamento de favor e de simpatia ao invés de uma religião da vida reta.

Portanto, a sublimidade não está contida em nenhuma coisa da natureza, mas só em nosso ânimo, na medida em que podemos ser conscientes de ser superiores à natureza em nós e através disso também à natureza fora de nós (na medida em que ela influi sobre nós). Tudo que suscita esse sentimento em nós, a que pertence o *poder* da natureza que desafia nossas forças, chama-se então (conquanto impropriamente) sublime; e somente sob a pressuposição desta ideia em nós e em referência a ela somos capazes de chegar à ideia da sublimidade daquele ente, que provoca respeito interno em nós não simplesmente através de seu poder, que ele demonstra na natureza, mas ainda mais através da faculdade, que se situa em nós, de ajuizar sem medo esse poder e pensar nossa destinação como sublime para além dele.

## § 29. Da modalidade do juízo sobre o sublime da natureza

Há inúmeras coisas da bela natureza sobre as quais podemos imputar unanimidade de juízo com o nosso, e também sem errar muito podemos esperá-la diretamente de qualquer um; mas com nossos juízos sobre o sublime na natureza não podemos iludir-nos tão facilmente sobre a adesão de outros. Pois parece exigível uma cultura de longe mais vasta, não só da faculdade de juízo estética, mas também da faculdade do conhecimento, que se encontram à sua base, para poder proferir um juízo sobre essa excelência dos objetos da natureza.

A disposição de ânimo para o sentimento do sublime exige uma receptividade do mesmo para ideias; pois precisamente na inadequação da natureza às últimas, por conseguinte só sob a pressuposição das mesmas e do esforço da faculdade da imaginação em tratar a natureza como um esquema para as ideias, consiste o terrificante para a sensibilidade, o qual, contudo, é ao mesmo tempo atraente; porque ele é uma violência que a razão exerce sobre a faculdade da imaginação somente para ampliá-la convenientemente para o seu domínio próprio (o prático) e propiciar-lhe uma perspectiva para o infinito, que para ela é um abismo. Na verdade aquilo que nós, preparados pela cultura, chamados sublime, sem desenvolvimento de ideias morais apresentar-se-á ao homem inculto simplesmente de um modo terrificante. Ele verá, nas demonstrações de violência da natureza em sua destruição e na grande medida de seu poder, contra o qual o seu é anulado, puro sofrimento, perigo e privação, que envolveria o homem que fosse banido para lá. Assim o bom camponês savoiano, aliás, dotado de bom senso (como narra o Sr. de Saussure)[35], sem hesitar chamava de loucos todos os amantes das geleiras. Quem sabe também se ele desse modo absolutamente não teria tido razão, se aquele observador tivesse assumido os perigos, aos quais se expunha, simplesmente, como o costuma a maioria dos viajantes, por capricho ou para algum dia poder fornecer descrições patéticas a respeito. Sua intenção com isso era, porém, instruir os homens; e esse homem excelente tinha as sensações que transportam a alma e além disso as oferecia aos leitores de suas viagens.

---

[35] De Saussure, H.B. (1709-90), de Genebra, aos 78 anos um dos primeiros escaladores do Montblanc e autor de *Voyages dans les Alpes* (4 v.), editados em 1779 e anos seguintes.

**Johann C. Friedrich Schiller**

Sobre a educação estética
do homem em uma
sequência de cartas

# Sobre a educação estética do homem em uma sequência de cartas*

Johann Christoph Friedrich Schiller (1759–1805)

Tradução
*Verlaine Freitas*

Em que medida a educação estética, ou seja, uma educação orientada para a sensibilidade (uma "pedagogia dos sentidos") é fundamental para a formação ética dos homens? "Se o homem deve possuir em cada caso particular a faculdade de fazer de seu juízo e de sua vontade o juízo da espécie, se ele deve encontrar a passagem de cada existência limitada para uma infinita, se deve poder se elevar a partir de um estado dependente para a autonomia e liberdade, então deve se cuidar para que ele não seja em nenhum momento mero indivíduo e somente esteja a serviço da lei natural. Se ele deve ser capaz e estar pronto para elevar-se do círculo estreito dos fins naturais para os fins da razão, então ele precisa ter se exercitado já no interior dos primeiros para os últimos e ter completado já sua determinação física com uma certa liberdade do espírito, isto é, segundo as leis da beleza". Nos trechos aqui selecionados de *Sobre a educação estética do homem em uma sequência de cartas* (1794), Schiller (1759–1805) avança na resposta a tal pergunta. Junto com *A República* (em um trecho célebre presente nesta antologia), o recorte a seguir apresenta-nos uma abordagem sobre a relação entre arte, ética e educação.

**Temas:** romantismo alemão, educação, literatura, ética.

---

\* Fonte: SCHILLER, J. C. F. *Über die ästhetische Erziehung des Menschen in einer Reihe von Briefen*. No.s XXII a XXIV. München: Carl Hanser Verlag, 1989, p. 636 - 651.

## Vigésima segunda carta

Se, portanto, a disposição estética da mente em *um* aspecto tem que ser considerada como *zero*, quando se atenta a efeitos individuais e determinados, ela deve ser tomada, em outro aspecto, como um estado *da mais elevada* realidade, na medida em que se considera nesse caso a ausência de toda limitação e a soma das forças que nela estão ativas conjuntamente. Tampouco se pode, assim, negar a razão àqueles que declaram o estado estético o mais fértil em relação ao conhecimento e à moralidade. Eles estão perfeitamente certos; pois uma disposição da mente que compreende em si o todo da humanidade tem que, necessariamente, encerrar em si também cada uma de suas manifestações singulares segundo a faculdade; uma disposição da mente, que afasta do todo da natureza humana toda limitação, tem também que afastá-la de cada manifestação singular. Precisamente porque não protege exclusivamente nenhuma função singular da humanidade, ela é favorável a cada uma sem diferenciação, e se não favorece nenhuma de modo privilegiado, apenas porque é o fundamento da possibilidade de todas. Todos os outros exercícios dão à mente uma habilidade particular qualquer, mas colocam-lhe para isso também um limite particular; somente o estético conduz ao ilimitado. Todo outro estado em que podemos nos encontrar remete-nos a um anterior e necessita de um seguinte para sua dissolução; somente o estético é um todo em si mesmo, pois reúne em si todas as condições de sua origem e continuidade. Somente aqui nos sentimos como que arrancados do tempo; e nossa humanidade se manifesta com uma pureza e *integridade*, como se não tivesse experimentado ainda nenhum dano pelo efeito de forças externas.

O que lisonjeia nossos sentidos na sensação imediata abre nossa suave e ágil mente a toda impressão, mas torna-nos, no mesmo grau, menos capazes ao esforço. O que tensiona nossas forças intelectuais e convida a conceitos abstratos fortifica nosso espírito para toda espécie de resistência, mas o enrijece também na mesma proporção, e tanto nos rouba a sensibilidade, quanto nos auxilia para uma maior espontaneidade. Precisamente por isso, tanto um quanto o outro conduzem, por fim, necessariamente ao esgotamento, porque a matéria (*Stoff*) não pode prescindir por muito tempo da força formadora, e a força, da matéria formanda. Se, ao contrário, nos abandonamos à fruição da beleza autêntica, então ficamos, nesse instante e em grau idêntico, senhores de nossas forças passivas e ativas, e nos viramos, com a mesma facilidade, para a seriedade e o lúdico, para o repouso e o movimento, para a flexibilidade e a resistência, para o pensamento abstrato e a intuição.

Essa alta serenidade e liberdade do espírito, ligada à robustez e à força, é a disposição para a qual uma autêntica obra de arte deve nos colocar, e não há nenhuma prova mais segura da verdadeira qualidade estética. Se, após uma fruição dessa espécie, nos encontramos preferencialmente dispostos a qualquer modo de sensação ou ação particulares, ou, pelo contrário, a um outro, desajeitados e enfastiados, então isso serve para provar, de modo iniludível, que não experienciamos nenhum efeito *puramente estético*; seja por causa do objeto, ou de nosso modo de sensação, ou – como quase sempre é o caso – de ambos simultaneamente.

Dado que na realidade não se encontra nenhum efeito estético puro – pois o homem nunca pode escapar da dependência das forças –, a excelência de uma obra de arte pode meramente consistir na sua maior aproximação àquele ideal de pureza estética, e em toda a liberdade, a que se pode elevar a obra, a deixaremos, entretanto, em uma disposição particular e com uma direção peculiar. Ora, quanto mais universal a disposição e menos limitada a direção, que são dadas à nossa mente por um determinado gênero e produto das artes, mais nobre esse gênero e mais excelente um tal produto. Pode-se provar isso com obras de várias artes e com várias obras da mesma arte. Depois de uma bela música ficamos com a sensação ativa, de uma bela poesia, com a imaginação viva, de uma bela obra pictórica e belo edifício, com o entendimento desperto; mas quem quisesse: nos convidar, imediatamente após uma fruição musical elevada, para o pensamento abstrato; colocar-nos, imediatamente após uma fruição poética elevada, em uma ocupação precisa da vida comum; exaltar, após a contemplação de belas pinturas e obras de arquitetura, nossa imaginação e surpreender nosso sentimento, tal pessoa não teria escolhido bem o momento. A causa é que mesmo a música mais espirituosa permanece, *através de sua matéria*, sempre com uma afinidade aos sentidos maior do que a verdadeira liberdade estética suporta; que mesmo a poesia mais bem-sucedida participa mais do jogo arbitrário e contingente da imaginação, *enquanto seu medium*, do que permite a necessidade interna do verdadeiro belo; que mesmo a obra pictórica mais excelente – e esta talvez mais que todas as outras – tangencia, *através da determinidade de seu conceito*, a ciência séria. Entretanto essas afinidades particulares, a cada grau mais elevado, que uma obra desses três gêneros alcança, perdem-se, e é uma consequência necessária e natural de seu aperfeiçoamento que, sem perda de seus limites objetivos, as diversas artes se tornem, *em seu efeito sobre a mente*, sempre mais semelhantes. A música, em seu mais elevado enobrecimento, tem que se tornar forma (*Gestalt*) e ter efeito sobre nós com o poder sereno da Antiguidade; as artes plásticas, em sua mais elevada perfeição, têm que se tornar música e comover-nos por uma presença sensível imediata; a poesia, em sua conformação mais perfeita, tem, como a arte dos sons, que nos apreender poderosamente, mas tem, ao mesmo tempo, como a escultura, que nos cercar com uma claridade mais serena. O estilo perfeito em cada arte se mostra quando sabe afastar os limites específicos dela sem, entretanto, suprimir seus méritos específicos e lhe proporciona um caráter mais universal através de uma sábia utilização de sua peculiaridade.

E não somente os limites que o caráter específico de seu gênero de arte traz consigo, mas também aqueles ligados à matéria (*Stoff*)[1] particular elaborada pelo artista, têm que ser ultrapassados por ele através do tratamento. Em uma obra de arte verdadeiramente bela o

---

[1] A palavra alemã *Stoff*, especialmente referente a obras de arte, pode ser traduzida tanto por *matéria*, com o sentido de material, estofo, não-formado, quanto por *tema*, quando, por exemplo, se diz do tema de um quadro – o que também pode ser considerado um "material" a ser elaborado pelo artista. (N.T.)

conteúdo nada deve fazer, mas a forma, tudo; pois somente através da forma alcança-se efeito sobre o todo do ser humano, mas através do conteúdo, ao contrário, apenas sobre forças individuais. O conteúdo, por sublime e abrangente que seja, tem efeito, portanto, sempre limitando o espírito, e somente da forma é de se esperar a verdadeira liberdade estética. Nisso consiste, portanto, o segredo próprio da arte do mestre, *que ele anule a matéria (Stoff) através da forma*; e quanto mais imponente, arrogante e tentador seja o tema (*Stoff*) em si mesmo, quanto mais arbitrariamente este se impõe com *seu* efeito, ou quanto mais o fruidor tende a identificar-se imediatamente com ele, tanto mais triunfante é a arte que mantém distanciado o espectador e afirma a soberania sobre o tema (*Stoff*). A mente do espectador e do ouvinte tem que permanecer totalmente livre e ilesa, tem que sair do círculo mágico do artista pura e perfeita como das mãos do Criador. O objeto mais frívolo tem que ser tratado de tal modo que permaneçamos dispostos a passar imediatamente dele para a seriedade mais rigorosa. O tema (*Stoff*) mais sério tem que ser tratado de tal modo que conservemos a capacidade de trocá-lo pelo jogo mais leve. As artes do afeto, como é a tragédia, não são nenhuma objeção a isso, pois *primeiramente* não são artes totalmente livres, pois estão a serviço de um fim particular (o patético), e então com certeza nenhum verdadeiro conhecedor da arte negará que obras, mesmo dessa classe, são tão mais perfeitas quanto mais cuidam da liberdade da mente, mesmo na mais alta tempestade dos afetos. Há uma bela-arte da paixão, mas uma bela e apaixonada arte é uma contradição, pois o efeito inalienável da arte é a liberdade perante as paixões. Não menos contraditório é o conceito de uma bela-arte que ensina (didática) ou que melhora (moral), pois nada se opõe mais ao conceito de beleza do que dar à mente uma determinada tendência.

Nem sempre, entretanto, demonstra uma disformidade na obra quando ela faz efeito só através de seu conteúdo; pode testemunhar com igual frequência uma falta de forma naquele que julga. Se ele está ou muito tenso ou muito relaxado; se está habituado a apreender ou só com o entendimento ou só com os sentidos, então manter-se-á, mesmo diante do todo mais feliz, somente nas partes, ou diante da forma mais bela, somente na matéria (*Materie*). Receptivo apenas para o *elemento* rudimentar, tem que primeiro destruir a organização estética de uma obra antes de encontrar nela um deleite, e desenterrar cuidadosamente o individual que o mestre, com infinita arte, fez desaparecer na harmonia do todo. Seu interesse aí é simplesmente ou moral ou físico; somente não é o que precisamente deve ser: estético. Tais leitores apreciam uma poesia séria e patética como um sermão, e uma ingênua ou divertida como uma bebida embriagante; e se foram desprovidos de gosto o bastante para exigir *edificação* de uma tragédia e epopeia, ainda que fosse uma Messíada, então sentiriam raiva diante de uma canção anacreôntica ou de Catulo.

## Vigésima terceira carta

Retomo o fio de minha investigação, que rompi apenas para fazer uso das afirmações feitas no exercício da arte e no ajuizamento de suas obras.

A passagem do estado passivo da sensação ao do ativo do pensamento e do querer não acontece, portanto, de outro modo que não o de um estado intermediário de liberdade estética, e, embora esse estado em si mesmo não decida nada para nossas ideias (*Einsichten*) nem para nossas disposições morais (*Gesinnungen*) – consequentemente deixando nosso valor intelectual e moral total e absolutamente problemático –, ele é, entretanto, a condição necessária, unicamente sob a qual podemos chegar a uma ideia (*Einsicht*) e a uma disposição moral (*Gesinnung*). Em uma palavra: não há outro caminho para tornar o homem sensível[2] em racional do que torná-lo primeiramente estético.

Mas – vocês poderiam objetar-me – essa mediação deveria ser totalmente indispensável? Não deveriam já a verdade e o dever encontrar entrada por si mesmos e através de si mesmos no homem sensível? A isso tenho que responder: eles não apenas podem, mas devem ter que extrair sua força determinante a partir de si mesmos, e nada seria mais contraditório às minhas afirmações feitas até agora do que se elas parecessem apoiar a opinião contrária. Foi explicitamente provado que a beleza não daria nenhum resultado nem para o entendimento, nem para a vontade; que não se imiscuiria em nenhuma atividade nem do pensamento, nem da decisão; que proporcionaria a ambos somente a

---

[2] No original: *sinnlichen Menschen*, com o sentido de homem dotado da faculdade dos sentidos, da sensibilidade, e não de um homem que fosse afetado facilmente pelas coisas, frágil, delicado, etc. (N. T.)

faculdade, mas não determinaria absolutamente nada sobre seu uso efetivo. Em tal faculdade desaparece toda a ajuda externa, e a forma lógica pura, o conceito, tem que falar imediatamente ao entendimento, a forma moral pura – a lei –, imediatamente à vontade.

Mas que a beleza somente consiga isso, que haja tão somente uma forma pura para o homem sensível, isso, afirmo, tem que se tornar possível apenas através da disposição estética da mente. A verdade não é algo que possa ser, tal como a realidade ou a existência sensível das coisas, apreendida de fora; é algo que a força intelectual produz espontaneamente e em sua liberdade, e essa espontaneidade, essa liberdade, é precisamente aquilo de que sentimos falta no homem sensível. O homem sensível já está (fisicamente) determinado e não tem, consequentemente, mais nenhuma determinabilidade livre: ele tem que recuperar essa determinabilidade perdida antes que possa trocar a determinação passiva por uma ativa. Mas ele não pode recuperá-la de outro modo que não seja ou perdendo a determinação passiva que possuía, ou *contendo já em si a ativa*, à qual deve passar. Se ele apenas perdesse a determinação passiva, perderia então simultaneamente com ela também a possibilidade de uma ativa, porque o pensamento necessita de um corpo, e a forma somente pode ser realizada em uma matéria (*Stoff*). Ele conterá já em si, portanto, essa última determinação, será determinado ao mesmo tempo passiva e ativamente, isto é, ele terá que se tornar estético.

Através da disposição estética da mente, portanto, a espontaneidade da razão é já iniciada no campo da sensibilidade, o poder da sensação já é quebrado dentro de seus próprios limites e o homem físico tão enobrecido, que de agora em diante o homem espiritual precisa meramente desenvolver-se segundo as leis da liberdade a partir dele mesmo. O passo do estado estético para o lógico e moral (da beleza para a verdade e para o dever) é, por isso, infinitamente mais fácil do que foi o passo do estado físico para o estético (da vida meramente cega para a forma). O homem pode dar aquele passo através de sua mera liberdade, pois ele precisa apenas captar a si mesmo, e não se dar a si mesmo, apenas individualizar sua natureza, e não ampliá-la; o homem esteticamente disposto julgará e agirá com validade universal tão logo o queira. A natureza tem que facilitar-lhe o passo da matéria rudimentar para a beleza, onde uma atividade totalmente nova deve ser aberta nele, e sua vontade nada pode impor a uma disposição que somente ela dá à própria vontade a existência. Para se conduzir o homem estético à ideia (*Einsicht*) e a grandes disposições morais (*Gesinnungen*) basta dar-lhe boas oportunidades; para se alcançar exatamente isso do homem sensível há que mudar primeiro sua natureza. Naquele frequentemente não se precisa de mais nada além da exortação de uma situação sublime (que tem efeito mais imediatamente sobre a faculdade da vontade), para fazer dele um herói ou um sábio; no último há que transportá-lo primeiro sob outro céu.

Pertence, assim, à mais importante tarefa da cultura submeter o homem à forma mesmo já em sua mera vida física e torná-lo estético tanto quanto baste para que alcance o reino da beleza, porque somente a partir do estado estético, mas não do físico, o estado moral pode se desenvolver. Se o homem deve possuir em cada caso particular a faculdade de fazer de seu juízo e de sua vontade o juízo da espécie, se ele deve encontrar a passagem de cada existência limitada para uma infinita, se deve poder se elevar a partir de um estado dependente para a autonomia e liberdade, então deve-se cuidar para que ele não seja em nenhum momento mero indivíduo e somente esteja a serviço da lei natural. Se ele deve ser capaz e estar pronto para se elevar do círculo estreito dos fins naturais para os fins da razão, então ele precisa ter se exercitado já *no interior dos primeiros* para os últimos e ter completado já sua determinação física com uma certa liberdade do espírito, isto é, segundo as leis da beleza.

E na verdade ele o consegue sem com isso contradizer minimamente seu fim físico. As exigências da natureza para com ele referem-se somente *ao que ele efetua*, *ao conteúdo* de sua ação, sobre o modo *como* ele efetua, sobre sua forma não está nada determinado pelos fins naturais. As exigências da razão, ao contrário, estão dirigidas rigorosamente à forma de sua atividade. Assim, é tão importante para sua determinação moral que ele seja puramente moral, que mostre uma absoluta espontaneidade, quanto é indiferente para sua determinação física se ele é puramente físico, se ele se comporta absolutamente passivo. Em relação a esta última está totalmente em seu arbítrio se ele quer realizá-la meramente como ser de sentidos (*Sinnenwesen*) e como força da natureza (como uma força propriamente, que somente age conforme ao que lhe afeta), ou se ao mesmo tempo como força absoluta, como ser racional, e não pode haver nenhuma questão sobre qual delas corresponde mais à sua dignidade. Antes, tanto o degrada e o desonra praticar aquelas ações por impulsos sensíveis, para as quais ele deveria ter se determinado por puros motivos do dever, quanto o honra e o enobrece esforçar-se também por alcançar legalidade, harmonia e ilimitação, onde o homem comum apenas satisfaz sua lícita exigência.[3] Em uma palavra: no domínio da verdade e da moralidade a sensação não pode determinar nada; mas no âmbito da felicidade a forma pode existir e o impulso lúdico pode dar ordens.

---

[3] Este tratamento espiritual e esteticamente livre da realidade comum é, onde porventura ela se encontra, a característica de uma alma *nobre*. Deve-se chamar nobre em geral a uma mente que possui o dom de transformar, mesmo a atividade mais limitada e o menor objeto, em algo infinito através do modo de tratamento. Nobre chama-se toda forma que imprime a marca de autonomia àquilo que, segundo sua natureza, meramente *serve* (é apenas um meio para algo). Um espírito nobre não se satisfaz em ser ele próprio livre: ele tem que colocar em liberdade tudo o mais em sua volta, mesmo o inanimado. A beleza é, entretanto, a expressão unicamente possível da liberdade no fenômeno. A expressão proeminente do *entendimento* em uma face, em uma obra de arte e em coisas semelhantes não pode, por isso, chegar a ser nobre, como também nunca é bela, porque salienta a dependência (que não se deve separar da conformidade a fim), em vez de ocultá-la.

O filósofo moral na verdade nos ensina que nunca se poderia fazer *mais* que nosso dever, e ele tem toda razão se ele visa apenas a relação que as ações têm com a lei moral. Mas nas ações que se relacionam meramente a um fim, ir *ainda além deste fim* para o suprassensível (o que aqui não pode significar senão realizar esteticamente o físico), significa ao mesmo tempo ir *além do dever*, na medida em que este somente pode prescrever que a *vontade* seja santa, não que também a *natureza* tenha se santificado. Na verdade não existe, portanto, um ultrapassamento moral do dever, mas sim estético, e um tal comportamento chama-se nobre. Mas precisamente porque sempre se percebe um excesso na nobreza – na medida em que também possui um valor formal livre, o que precisaria ter apenas um valor material, ou que unifica o valor interno, que deve ter, com mais outro externo, que lhe deveria faltar –, desse modo confundiu-se vários excessos estéticos com um moral e, seduzido pelo fenômeno da nobreza, introduziu-se um arbítrio e contingência na própria moralidade, por meio de que ela seria totalmente suprimida.

Há que distinguir um comportamento nobre de um sublime. O primeiro vai além da obrigatoriedade ética, mas não o último, embora o respeitemos mais que àquele. Mas nós o respeitamos não porque transponha o conceito racional de seu objeto (a lei moral), mas porque transpõe o conceito de experiência de seu sujeito (nosso conhecimento da bondade humana e da força da vontade), assim, estimamos por outro lado um comportamento nobre não porque ultrapasse a natureza do sujeito – a partir da qual ele tem antes que fluir completamente sem constrangimento –, mas porque ultrapassa a natureza de seu objeto (o fim físico) para o reino espiritual. Lá, gostar-se-ia de dizer, surpreendemo-nos com a vitória que o objeto alcança sobre o homem; aqui, nos maravilhamos com a sobrelevação que o homem dá ao objeto. (N. A.)

Já aqui, portanto, no campo indiferente da vida física, o homem tem que começar sua vida moral; mesmo em sua passividade tem que iniciar sua espontaneidade, mesmo dentro de seus limites físicos, sua liberdade racional. Tem que impor, já às suas inclinações, a lei de sua vontade; tem, se me permitem a expressão, que guerrear contra a matéria em seus próprios limites, para que não necessite lutar, no solo sagrado da liberdade, contra este terrível inimigo; tem que aprender a desejar *mais nobremente*, para que não precise *querer sublimemente*. Isso é conseguido através da cultura estética, que submete às leis da beleza tudo o que nem as leis da natureza, nem as leis racionais prescrevem ao arbítrio humano, e na forma que ela dá à vida exterior já se inicia a interior.

## Vigésima quarta carta

Deixam-se diferenciar, portanto, três momentos ou estágios distintos do desenvolvimento, que tanto o homem individual, quanto toda a espécie, têm que percorrer necessariamente e em uma determinada ordem, se devem satisfazer todo o círculo de sua determinação. Através de causas contingentes, que residem na influência das coisas exteriores ou no livre arbítrio do homem, os períodos individuais podem com certeza ser ora alongados, ora encurtados, mas nenhum pode ser totalmente saltado, e também a ordem em que eles se seguem não pode ser invertida nem pela natureza, nem pela vontade. O homem, em seu estado *físico*, suporta meramente o poder da natureza; livra-se dele no estado *estético* e o domina no *moral*.

O que é o homem antes de a beleza ter lhe descoberto o prazer livre, e a forma serena ter amainado a vida selvagem? Eternamente uniforme em seus fins, eternamente cambiante em seus juízos, egoísta sem ser ele próprio, desobrigado sem ser livre, escravo sem servir a uma regra. Nessa época o mundo é-lhe apenas destino, não é ainda objeto; tudo tem existência para ele apenas na medida em que lhe proporciona existência – o que nada lhe dá, nem tira, para ele não tem existência. Individual e segmentado, como ele próprio se encontra na série dos entes, assim estão todos os fenômenos perante ele. Tudo o que existe, existe para ele através da autoridade do instante, toda mudança é para ele uma criação totalmente nova, porque, juntamente com o necessário *nele*, inexiste a necessidade *fora* dele, que interliga as formas cambiantes em um cosmos e, na medida em que o indivíduo escapa, sustenta a lei no palco. A natureza deixa inutilmente sua rica multiplicidade passar pelos sentidos dele; este vê em sua maravilhosa plenitude nada além de sua presa, em seu poder e grandeza nada além de seu inimigo. Ou ele se lança para os objetos e quer se apoderar deles no desejo; ou eles lhe assediam destrutivamente e ele os repele no ódio. Em ambos os casos sua relação com o mundo sensível é de *contato* imediato, e eternamente amedrontado pela sua pressão, incansavelmente torturado pela carência imperiosa, não encontra paz senão na fadiga, e limites, senão na avidez esgotada.

> Zwar die gewaltge Brust und der Titanen
> Kraftvolles Mark ist sein......
> Gewisses Erbteil; doch es schmiedete
> Der Gott um seine Stirn ein ehern Band,
> Rat, Mäßigung und Weisheit und Geduld
> Verbarg er seinem scheuen, düstern Blick.
> Es wird zur Wut ihm jegliche Begier,
> Und grenzenlos dringt seine Wut umher.[4]
> Iphigenie auf Tauris

Sem conhecer *sua* dignidade humana, ele está longe de honrá-la em outrem, e consciente de sua própria avidez selvagem, teme-a em toda criatura que se lhe assemelha. Nunca percebe o outro em si, somente a si nos outros, e a sociedade, em vez de expandi-lo até tornar-lhe espécie, apenas envolve-o cada vez mais estreitamente em seu indivíduo. Nessa limitação sombria move-se errante através da vida entenebrecida, até que uma natureza favorável remova a carga da matéria de seus sentidos obscurecidos e a reflexão *o* separe das coisas e, no reflexo da consciência, os objetos finalmente se mostrem.

---

[4] Com certeza o coração impetuoso, e dos titãs
a força vigorosa são sua......
indubitável herança; mas grava-lhe
o deus em sua fronte uma aliança brônzea,
conselho, moderação e sabedoria, e paciência
ele oculta de seu tímido, sombrio olhar.
Torna-se-lhe em fúria todo o desejo,
e sem limites sua fúria persiste ao seu redor.

Este estado de natureza bruta, entretanto, não se deixa comprovar, tal como o descrevemos aqui, em nenhum povo ou época determinada; é apenas uma ideia, mas com a qual a experiência concorda em seus traços particulares do modo mais preciso. O homem, pode-se dizer, nunca esteve totalmente nesse estado animalesco, mas também nunca saiu dele de todo. Mesmo nos indivíduos mais rudes encontram-se vestígios inconfundíveis de liberdade racional, tal como não falta aos mais cultos momentos que lembrem aquele estado natural sombrio. Uma vez sendo próprio do homem reunir em sua natureza o mais alto e o mais baixo, e se sua *dignidade* se baseia em uma distinção rigorosa de um do outro, então sua *felicidade* se funda em uma hábil superação dessa diferença. A cultura, que deve fazer coincidir a dignidade e a felicidade dele, terá que cuidar da mais elevada pureza daqueles princípios em sua mistura mais íntima.

A primeira manifestação da razão no homem não é ainda, por isso, o começo de sua humanidade. Esta apenas se firma através da liberdade do homem, e a razão começa primeiramente com isso a desfazer os limites da dependência sensível do homem; um fenômeno que, pela sua importância e universalidade, segundo penso, parece não ter ainda se desenvolvido adequadamente. A razão, sabemo-lo, se dá a conhecer no homem através da exigência do absoluto (fundado em si mesmo e necessário), a qual, dado não poder ser satisfeita em nenhum estado particular da vida física do homem, obriga-o a abandonar total e absolutamente o físico e a ascender de uma realidade limitada para as ideias. Mas, embora o verdadeiro sentido daquela exigência seja o de arrancá-lo dos limites do tempo e elevá-lo do mundo sensível para o mundo do ideal, ela pode, entretanto, através de uma má interpretação – dificilmente evitável nesta época de sensualidade reinante –, dirigir-se à vida física e, em vez de torná-lo independente, precipitá-lo na mais terrível servidão.

E assim acontece mesmo de fato. Nas asas da imaginação o homem deixa os estreitos limites do presente, em que se inclui a mera animalidade, para se esforçar rumo a um ilimitado futuro à sua frente; mas ao se abrir o infinito diante de sua vertiginosa *imaginação* seu coração ainda não parou de viver no indivíduo e de servir ao instante. No seio de sua animalidade é surpreendido pelo impulso para o absoluto – e, pelo fato de nesse estado sombrio todos os seus esforços se dirigirem para o material e temporal, e se limitarem a seu indivíduo, então ele é impelido por aquela exigência a expandir seu indivíduo ao infinito, em vez de abstrair-se dele; de se esforçar por uma matéria inelutável, em vez de o fazer pela forma; de se esforçar pela mudança eternamente duradoura e pela certeza absoluta de sua existência temporal, em vez de o fazer pelo invariável. O mesmo impulso que, aplicado a seu pensamento e ao agir, deveria levar à verdade e moralidade, produz agora, relacionado à sua passividade e sensação, nada mais que uma ânsia ilimitada, uma carência absoluta. Os primeiros frutos que ele colhe no reino espiritual são, portanto, *preocupação* e *medo*; ambos efeitos da razão, não da sensibilidade, mas de uma razão que se engana quanto a seu objeto e que aplica seu imperativo imediatamente à matéria. Os frutos dessa árvore são todos sistemas incondicionados de felicidade, tendo como objeto o dia de hoje, a vida toda ou – o que não os torna nem um pouco mais dignos – toda a eternidade. Uma duração ilimitada da existência e do bem-estar, meramente em função deles, é meramente um ideal dos desejos, uma exigência, portanto, que somente pode ser colocada por uma animalidade que se esforça pelo absoluto. Sem ganhar, portanto, algo para sua humanidade através de uma manifestação racional desta espécie, ele perde através disso apenas a feliz limitação do animal, perante o qual ele apenas possui a ininvejável primazia de, com o esforço pelo futuro, perder a posse do presente, sem, entretanto, jamais procurar em todo o ilimitado futuro algo além do presente.

Mas mesmo se a razão não se engana quanto a seu objeto e não erra quanto à questão, a sensibilidade falsifica a resposta ainda por muito tempo. Tão logo o homem começou a usar seu entendimento e a ligar os fenômenos em sua volta segundo causas e fins, então a razão insiste, de acordo com seu conceito, em uma ligação absoluta e em um fundamento incondicionado. Para apenas poder se colocar tal exigência o homem tem que ter já ultrapassado a sensibilidade, que se serve, todavia, daquela exigência para resgatar o fugitivo. Aqui seria propriamente o ponto em que ele teria que abandonar total e absolutamente o mundo sensível e se erguer ao puro reino das ideias; pois o entendimento para eternamente no interior do condicionado e sempre questiona, sem nunca atingir um fundamento último. Mas pelo fato de o homem do qual falamos não ser capaz ainda de tal abstração, então ele irá procurar dentro de seu *campo do sentimento* – e aparentemente encontrará – aquilo que não vê em seu *campo de conhecimento* sensível e que não procura para além deste na razão pura. A sensibilidade com certeza não lhe mostra nada que seria seu próprio fundamento e que se desse a lei a si próprio, mas lhe mostra algo que não sabe de nenhum fundamento e que não respeita nenhuma lei. Pelo fato de não poder acalmar o entendimento através de nenhum fundamento último e interno, então ele pelo menos o cala através do conceito do *infundado* e para dentro da coerção cega da matéria, pois não consegue ainda conceber a sublime necessidade da razão. Dado que a sensibilidade não conhece outro *fim* além de sua primazia e não se sente impelida por nenhuma outra *causa* além do cego acaso, assim o homem faz daquele o determinante de suas ações e deste, o senhor do mundo.

Mesmo o que é sagrado no homem, a lei moral, não pode, em sua primeira aparição na sensibilidade, subtrair-se a essa falsificação. Dado que ela é meramente proibitiva e se pronuncia contra o interesse de seu amor-próprio sensível, assim ela tem que aparecer-lhe como algo estranho enquanto ele ainda não tiver conseguido ver aquele amor-próprio como o estranho, e a voz da razão, como seu verdadeiro si-mesmo. Ele percebe, portanto, apenas as algemas que a última lhe impõe, não a infinita libertação que ela lhe proporciona. Sem suspeitar em si a dignidade do legislador, percebe meramente a coerção e a resistência impotente do súdito. Porque o impulso sensível *precede* o moral em sua experiência, assim ele dá à lei da necessidade um começo no tempo, uma *origem positiva*, e, através do mais infeliz dos equívocos, faz do imutável e eterno em si um acidente do efêmero. Ele se persuade a ver os conceitos de justiça e injustiça como regulamentos instituídos por uma vontade, não como válidos em si mesmos e por toda a eternidade. Tal como ele ultrapassa, na explicação de fenômenos naturais particulares, a *natureza*, e procura fora dela o que pode ser encontrado somente em sua legalidade interna, assim também ultrapassa, ao explicar a eticidade, a *razão*, e perde por sua falta sua humanidade, ao procurar neste caminho uma divindade. Não é de admirar se uma religião, que foi adquirida anulando-se sua humanidade, mostra-se digna de uma tal procedência; se ele não considera as leis, que não valiam *desde a* eternidade, como não sendo incondicionadas e obrigatórias *em* toda a eternidade. Ele relaciona isso não a um ser sagrado, mas tão somente poderoso. O espírito de sua adoração divina é, portanto, o medo, que o degrada, não a veneração, que o eleva em sua autoestima.

Embora esses múltiplos desvios do homem em relação ao ideal de sua determinação não possam se realizar todos na mesma época, na medida em que ele tem que percorrer vários estágios desde a falta de pensamento até o erro, desde a ausência de vontade até a corrupção desta, entretanto tais estágios pertencem todos à sequência do estado físico, porque em todos o impulso da vida é o senhor sobre o impulso da forma. Ora, seja o fato de que a razão não se pronunciou ainda no homem, e o físico reine sobre ele ainda com necessidade cega; ou que a razão ainda não se purificou o suficiente dos sentidos, e o elemento moral sirva ainda ao físico — em ambos os casos o único princípio atuante nele é material, e o homem, pelo menos segundo sua última tendência, é um ser sensível; com a única diferença que no primeiro caso ele é um animal irracional, e no segundo, racional. Mas ele não deve ser nenhum deles, mas sim homem; a natureza não deve dominá-lo exclusivamente e a razão, não incondicionalmente. Ambas as legislações devem subsistir perfeitamente independentes uma da outra e todavia ser perfeitamente unidas.

**Friedrich W. Joseph von Schelling**

Sistema do idealismo
transcendental

# Sistema do idealismo transcendental*

Friedrich Wilhelm Joseph von Schelling (1775–1854)

Tradução
*Romero Freitas*

A produção estética é voluntária ou gerada por uma espontaneidade capaz de ultrapassar o artista? Quanto do processo de criação está sob o controle do indivíduo? Dizer que a criação é um ato voluntário, não faria da obra um produto demasiadamente intelectual? "Da afirmação de todos os artistas, de que são involuntariamente impelidos para a feitura de suas obras, de que na produção das mesmas apenas satisfazem um impulso irresistível de sua natureza, pode-se concluir corretamente que toda produção estética assenta sobre uma contraposição de atividades; pois se cada impulso parte de uma contradição de modo que, uma vez posta a contradição, a atividade livre torna-se involuntária, então o impulso artístico tem de resultar também de um tal sentimento de uma contradição interior. Esta contradição, porém, como põe em movimento o homem inteiro, com todas as suas forças, é sem dúvida uma contradição que afeta o que é último nele, a raiz de toda a sua existência". Neste texto parte da obra *Sistema do idealismo Transcendental* (1800), Schelling (1775–1854) explica a relação entre a criação artística com as dimensões conscientes e não conscientes da experiência humana.

**Temas:** ontologia, intuição, inconsciente, consciência.

---

\* Fonte: SCHELLING, F. W. J. *System des transzendentalen Idealismus.* Hamburg: Felix Meiner Verlag, 1957, p. 281 – 299.

# Dedução de um Órgão Geral da Filosofia ou Proposições Principais da Filosofia da Arte segundo os Princípios do Idealismo Transcendental

### *§ 1. Dedução do Produto da Arte em Geral*

A intuição postulada deve reunir o que existe separado no fenômeno da liberdade e na intuição do produto da natureza, ou seja, a *identidade do consciente* e *do não consciente no Eu* e a *consciência dessa identidade*. O produto dessa intuição será então limitado, de um lado, pelo produto da natureza, de outro, pelo produto da liberdade, e terá de unificar em si os caracteres de ambos. Se conhecemos o produto da intuição, conhecemos a própria intuição; assim, precisamos apenas deduzir o produto para deduzir a intuição.

O produto terá em comum com o produto da liberdade o fato de ter sido produzido com consciência, com o produto da natureza o fato de ter sido produzido sem consciência. Na primeira consideração ele será, portanto, o inverso do produto orgânico da natureza. Se a partir do produto orgânico a atividade não consciente (cega) for refletida como consciente, então, inversamente, a partir do produto de que tratamos aqui a atividade consciente será refletida como não consciente (objetiva); ou, se o produto orgânico refletir-me a atividade não consciente enquanto determinada pela consciente, então, inversamente, o produto que aqui se deduz irá refletir a atividade consciente enquanto determinada pela não consciente. De forma mais breve: a natureza começa sem consciência e termina consciente; a produção não é conforme a fins, mas o produto é. O Eu, na atividade de que tratamos aqui, tem de começar com consciência (subjetivamente) e terminar no não consciente ou *objetivamente*; o Eu é consciente segundo a produção e não consciente na perspectiva do produto.

Mas como devemos explicar transcendentalmente, *para nós*, uma tal intuição onde a atividade não consciente como que atua através da consciente até a perfeita identidade com ela? Reflitamos primeiramente sobre o fato de que a atividade deve ser consciente. Ora, é simplesmente impossível que algo objetivo seja produzido com consciência, como aqui, no entanto, se exige. Objetivo é apenas o que surge sem consciência; assim, o propriamente objetivo naquela intuição também tem de não poder ser acrescentado com *consciência*. A esse respeito, podemos invocar imediatamente as provas já introduzidas a propósito do agir livre, ou seja, o objetivo acrescentar-se-ia a ele através de algo independente da liberdade. A diferença está apenas em que [a)] na ação livre a identidade das duas atividades precisa ser suprimida, justamente para que o agir apareça como livre. [Aqui, pelo contrário, as mesmas atividades devem aparecer na própria *consciência* como uma, sem negação.] As duas atividades também [b)] não podem *jamais* tornar-se absolutamente idênticas no agir livre, razão pela qual o objeto do agir livre também é necessariamente algo *infinito*, não realizado integralmente, pois, se ele fosse realizado integralmente, as atividades consciente e objetiva coincidiriam em uma, isto é, o fenômeno da liberdade cessaria. O que então era simplesmente impossível através da liberdade deve ser possível através do agir postulado agora, o qual, porém, justamente devido a esse preço, tem de cessar de ser um agir livre, tornando-se tal que nele estejam absolutamente unificadas liberdade e necessidade. Ora, a produção deveria ocorrer com consciência, o que é impossível sem que ambas estejam separadas. Existe aqui, portanto, uma evidente contradição. [Apresento-a mais uma vez.] As atividades consciente e não consciente devem ser absolutamente uma no produto, exatamente como são também no produto orgânico; mas elas devem ser uma de outro modo: as duas devem sê-lo *para o próprio Eu*. Isso porém é impossível, a não ser que o Eu esteja consciente da produção. Mas se o Eu estiver consciente da produção, então as duas atividades têm de estar separadas, pois isso é condição necessária da consciência da produção. Assim, ambas as atividades têm de ser uma, caso contrário, não há identidade, e ambas têm de estar separadas, caso contrário, há identidade, mas não para o Eu. Como resolver essa contradição?

As duas atividades têm de estar separadas a propósito do aparecer, do objetivar-se da produção, exatamente como no agir livre elas têm de estar separadas a propósito do objetivar-se da intuição. Mas elas não podem, como no agir livre, estar separadas *no infinito*, porque senão o objetivo não seria jamais uma apresentação integral daquela identidade.[1] A identidade de ambas deveria ser suprimida unicamente a propósito da consciência, mas a produção deve terminar na não consciência; logo, tem de existir um ponto onde ambas coincidem em uma e, inversamente, onde ambas coincidem em uma, a produção tem de deixar de aparecer como livre.[2]

Se esse ponto na produção é atingido, então o produzir tem de cessar absolutamente, e tem de ser impossível ao produtor continuar a produzir; pois a condição de todo produzir é justamente a contraposição entre as atividades consciente e não consciente, mas estas aqui devem coincidir absolutamente, devendo assim todo conflito ser suprimido na inteligência, toda contradição unificada.[3]

A inteligência terminará, então, num perfeito reconhecimento da identidade expressa no produto, enquanto uma identidade tal cujo princípio resida nela mesma, isto é, ela terminará numa perfeita autointuição.[4] Como havia, então, a livre tendência para a autointuição naquela identidade, a qual originariamente separava a inteligência de si mesma, o sentimento que acompanha aquela intuição será o sentimento de uma satisfação infinita. Com a conclusão do produto, todo impulso para produzir se acalma, todas as contradições são suprimidas,

---

[1] O que para o agir livre reside num progresso infinito deve ser, na produção atual, um *presente*, deve tornar-se um finito real, objetivo.

[2] A atividade livre foi aí inteiramente transferida ao objetivo, ao necessário. A produção, desse modo, é livre no início; o produto, pelo contrário, aparece como identidade absoluta da atividade livre com a necessária.

[3] A última passagem, "Se esse ponto...", está riscada no exemplar do autor. [N. E.]

[4] Pois ela (a inteligência) é ela própria a produtora; mas ao mesmo tempo essa identidade arrancou-se totalmente dela: ela tornou-se-lhe inteiramente objetiva, isto é, *ela tornou-se a si mesma* inteiramente objetiva.

todos os enigmas são resolvidos. Como a produção partiu da liberdade, isto é, de uma contraposição infinita entre as duas atividades, então a inteligência não poderá atribuir à *liberdade* aquela absoluta unificação das duas na qual a produção termina, pois simultaneamente à conclusão do produto todo o fenômeno da liberdade é abandonado; ela sentir-se-á surpreendida e feliz através daquela mesma unificação, isto é, verá nela como que a graça voluntária de uma natureza mais elevada, que através dela tornou possível o impossível.

Mas esse desconhecido, que põe aqui as atividades objetiva e consciente numa inesperada harmonia, não é senão aquele absoluto[5] que contém o fundamento geral da harmonia preestabelecida entre o consciente e o não consciente. Assim, se aquele absoluto for refletido a partir do produto, ele aparecerá à inteligência como algo que está acima dela e que, mesmo em contraposição à liberdade, acrescenta o não intencional ao que foi iniciado com consciência e intenção.

Esse idêntico invariável, que nenhuma consciência alcança e que só se reflete a partir do produto, é para o produtor o mesmo que o destino para o agente, ou seja, um poder obscuro, desconhecido, que acrescenta o concluído ou o objetivo à obra incompleta da liberdade; e, como se denomina destino aquele poder que, através do nosso agir livre, sem o nosso saber e mesmo contra o nosso querer, realiza fins *não representados*, designa-se pelo obscuro conceito de *gênio* o incompreensível que acrescenta o objetivo ao consciente, sem intervenção da liberdade e de certo modo em contraposição a ela, na qual escapa eternamente o que está unificado nessa produção.

O produto postulado não é senão o produto genial,[6] ou, como o gênio só é possível na arte, o *produto da arte*.

A dedução está concluída, e não temos por agora senão que mostrar, através de uma análise completa, que todos os elementos da produção postulada reúnem-se na produção estética.

Da afirmação de todos os artistas, de que são involuntariamente impelidos para a feitura de suas obras, de que na produção delas apenas satisfazem um impulso irresistível de sua natureza, pode-se concluir corretamente que toda produção estética assenta sobre uma contraposição

---

[5] o si-mesmo originário (*Urselbst*).

[6] produto do gênio.

de atividades; pois se cada impulso parte de uma contradição de modo que, uma vez posta a contradição, a atividade livre torna-se involuntária, então o impulso artístico tem de resultar também de um tal sentimento de uma contradição interior. Essa contradição, porém, como põe em movimento o homem inteiro, com todas as suas forças, é sem dúvida uma contradição que afeta *o que é último nele*, a raiz de toda a sua existência.[7] É como se nos raros homens que são artistas no sentido mais elevado da palavra, à frente dos outros, aquele idêntico imutável, sobre o qual assenta toda a existência, tirasse o envoltório com o qual ele se cobre nos outros, e do modo como fosse afetado imediatamente pelas coisas, assim também reagiria imediatamente sobre tudo. Portanto, só pode ser a contradição entre o consciente e o não consciente no agir livre o que põe em movimento o impulso artístico, assim como só pode ser dado à arte, por sua vez, satisfazer nossa aspiração infinita e também resolver nossa última e extrema contradição. Assim como a produção estética parte do sentimento de uma contradição aparentemente insolúvel, da mesma forma, segundo a confissão de todos os artistas e de todos aqueles que partilham de sua inspiração, ela termina no sentimento de um harmonia *infinita*, e o fato de que esse sentimento que acompanha a conclusão (*Vollendung*) é ao mesmo tempo uma *comoção*, já prova que o artista não atribui [apenas] a si mesmo a resolução integral da contradição que vê em sua obra, mas a um favor voluntário de sua natureza, que, tão implacavelmente como o pôs em contradição consigo mesmo, misericordiosamente tira dele a dor dessa contradição;[8] pois da mesma forma que o artista é impelido involuntariamente, e mesmo com resistência interior, à produção (donde o provérbio dos antigos: *pati Deum*, etc., donde em geral a representação da inspiração através do sopro alheio), assim também o objetivo se acrescenta à sua produção como que sem sua intervenção, isto é, apenas objetivamente. Do mesmo modo como o homem sob o efeito da fatalidade não realiza o que ele quer ou intenciona, mas o que ele tem de realizar através de um destino incompreensível, parece ao artista, porém, na observação daquilo que é o propriamente objetivo na sua produção, por mais cheio

---

[7] o Em-si verdadeiro.

[8] No exemplar do autor: "mas a um favor voluntário de sua natureza, portanto, a um encontro da atividade não-consciente com a consciente". (N. E.)

de intenção que ele esteja, estar sob o efeito de um poder que o separa de todos os outros homens e o coage a exprimir ou apresentar o que ele próprio não penetra inteiramente, e cujo sentido é infinito. Uma vez que a coincidência absoluta das duas atividades que se escapam simplesmente não é explicável, sendo antes apenas um *fenômeno* que, embora incompreensível,[9] não pode ser negado, então a arte é a única e eterna revelação que existe, e o milagre que, mesmo que só tivesse existido uma vez, teria de convencer-nos da realidade daquele supremo.

Além disso, se arte se perfaz através de duas atividades inteiramente distintas uma da outra, então o gênio não é nem uma nem outra, mas o que está acima das duas. Se nós tivéssemos de procurar em uma dessas duas atividades, a saber, na consciente, o que familiarmente é chamado de *arte*, mas que é somente uma parte dela, a saber, a que nela é executada com consciência, consideração e reflexão, que também pode ser ensinada e aprendida, e alcançada através de transmissão e de exercício próprio, então, contrariamente, teríamos de procurar no não consciente que acompanha a arte aquilo que nela não é aprendido, que não é atingido através de exercício ou ainda de outra forma, mas que pode ser inato somente através do favor livre da natureza, e que é o que podemos denominar numa palavra a *poesia* na arte.

Contudo, precisamente a partir daí fica claro por si mesmo que seria inteiramente inútil perguntar qual dos dois elementos teria a primazia sobre o outro, uma vez que de fato cada um deles não tem nenhum valor sem o outro, e que apenas os dois juntos produzem o supremo. Pois embora o que não se alcança pelo exercício, mas que nasceu conosco, geralmente seja considerado o mais esplêndido, os deuses também ligaram com tanta firmeza o exercício daquela força originária ao esforço honesto dos homens, à diligência e à consideração, que a poesia, mesmo onde é inata, sem a arte engendra apenas como que produtos mortos, nos quais nenhum entendimento humano pode deleitar-se e que repelem de si todo juízo e mesmo a intuição, através da força inteiramente cega que atua neles. Inversamente, pode-se antes esperar que a arte sem poesia, se comparada à poesia sem arte, possa realizar algo, em parte porque não é fácil encontrar um homem por natureza sem poesia, enquanto muitos são destituídos de toda arte, em

---

[9]  Do ponto de vista da mera reflexão.

parte porque o estudo contínuo das ideias dos grandes mestres de certa forma é capaz de suprir a falta originária de força objetiva, embora daí sempre só possa surgir uma aparência de poesia que é facilmente discernível em sua superficialidade contraposta à profundidade insondável que o verdadeiro artista põe em sua obra involuntariamente, mesmo trabalhando com a maior meditação, e que nem ele nem outro é capaz de penetrar inteiramente, assim como é facilmente discernível em muitos outros elementos, por exemplo, no grande valor que ele atribui ao meramente mecânico da arte, na pobreza da forma em que ele se move, etc.

Ora, fica claro também por si mesmo que, assim como poesia e arte não poderiam produzir isoladamente por si o concluído, tampouco poderia produzi-lo[10] uma existência separada dos dois, que, portanto, como a identidade dos dois só pode ser originária e é simplesmente impossível e inalcançável através da liberdade, o concluído só é possível através do gênio, o qual justamente por isso é para a estética o mesmo que o Eu para a filosofia, ou seja, o supremo, o absolutamente real, que nunca se torna objetivo mas que é causa de todo o objetivo.

### § 2. Caráter do Produto da arte

a) A obra de arte reflete-nos a identidade das atividades consciente e não consciente. Mas a contraposição dessas duas é infinita e é superada sem nenhuma intervenção da liberdade. O caráter fundamental da obra de arte é, portanto, uma *infinitude não consciente* [síntese de natureza e liberdade]. A despeito do que pôs em sua obra com propósito explícito, o artista parece ter representado nela, instintivamente, algo como uma infinitude que nenhum entendimento finito é capaz de desenvolver por completo. Para nos esclarecer apenas através de um exemplo, a mitologia grega, que contém em si inegavelmente um sentido infinito e símbolos para todas ideias, surgiu em meio a um povo e de um modo que torna impossível supor uma intenção contínua na invenção e na harmonia com que tudo se unifica num grande todo. Assim ocorre com toda obra de arte verdadeira, na medida em que ela é passível de uma interpretação infinita, como se houvesse nela uma infinitude de intenções que nunca se pode dizer se estava posta no próprio artista

---

[10] Nenhuma tem prioridade sobre a outra. O que se reflete na obra de arte é justamente apenas a indiferença de ambas (da arte e da poesia).

ou se antes repousava meramente na obra de arte. Contrariamente, no produto que apenas simula o caráter da obra de arte, intenção e regra estão na superfície e aparecem tão limitadas e demarcadas que o produto não é senão a reprodução fiel da atividade consciente do artista e um objeto apenas para a reflexão, não para a intuição, a qual ama aprofundar-se no intuído e só é capaz de repousar no infinito.

b) Toda produção estética parte do sentimento de uma contradição infinita; assim, o sentimento que acompanha a conclusão do produto da arte tem de ser também o sentimento de uma satisfação, e esse sentimento, por sua vez, tem de passar também à própria obra de arte. Portanto, a expressão exterior da obra de arte é a expressão da quietude e da grandeza tranquila, mesmo ali onde deve ser exprimida a tensão máxima da dor ou da alegria.

c) Toda produção estética parte de uma separação em si infinita das duas atividades, as quais estão separadas em todo o produzir livre. Ora, como essas duas atividades devem ser apresentadas enquanto unificadas no produto, então através dele um infinito é apresentado finitamente. Mas o infinito apresentado finitamente é a beleza. O caráter fundamental de toda obra de arte, que compreende em si os dois anteriores, é portanto a *beleza*, e sem beleza não há obra de arte. Pois se existe algo como obras de arte sublimes, e se beleza e sublimidade em certa perspectiva se contrapõem, na medida em que, por exemplo, uma cena natural pode ser bela sem ser por isso sublime, e vice-versa, todavia a contraposição entre beleza e sublimidade é tal que só tem lugar na perspectiva do objeto, e não na perspectiva do sujeito da intuição, na medida em que a diferença entre as obras de arte bela e sublime repousa apenas no fato de que, onde há beleza, a contradição infinita suprime-se no próprio objeto, e onde há sublimidade, a contradição não se unifica no próprio objeto, mas apenas eleva-se até um nível no qual suprime-se involuntariamente na intuição, o que, então, é como se ela se suprimisse no objeto.[11] Mostra-se também muito facilmente que a sublimidade repousa sobre a mesma contradição que o belo, na

---

[11] No exemplar do autor, em vez da última passagem: "Pois se existe algo como obras de arte sublimes, e se a sublimidade costuma ser contraposta à beleza, não há nenhuma contraposição verdadeira, objetiva entre beleza e sublimidade; o verdadeira e absolutamente belo é sempre também sublime, o sublime (quando o é verdadeiramente) também é belo". (N. E.)

medida em que, sempre que um objeto é dito sublime, adquire-se através da atividade não consciente uma grandeza que é impossível adquirir na atividade consciente, de modo que o Eu é transposto a um conflito consigo mesmo, que só pode terminar numa intuição estética que põe as duas atividades numa inesperada harmonia; só que a intuição, que aqui não está no artista mas no próprio sujeito que intui, é inteiramente involuntária, na medida em que o sublime (inteiramente diverso do meramente fantástico, que também apresenta uma contradição para a imaginação, a qual porém não vale o esforço de resolver) põe em movimento todas as forças do ânimo para resolver a contradição que ameaça toda a existência intelectual.

Agora que os caracteres da obra de arte foram deduzidos, torna-se ao mesmo tempo clara a *diferença* entre ela e todos os outros produtos.

Pois o produto da arte difere do produto orgânico da natureza principalmente [a) porque o ser orgânico apresenta ainda como não separado o que a produção estética apresenta como unificado após a separação; b)] porque a produção orgânica não parte da consciência, portanto também não da contradição infinita que é condição da produção estética. Em consequência, o produto orgânico da natureza [se a beleza é a resolução plena de um conflito infinito] não será também necessariamente *belo*, e se ele for belo então a beleza parecerá pura e simplesmente ocasional, pois sua condição não pode ser pensada como existente na natureza; donde se explica o interesse totalmente particular pela beleza da natureza não enquanto beleza em geral, mas enquanto ela é precisamente *beleza da natureza*. A partir daí fica claro por si mesmo o que se deve considerar sobre a imitação da natureza como princípio da arte, pois, muito longe de ser a natureza bela meramente ao acaso quem dá a regra à arte, o princípio e a norma para o ajuizamento da beleza da natureza é antes aquilo que a arte produz em sua perfeição.

É fácil ajuizar em que o produto estético distingue-se do *produto artístico comum*, uma vez que toda produção estética é absolutamente livre em seu princípio, na medida em que o artista pode ser impulsionado a ela por uma contradição, mas somente por uma contradição que reside no mais elevado de sua própria natureza, enquanto toda outra produção realiza-se através de uma contradição que reside fora do propriamente produtor, e que portanto tem também todo fim fora de si.[12] A partir dessa independência de fins externos surge aquela sacralidade e pureza da arte, que vai tão longe que rejeita não só a afinidade com tudo o que é apenas prazer dos sentidos, o qual exigir da arte é o caráter próprio da barbárie, ou com o útil, o qual exigir da arte só é possível a uma época que põe os esforços mais elevados do espírito humano em invenções econômicas,[13] mas mesmo a afinidade com tudo aquilo que pertence à moralidade, e que deixa bem atrás mesmo a ciência, a qual na perspectiva de sua não aplicabilidade tem com a arte o limite mais próximo, simplesmente porque ela sempre leva a um fim fora de si e precisa servir afinal apenas como meio para o supremo (a arte).

No que concerne especificamente à relação da arte com a ciência, as duas são tão contrapostas em suas tendências que, se a ciência alguma vez tivesse resolvido toda a sua tarefa, como a arte sempre resolveu, as duas teriam de coincidir e transformar-se em uma, o que é prova de direções inteiramente opostas. Pois, embora a ciência em sua mais alta função tenha a mesma tarefa que a arte, essa tarefa para a ciência é infinita devido ao modo de resolvê-la, de forma que se pode dizer que a arte é o modelo (*Vorbild*) da ciência e que somente onde há arte deve chegar a ciência. Justamente a partir daí também se explica por que e em que medida não existe nenhum gênio em ciência, não como se fosse impossível que uma tarefa científica fosse resolvida genialmente, mas porque a mesma tarefa cuja solução pode ser encontrada através do gênio também pode ser resolvida mecanicamente, assim como por exemplo o sistema da gravitação newtoniana, que podia ser uma invenção genial, e de fato o foi em Kepler, seu primeiro inventor, mas que igualmente podia ser também uma invenção inteiramente científica, o que também tornou-se através de Newton. Apenas o que a arte produz é possível única e *exclusivamente* através do gênio, pois em toda tarefa resolvida pela arte uma contradição infinita foi unificada. O que a ciência produz *pode* ser produzido pelo gênio, mas não é necessariamente produzido através dele. Por isso ele é e permanece problemático nas ciências, ou seja, pode-se sempre dizer muito bem onde ele não existe, mas nunca onde ele existe. Há apenas uns poucos elementos a

---

[12] (transição absoluta para o objetivo).

[13] Beterrabas forrageiras.

partir dos quais pode-se deduzir o gênio nas ciências (o fato de que se precise deduzi-lo já mostra uma condição totalmente própria deste assunto). Ele certamente não existe, por exemplo, aí onde um todo semelhante a um sistema surge parcialmente e através de justaposição. Inversamente, seria preciso pressupor o gênio aí onde a ideia do todo precede claramente as partes singulares. Pois se a ideia do todo não pode tornar-se clara senão através do seu desenvolvimento em partes singulares, mas em contrapartida as partes singulares só são possíveis através da ideia do todo, então parece haver aqui uma contradição que só é possível através de um ato do gênio, isto é, através de um encontro inesperado da atividade não consciente com a atividade consciente. Uma outra razão para supor o gênio nas ciências seria quando alguém diz e afirma coisas cujo sentido era impossível que pudesse penetrar inteiramente, seja devido ao tempo em que viveu, seja devido a outras manifestações suas, onde portanto ele exprimiu aparentemente com consciência o que, contudo, só podia exprimir sem consciência. Só que seria muito fácil demonstrar, de diferentes maneiras, que essas razões de suposição também podem ser altamente enganadoras.

Por isso, o gênio é distinto de tudo aquilo que é apenas talento ou habilidade, uma vez que através dele resolve-se uma contradição que pode ser resolvida absolutamente e que, caso contrário, não poderia ser resolvida através de nenhum outro. Em todo produzir, mesmo no mais comum e cotidiano, uma atividade não consciente atua junto com a atividade consciente; mas somente um produzir cuja condição era uma contraposição infinita das duas atividades é um produzir estético e possível *apenas* através do gênio.

### § 3) Corolários

*Nota geral sobre todo o sistema*

Após termos deduzido a essência e o caráter do produto da arte tão integralmente quanto era necessário a respeito da investigação atual, não nos resta senão apresentar a relação na qual a filosofia da arte está com todo o sistema da filosofia em geral.

1. Toda a filosofia parte e precisa partir de um princípio que, enquanto o absolutamente idêntico, é pura e simplesmente não objetivo. Ora, de que modo esse absolutamente não objetivo deve ser compreendido e chamado à consciência, como é necessário se ele é

condição da compreensão de toda a filosofia? É desnecessário provar que ele não pode ser apreendido ou tampouco apresentado através de conceitos. Destarte, não resta senão apresentá-lo numa intuição imediata que, por sua vez, é incompreensível; e como o seu objeto deve ser pura e simplesmente não objetivo, ela parece inclusive ser contraditória em si mesma. Ora, se houvesse uma intuição que tivesse por objeto o absolutamente idêntico, que em si não é nem subjetivo nem objetivo, e se por causa dessa intuição, que só pode ser intelectual, se recorresse à experiência imediata, de que modo essa intuição pode ser por sua vez objetiva, ou seja, como estabelecer sem sombra de dúvida que ela não reside numa ilusão meramente subjetiva, se dela não existe uma objetividade reconhecida em geral e por todos os homens? Essa objetividade da intuição intelectual, reconhecida em geral, e que de modo algum não pode ser abandonada, é a própria arte. Pois a intuição estética é justamente a intuição intelectual que se tornou objetiva.[14] A obra de arte apenas me reflete o que de outra forma não é refletido por nada, o absolutamente idêntico, que já se separou mesmo no Eu; assim, o que o filósofo já separa no primeiro ato da consciência é refletido através do milagre da arte, a partir dos seus produtos; caso contrário seria inacessível a toda intuição.

Todavia, não apenas o primeiro princípio da filosofia e a primeira intuição da qual ela parte, mas também todo o mecanismo que a filosofia deduz e sobre o qual ela própria repousa, tornam-se objetivos primeiramente através da produção estética.

A filosofia parte de uma separação infinita de atividades contrapostas;[15] mas sobre a mesma separação repousa também toda a produção estética, e esta é completamente suprimida através de cada

---

[14] "Toda a filosofia parte e precisa partir de um princípio que, enquanto o princípio absoluto, é também pura e simplesmente o idêntico. Um absolutamente simples, idêntico, não pode ser apreendido ou comunicado através de descrição ou de conceitos. Ele só pode ser intuído. Uma intuição assim é o órgão da filosofia. Mas essa intuição, que não é sensível, porém intelectual, que não tem como objeto o objetivo ou o subjetivo, mas o absolutamente idêntico, que em si não é subjetivo nem objetivo, é simplesmente uma intuição interior que não pode tornar-se objetiva para si própria: ela só pode tornar-se objetiva através de uma segunda intuição. Essa segunda intuição é a estética". (Assim diz a última passagem segundo o exemplar do autor). (N. E.)

[15] A filosofia faz toda a produção da intuição partir de uma separação de atividades antes não contrapostas.

apresentação singular da arte[16]. O que é então aquela maravilhosa faculdade através da qual, segundo a afirmação do filósofo, suprime-se uma contraposição infinita na intuição produtiva? Até agora não pudemos tornar esse mecanismo inteiramente compreensível porque apenas a faculdade artística pode desvelá-lo completamente. Essa faculdade produtiva é a mesma através da qual a arte também consegue o impossível, ou seja, suprimir uma contraposição infinita num produto finito. É a faculdade poética que é a intuição originária na primeira potência, e, inversamente[17], é apenas a intuição repetidamente produtiva na mais alta potência que nós chamamos de faculdade poética. O que é ativo nas duas é um e o mesmo, a única coisa mediante a qual nós somos capazes de pensar e reunir também o contraditório – a imaginação. Assim, são também produtos de uma e mesma atividade aquilo que nos aparece além da consciência como real e do lado da consciência como ideal ou como mundo da arte. Mas justamente isso, o fato de que com condições de surgimento caso contrário idênticas a origem num caso está além, no outro do lado da consciência, constitui a eterna e jamais suprimível diferença entre as duas.

Pois, embora o mundo real nasça inteiramente da mesma contraposição originária que o mundo da arte, que precisa ser pensado igualmente como um grande todo e que em todos os seus produtos singulares apresenta apenas o um infinito, aquela contraposição além da consciência só é infinita na medida em que um infinito é apresentado como *todo* através do mundo objetivo, nunca porém através do objeto singular, enquanto para a arte aquela contraposição é infinita na perspectiva de *cada objeto singular*, e cada produto singular do mesmo apresenta a infinitude. Pois se a produção estética parte da liberdade, e se mesmo para a liberdade aquela contraposição das atividades consciente e inconsciente é infinita, então existe propriamente apenas uma obra de arte absoluta, que pode existir em exemplares inteiramente diferentes mas

---

[16] As últimas palavras, "e esta... da arte", estão riscadas no exemplar do autor. (N. E.)

[17] Em vez do último período, no exemplar do autor está: "Essa faculdade produtiva através da qual surge o objeto é a mesma da qual a arte também faz nascer o seu objeto, só que aquela atividade, ali enganada – limitada –, aqui é pura e ilimitada. A faculdade poética intuída em sua primeira potência é a primeira faculdade de produção da alma, na medida em que ela se exprime em coisas finitas e reais, e, inversamente..." (N.E.)

que é apenas uma, embora não exista ainda na forma mais originária. Não pode haver contra essa perspectiva a acusação de que com ela não pode subsistir a grande liberalidade que se pratica com o predicado da obra de arte. Não é uma obra de arte o que não apresenta um infinito imediatamente ou pelo menos em reflexo. Chamaríamos também de obra de arte, por exemplo, aqueles poemas que segundo sua natureza apresentam apenas o singular e subjetivo? Então teríamos também de recobrir com esse nome todo epigrama que contém apenas uma sensação momentânea, uma impressão presente, pois os grandes mestres que se exercitaram nesses modos poéticos procuravam produzir a objetividade mesma apenas através do todo de seus poemas, e os utilizavam apenas como meio para apresentar uma vida inteira infinita e refleti-la através de múltiplos espelhos.

2. Se a intuição estética é apenas a intuição transcendental[18] tornada objetiva, então compreende-se por si só que a arte é o único órgão verdadeiro e eterno da filosofia, e ao mesmo tempo seu documento, que reconhece sempre e continuamente o que a filosofia não pode apresentar externamente, ou seja, o não-consciente no agir e produzir e a sua identidade originária com o consciente. A arte é justamente por isso o mais elevado para o filósofo, pois ela como que abre para ele o santuário onde é como se ardesse numa chama, em eterna e originária unificação, o que está separado na natureza e na história, e que tem de evadir-se eternamente no viver e agir bem como no pensar. O ponto de vista que o filósofo faz artificialmente da natureza é originário e natural para a arte. O que chamamos de natureza é um poema que se encontra fechado em maravilhoso e secreto escrito. Mas se o enigma pudesse se desvelar reconheceríamos aí a odisseia do espírito, que, maravilhosamente enganado, procurando-se a si mesmo escapa de si; pois através do mundo sensível o sentido brilha apenas como através de palavras, e a terra da fantasia, que ambicionamos, apenas como através de neblina semitransparente. Todo quadro magnífico surge como que através de uma supressão do muro invisível que separa o mundo real e o mundo ideal, e é apenas a abertura através da qual aparecem por inteiro aquelas figuras e regiões do mundo da fantasia que transluzem apenas imperfeitamente através do mundo real. A natureza deixa de ser

---

[18] Intelectual.

para o artista o que é para o filósofo, a saber, apenas o mundo ideal que aparece sob delimitações constantes ou apenas o reflexo imperfeito de um mundo que não existe fora, mas dentro dele.

De onde porém vem esse parentesco da filosofia com a arte, a despeito da contraposição entre as duas, é uma pergunta que já foi suficientemente respondida pelo que veio antes.

Por isso, concluímos com a seguinte observação. Um sistema está completo se ele é reconduzido ao seu ponto de partida. Mas justamente isso é o que ocorre com nosso sistema. Pois justamente aquele fundamento originário de toda harmonia do subjetivo e do objetivo, que só podia ser apresentado em sua identidade originária através da intuição intelectual, é aquilo que através da obra de arte é plenamente extraído do subjetivo e tornado completamente objetivo, de modo que nosso objeto, o próprio Eu, é aos poucos levado ao ponto no qual nós próprios estávamos quando começamos a filosofar.

Ora, se somente a arte consegue tornar objetivo com validade universal o que o filósofo só é capaz de apresentar subjetivamente, então, extraindo daí ainda esta conclusão, é de se esperar que a filosofia, assim como na infância da ciência nasceu da poesia e foi nutrida por ela, e com ela todas aquelas ciências que ela levou à perfeição, após o seu acabamento reflua como muitas correntes singulares ao oceano universal da poesia, de onde partiram. Qual deve ser, contudo, o membro intermediário do retorno da ciência à poesia, em geral não é difícil dizer, uma vez que tal membro intermediário existia na mitologia antes de acontecer, como nos parece agora, essa separação insolúvel.[19] Mas como pode surgir uma nova mitologia, que não pode ser invenção do poeta singular, mas de uma nova geração que por assim representa apenas um único poeta, é um problema cuja solução só deve ser esperada dos destinos posteriores do mundo e do curso mais afastado da história.

---

[19] Um tratado *sobre mitologia*, composto já há muitos anos e que aparecerá em breve, contém a explicação mais ampla deste pensamento.

**Georg Wilhelm Friedrich Hegel**

Cursos de estética

# Cursos de estética*

Georg Wilhelm Friedrich Hegel (1770–1831)

Tradução
*Marco Aurélio Werle*

Qual é a relação entre arte e filosofia? A arte é a manifestação sensível do espírito absoluto. Obviamente, não toda a arte manifesta-o no mesmo grau. Algumas são limitadas por sua própria natureza expressiva. Por outro lado, o fato mesmo de a arte estar circunscrita ao sensível impõe a sua superação por outra manifestação do espírito com um grau mais elevado de abstração (a saber, a filosofia). Os trechos apresentados ao leitor compõem a transcrição dos cursos de Estética (publicada em 1835) de Hegel (1770–1831). Peça de uma arquitetura intelectual de incomparável organização e rigor lógico, a reflexão hegeliana sobre a arte é sem dúvida um dos momentos mais relevantes da história da filosofia e constantemente retomada por outros autores, como Theodor Adorno e Arthur Danto.

**Temas:** história, arquitetura, pintura, música, metafísica.

---

\* HEGEL, G.W. *Cursos de Estética*. São Paulo: EDUSP, 1999. p. 90–103. Agradecemos à EDUSP por autorizar a utilização do texto.

II. Entretanto, uma vez que a Ideia, deste modo é unidade concreta, esta unidade somente poderá vir à consciência artística por meio da propagação e da mediação renovada das particularidades da Ideia, |107| e por meio desse desenvolvimento a beleza artística adquire uma totalidade de fases e de Formas particulares. Após termos tratado do belo artístico em si e para si, precisamos examinar como o todo do belo se decompõe em determinações particulares. Nisso consiste a segunda parte, a doutrina das Formas da arte. Essas Formas encontram sua origem no modo diverso de se conceber a Ideia como conteúdo, o que condiciona uma diferenciação da configuração na qual a Ideia aparece. Por isso, as Formas da arte nada mais são do que as diferentes relações de conteúdo e forma, relações que nascem da própria Ideia e, assim, fornecem o verdadeiro fundamento de divisão dessa esfera. Pois, a divisão deve sempre residir no conceito, do qual é a particularização e a divisão.

Devemos tratar aqui de *três* relações da Ideia com sua configuração.

1. *Em primeiro lugar,* o *início* é constituído pela Ideia, na medida em que ainda em sua indeterminidade, confusão ou determinidade ruim e não verdadeira é transformada em Conteúdo das configurações artísticas. Enquanto indeterminada, ela ainda não possui em si mesma aquela individualidade que o ideal requer; sua abstração e unilateralidade deixa a forma externamente deficiente e casual. Por isso, a primeira Forma de arte é ainda um *mero procurar* o ato de figuração *[Verbildlichung]* do que uma capacidade de exposição verdadeira. A

Ideia ainda não encontrou a Forma em si mesma e permanece assim apenas numa luta e aspiração por ela. Podemos denominar esta Forma, em termos universais, de Forma de arte *simbólica*. A Ideia abstrata tem nessa Forma sua forma fora de si, na matéria natural e sensível, da qual o configurar nasce e aparece ligado. Os objetos das intuições da natureza, por um lado, são deixados tal como são, mas logo a seguir a Ideia substancial *é* neles introduzida como seu significado, de tal modo que eles devem assumir a tarefa de expressá-la e serem interpretados |108| como se a Ideia estivesse propriamente presente neles. A isso se liga o fato de que os objetos da efetividade têm em si mesmos um aspecto capaz de expor um significado universal. Mas, dado que uma completa correspondência ainda não é possível, essa relação somente pode dizer respeito a uma *determinidade abstrata,* como, por exemplo, quando dizemos leão, compreendemos a força.

Por outro lado, nessa abstração da relação a *estranheza* da Ideia e dos fenômenos naturais vem igualmente à consciência. E quando também a Ideia, que não se exprime em nenhuma outra efetividade, penetra em todas essas configurações, e em sua inquietação e desmesura se procura nelas, mas, no entanto, não as considera adequadas a si, ela eleva as configurações naturais e os fenômenos da efetividade à indeterminação e à desmedida. A Ideia vacila para lá e para cá entre eles, fervilha e fermenta neles, exerce sua força sobre eles, os consome e se estende sobre eles de modo não natural e busca elevar o fenômeno à Ideia por meio da dispersão, da desmesura e do luxo da figuração. Pois a Ideia é aqui ainda o mais ou menos indeterminado, o que não pode ser figurado; os objetos naturais, porém, são completamente determinados em sua forma.

Na inadequação de uma contra a outra, a relação da Ideia com a objetividade torna-se, por conseguinte, *negativa,* pois ela mesma, enquanto interioridade, permanece propriamente insatisfeita com tal exterioridade e se estabelece de modo *sublime* sobre toda esta plenitude de configurações, que não lhe correspondem como a sua substância interior e universal. Nessa sublimidade, tanto o fenômeno natural quanto a forma e o acontecimento humanos são decerto tomados e deixados tal como são, para logo serem reconhecidos como inadequados no que diz respeito a seu significado, que se ergue muito acima de qualquer conteúdo mundano.

Esses aspectos constituem, em termos gerais, o caráter do primeiro panteísmo artístico do oriente que, por um lado, mesmo nos piores objetos introduz o significado absoluto e, por outro lado, força violentamente os fenômenos |109| na direção da expressão de sua concepção de mundo; dessa maneira, se torna bizarro, grotesco e destituído de gosto ou, desprezando a liberdade infinita, porém, abstrata da substância, volta-se com desdém contra todos os fenômenos como se não fossem nada e perecíveis. Por causa disso, o significado não pode ser completamente configurado *[eingebildet]* na expressão e, apesar de toda aspiração e tentativa, permanece, contudo, insuperada a inadequação entre a Ideia e a forma. – Essa seria a primeira Forma de arte, a simbólica, com sua procura, sua efervescência, seu enigma e sublimidade.

2. Na *segunda* Forma de arte, que gostaríamos de designar como sendo a *clássica,* a dupla deficiência da Forma de arte simbólica está eliminada. A forma simbólica é incompleta porque, por um lado, a Ideia nela apenas vem à consciência numa determinidade ou indeterminidade *abstratas* e porque, por outro lado, precisamente a concordância entre o significado e a forma deve sempre permanecer deficiente e apenas abstrata. Como solução dessa dupla deficiência, a Forma de arte clássica é a livre e adequada conformação *[Einbildung]* da Ideia na forma que pertence de modo peculiar à própria Ideia segundo seu conceito, com a qual, assim, ela pode entrar numa sintonia livre e completa. E, assim, é a Forma clássica que pela primeira vez oferece a produção e intuição do ideal completo e o apresenta como efetivado.

Entretanto, a adequação entre o conceito e a realidade no clássico deve tampouco, como se isso pudesse concernir ao ideal, ser tomada no sentido meramente *formal* da concordância de um conteúdo com sua configuração exterior. Caso contrário, cada retrato da natureza, cada semblante, paisagem, flor, cena e assim por diante, que constituem a finalidade e o conteúdo da exposição, já seriam clássicos por meio de tal congruência entre conteúdo e Forma. Ao contrário, a peculiaridade do conteúdo no clássico reside no fato de que ele próprio é Ideia concreta e, enquanto tal, a espiritualidade concreta; pois somente a espiritualidade é a verdadeira interioridade. Em vista de tal conteúdo, portanto, deve-se perguntar entre tudo o que é natural |110| o que por si mesmo corresponde em si e para si ao espírito. Há de ser o próprio conceito *originário* que *inventou [erfunden]* a forma para a espiritualidade concreta, de tal modo que agora o conceito *subjetivo* – aqui o espírito da arte – apenas a *encontrou [gefunden]* e, enquanto existência natural figurada, a tornou adequada à livre espiritualidade individual. Essa forma, que possui em si mesma a Ideia como espiritualidade – na verdade, a espiritualidade individual e determinada, quando deve se desenvolver num fenômeno temporal, é a *forma humana*. É certo que frequentemente a personificação e a antropomorfização foram denegridas como se fossem uma degradação do espírito; mas, a arte, na medida em que necessita levar o espírito de um modo sensível à intuição, deve progredir para essa antropomorfização, já que o espírito apenas em seu corpo aparece satisfatoriamente sensível. Nesse contexto, a migração da alma é uma representação abstrata, sendo que a fisiologia deve ter tido como um de seus princípios que a vitalidade em seu desenvolvimento necessariamente precisa progredir para a forma do homem como sendo esse o único fenômeno sensível adequado ao espírito.

Na Forma de arte clássica, porém, o corpo humano nas suas Formas não vale mais meramente como existência sensível, mas somente como existência e forma natural do espírito e deve, por isso, estar afastado de toda necessidade do que é apenas sensível e da finitude casual do fenômeno. Se a forma foi desse modo purificada para em si mesma expressar o conteúdo que lhe é adequado, é preciso, por outro lado, caso a concordância entre o significado e a forma deva ser completa, que igualmente a espiritualidade, que constitui o conteúdo, seja de *tal* natureza que seja capaz de se expressar completamente na forma natural do homem, sem nessa expressão precisar sair do sensível e do vivente. Desse modo, o espírito permanece aqui ao mesmo tempo determinado como mais particular, como mais humano, não como espírito pura e simplesmente absoluto e eterno, na medida em que este somente é capaz de se anunciar e de se expressar como a própria espiritualidade.

|111| Este último ponto constitui por sua vez novamente a deficiência na qual a Forma de arte clássica se dissolve e exige a passagem para uma *terceira* Forma de arte mais elevada, a saber, a *romântica*.

3. A Forma de arte *romântica* novamente suprime *[aufheben]* a completa unificação da Ideia com a sua realidade e se põe a si mesma, ainda que de um modo superior, atrás da diferença e da oposição dos dois lados que na Forma de arte simbólica permaneciam insuperados. A Forma de arte clássica, de fato, alcançou o ponto mais alto que a sensibilização da arte foi capaz de alcançar, e se nela há algo de deficiente, tal coisa reside na arte mesma e na limitação da esfera artística.

Essa limitação deve ser identificada no fato de que a arte em geral transforma em objeto, numa Forma concreta e *sensível,* o espírito que, segundo o seu conceito, é a universalidade infinita e concreta, e apresenta no clássico a consumada formação unificadora *[Ineinsbildung]* da existência espiritual e sensível como *correspondência* de ambos. Mas, nessa fusão, o espírito *não* chega de fato à exposição *segundo* seu *verdadeiro conceito.* Pois, o espírito *é* a subjetividade infinita da Ideia que, enquanto interioridade absoluta, não se pode configurar livremente para si quando necessita permanecer fundida ao corpóreo como sua existência adequada. A partir desse princípio, a Forma de arte romântica supera aquela unidade indivisa da Forma de arte clássica, porque adquiriu um conteúdo que transcende essa Forma e seu modo de expressão. Esse conteúdo – para lembrar representações já conhecidas –coincide com o que o cristianismo afirma acerca de Deus como espírito, à diferença da crença nos deuses dos gregos que constitui o conteúdo essencial e o mais adequado para a arte clássica. Nesta, o conteúdo concreto é *em si* a unidade da natureza humana e divina, uma unidade que, justamente por ser apenas *em si* e *imediata,* também chega de modo *sensível* e imediato a uma manifestação adequada. O deus grego se destina à intuição espontânea e à representação sensível |112| e, por isso, sua forma é o corpo do homem, o círculo de sua potência e de sua essência é individual e particular, é uma substância e poder perante o sujeito, com os quais a interioridade subjetiva apenas em si está em unidade, mas não tem esta unidade como saber subjetivo interior e próprio. O grau mais alto é, portanto, o *saber* dessa unidade existente em *si,* que a Forma de arte clássica tem como seu conteúdo passível de exposição completa no corpo. Esta elevação do em-si [Ansich] no saber autoconsciente representa, porém, uma enorme diferença. Trata-se da diferença infinita que, por exemplo, separa o homem em geral do animal. O homem é animal, mas mesmo em suas funções animais não permanece preso a um em-si como o animal, pois toma consciência delas, as reconhece e as eleva à ciência autoconsciente, tal como o faz, por exemplo, com o processo da digestão. Por meio disso, o homem soluciona o limite de sua imediatez de existente em-si *[ansichseiende],* de tal modo que, pelo fato de *saber* que é animal, deixa de sê-lo e se dá o saber de si como espírito. – Se o em-si do estágio anterior, a unidade da natureza humana e divina, é elevada de uma unidade *imediata* para uma unidade *consciente,* então o *verdadeiro* elemento para a realidade desse conteúdo não é mais a existência sensível e imediata do espírito, a forma humana corporal, mas a *interioridade autoconsciente.* É por isso que o cristianismo – pelo fato de representar Deus *como espírito* e não como espírito individual e particular, mas como *absoluto,* no *espírito* e na verdade – recuada sensibilidade da representação para a interioridade espiritual e transforma esta e não o corpo em material e existência de seu Conteúdo. Do mesmo modo, a unidade da natureza humana e divina é algo sabido e apenas por meio do saber *espiritual e no* espírito é uma unidade realizada. O novo conteúdo assim conquistado não está, portanto, atado à exposição sensível, como a que lhe corresponde, mas está livre |113| dessa existência imediata que deve ser estabelecida, superada e refletida negativamente na unidade espiritual. Desse modo, a arte romântica é a arte se ultrapassando *[Hinausgehen]* a si própria, mas no interior de seu próprio âmbito e na própria Forma artística.

Por isso, atentemos brevemente para o fato de que o objeto deste terceiro estágio é a *espiritualidade livre e concreta* que, enquanto *espiritualidade,* deve aparecer para o *interior espiritual.* Nesse sentido, a arte adequada a esse objeto não pode, por um lado, trabalhar para a intuição sensível, mas para a simples interioridade *[Innerlichkeit]* que está conforme a seu objeto e consigo mesma, isto é, para a interioridade *[Innigkeit]* subjetiva, o *ânimo,* o sentimento que, enquanto espírito, tendem para a liberdade em si mesmos e procuram e possuem sua reconciliação apenas no espírito interior. Esse mundo *interior* constitui o conteúdo do romântico *[Romantischen]* e deve, por isso, ser levado à exposição como tal interior e com a aparência dessa interioridade. A interioridade comemora seu triunfo sobre a exterioridade e faz com que essa vitória apareça no próprio exterior e por intermédio dele, fazendo com que o fenômeno sensível desapareça na falta de valor.

Por outro lado, também esta Forma, como toda arte, necessita da exterioridade para a sua expressão. Na medida em que a espiritualidade se retraiu em si mesma e se retirou da exterioridade e da unidade imediata com ela, a exterioridade sensível do configurar se torna justamente por isso inessencial e passageira, como no simbólico e, do mesmo modo, o espírito e a vontade subjetivos e finitos são aceitos e expostos até na particularidade e arbitrariedade da individualidade, do caráter, do agir, do acontecimento, da intriga e assim por diante. O lado da existência exterior é entregue à contingência e abandonado à aventura da fantasia, cuja arbitrariedade pode tanto espelhar o que está presente, tal como está presente, como também embaralhar |114| e distorcer grotescamente as configurações do mundo exterior. – Pois essa exterioridade não tem mais seu conceito e significado em si e junto a si mesma *[in sich und an sich selber],* como no clássico, mas no ânimo que tem sua aparição *[Erscheinung]* em si mesmo e não na exterioridade e na Forma e realidade desta, e é capaz de conservar ou reconquistar esta reconciliação consigo mesmo em todo tipo de contingência e acidentalidade que por si mesmo se configura, em todo infortúnio e dor e até mesmo no próprio crime.

Por meio disso surge novamente a indiferença, inadequação e separação entre a Ideia e a forma – como no simbólico –, mas com a *diferença* essencial de que no romântico a Ideia, cuja deficiência junto ao símbolo apresenta as deficiências do configurar, deve aparecer em si mesma *completa* como espírito e ânimo. Por essa razão, essa perfeição superior se priva da correspondente união com a exterioridade, sendo que somente pode buscar e completar sua verdadeira realidade e aparição *[Erscheinung]* em si mesma.

Em termos gerais, esse é o caráter da Forma de arte simbólica, clássica e romântica que implica os três tipos de relações da Ideia com sua forma no âmbito da arte. As três Formas consistem na aspiração, na conquista e na ultrapassagem do ideal como a verdadeira Ideia da beleza.

III. A *terceira* parte, em relação às duas primeiras, pressupõe o conceito do ideal e as Formas de arte universais, na medida em que é apenas a realização das mesmas no material sensível determinado. Por isso, não necessitamos mais nos ocupar neste momento com o desenvolvimento interior da beleza artística segundo suas fundamentais determinações universais, mas devemos considerar como essas determinações se apresentam na existência, se distinguem externamente e no conceito da beleza efetivam cada momento por si de modo autônomo como *obra de arte* e não somente como *Forma universal.* Entretanto, uma vez que se trata somente de diferenças próprias, imanentes à Ideia de beleza, que a arte transpõe para a existência exterior, |115| as Formas de arte universais devem nesta terceira parte se mostrar também como determinação fundamental para a divisão e identificação das *artes particulares* – ou os tipos de arte têm as mesmas diferenças essenciais em si mesmos, as quais conhecemos acima como as Formas de arte universais. A objetividade *exterior,* na qual essas Formas se anunciam por meio de um material sensível e, por isso, *particular,* deixa essas Formas se *desfazerem* autonomamente em modos determinados de sua realização, as artes particulares, na medida em que cada Forma também encontra seu caráter determinado num material determinado e exterior e sua efetivação adequada no modo de exposição que lhe é próprio. Por outro lado, porém, aquelas Formas de arte, enquanto Formas *universais* em sua determinidade, também ultrapassam a realização *particular* por meio de um tipo *determinado* de arte e assumem sua existência também por meio das outras artes, mesmo que num modo subordinado. Por isso, por um lado, as artes particulares pertencem especificamente *a uma* das Formas de arte universais e constituem sua *adequada* efetividade artística exterior; por outro lado, apresentam a totalidade das Formas de arte segundo seu modo de configuração exterior.

De modo geral, portanto, temos de nos ocupar nesta terceira parte principal com o desdobramento do belo artístico num *mundo* da beleza efetivada nas artes e em suas obras. O conteúdo desse mundo é o belo, e o verdadeiro belo, como vimos, é a espiritualidade configurada, o ideal; mais precisamente, o espírito absoluto, a própria verdade. Essa região da verdade divina, exposta artisticamente para a intuição e a sensação *[Empfinden],* constitui o ponto central de todo o mundo artístico enquanto a forma autônoma, livre e divina, que se apropriou completamente da exterioridade da Forma e do material, e a traz em si apenas como sua própria manifestação. Entretanto, uma vez que o belo aqui se desenvolve como efetividade *objetiva* e, assim, também se diferencia numa particularidade autônoma de aspectos e |116| momentos particulares, esse centro se confronta com seus extremos realizados numa efetividade peculiar. A *objetividade* ainda *não espiritualizada,* mero envolvimento natural do Deus, constitui, por isso, *um* destes extremos. Aqui *é* configurada a exterioridade enquanto tal, que não tem seu fim e conteúdo espiritual em si mesma, mas num outro.

Em contrapartida, o outro extremo *é* o divino como interior, sabido e a existência *subjetiva* variada e particular da divindade: a verdade que é ativa e viva no sentimento *[Sinn],* no ânimo e no espírito do sujeito particular e não permanece dispersa em sua forma exterior, mas retorna ao interior subjetivo particular. Em virtude disso, o divino enquanto tal permanece ao mesmo tempo diferenciado de sua manifestação pura como *divindade* e, assim, entra na particularidade que pertence a todo saber, sentir *[Fühlen],* contemplar e sentir *[Empfinden]* subjetivos particulares. No âmbito análogo da religião, com a qual a arte em seu mais alto grau está em conexão imediata, concebemos a mesma diferença *no* modo de que para nós, em primeiro lugar, por um lado, se apresenta a vida terrena e natural em sua finitude; num segundo momento, a consciência transforma *Deus* em objeto, no qual desaparece a diferença entre objetividade e subjetividade; por fim, num terceiro momento, progredimos de Deus enquanto tal para a devoção da *comunidade,* para Deus enquanto ser vivo e presente na consciência. Essas três diferenças principais também se apresentam num desenvolvimento autônomo no mundo da arte.

1. A *primeira* das artes particulares com a qual devemos começar, segundo essa determinação fundamental, é a bela *arquitetura.* Sua tarefa consiste em elaborar a natureza exterior inorgânica, para que ela se torne, como mundo exterior adequado à arte, aparentada ao espírito. Seu material é o próprio elemento material *[Materielle]* em sua exterioridade imediata enquanto massa mecânica pesada, e suas Formas permanecem |117| as da natureza inorgânica, ordenadas segundo as abstratas relações simétricas do entendimento. Posto que nesse material e Formas o ideal enquanto espiritualidade concreta não pode ser realizado, e assim a realidade exposta, diante da Ideia, se mantém impenetrável como exterior ou apenas se mantém numa relação abstrata, o tipo fundamental da arquitetura é a Forma de arte *simbólica.* Pois é a arquitetura que pela primeira vez abre o caminho para a efetividade adequada de Deus e trabalha a seu serviço com a natureza objetiva para tirá-la do matagal da finitude e da deformidade do acaso. E, assim, ela aplana o lugar para o Deus, dá Forma para o exterior que o rodeia e constrói seu templo como o espaço para a concentração e direcionamento para os objetos absolutos do espírito. Ela permite que uma envoltura *[Umschließung]* se erga para o alto para a reunião dos fiéis – enquanto proteção contra a ameaça da tempestade, contra a chuva, o mau tempo e animais selvagens –, e manifesta aquele querer-se reunir *[Sichsanzmelnwollen],* mesmo que de um modo exterior, mas ainda assim artístico. Esse significado ela pode em maior ou menor grau configurar em seu material e nas Formas dele, caso a determinidade do Conteúdo, para o qual ela assume

seu trabalho, seja mais ou menos significativa, mais concreta ou abstrata, mais aprofundada em si mesma ou mais nebulosa ou superficial. Aliás, nesse contexto ela pode até querer ir tão longe a ponto de conseguir em suas Formas e material uma existência artística adequada para aquele Conteúdo; em tal caso, ela já ultrapassou seu próprio âmbito e oscila em direção a seu estágio mais alto, a escultura. Pois seu limite consiste justamente em manter o espiritual como interior diante de suas Formas exteriores e, com isso, apontar para o que é pleno de alma apenas como uma outra coisa.

2. E, assim, é por meio da arquitetura que o mundo exterior inorgânico é purificado, ordenado simetricamente, aparentado ao espírito e o templo de Deus é concluído, a casa de sua comunidade. *Em segundo lugar,* nesse templo entra |118| então o próprio Deus, na medida em que o raio da individualidade bate na massa inerte, a penetra, e a própria Forma infinita do espírito, não mais meramente simétrica, concentra e configura a corporeidade. Essa é a tarefa da *escultura*. Na medida em que nela o interior espiritual, para o qual a arquitetura apenas é capaz de apontar, habita a figura sensível e seu material exterior, e os dois lados se configuram um-no-outro *[ineinanderbilden]* de *tal* modo que nenhum deles prepondera, a escultura assume a *Forma de arte clássica* como seu tipo fundamental. Por isso, não resta mais nenhuma expressão para o sensível por si que não seja a expressão do espiritual mesmo, como, por outro lado, na escultura nenhum conteúdo espiritual é passível de exposição completa, a não ser aquele que se deixa intuir inteira e adequadamente na forma corporal. Pois o espírito deve por meio da escultura estar presente em silêncio e beato em sua Forma corporal numa unidade imediata e a Forma deve ser vivificada por meio do conteúdo da individualidade espiritual. Assim, o material sensível e exterior não é mais trabalhado apenas segundo sua qualidade mecânica, como massa pesada, nem nas Formas do inorgânico e nem como sendo indiferente à coloração e assim por diante, mas é trabalhado nas Formas ideais da forma humana e, na verdade, na totalidade das dimensões espaciais. Sob este último aspecto, precisamos inicialmente destacar o fato de que na escultura o interior e o espírito pela primeira vez aparecem em seu repouso eterno e autonomia essencial. A esse repouso e unidade consigo mesmo corresponde somente aquele exterior que ainda permanece propriamente em tal unidade e repouso. Isso é a figura segundo sua

*espacialidade abstrata.* O espírito que a escultura expõe é em si mesmo sólido, e não multiplamente disperso no jogo das contingências e paixões; por isso, ela também não abandona a exterioridade a essa variedade do fenômeno, mas apreende ali unicamente este um aspecto da espacialidade abstrata em sua totalidade de dimensões.

|119|. Se a arquitetura construiu o templo e a mão da escultura nele erigiu a estátua do Deus, é a *comunidade* que, *em terceiro lugar,* encontra-se diante de tal Deus sensível e presente nas amplas galerias de Sua casa. Ela é a reflexão espiritual em si mesma daquela existência sensível, é a subjetividade e interioridade animada com a qual, por isso, a particularização, a singularização e sua subjetividade são o princípio determinante para o conteúdo da arte, bem como para o material a ser exposto externamente. A sólida unidade em si mesma do Deus na escultura se fratura na multiplicidade da interioridade singularizada, cuja unidade não *é* sensível, mas pura e simplesmente ideal. E é assim que o próprio Deus nesse ir e vir, como essa modificação de sua unidade em si mesma e efetivação no saber subjetivo e sua particularização, bem como a universalidade e união do múltiplo, *é* então espírito verdadeiro: o espírito em sua comunidade. Deus é nela subtraído da identidade fechada em si mesma da abstração como também da submersão imediata na corporeidade, tal como a escultura o expõe, e é elevado à espiritualidade e ao saber, a este reflexo *[Gegenschein]* que aparece essencialmente como interior e como subjetividade. Por isso, o conteúdo superior é agora a espiritualidade e, na verdade, enquanto absoluta; por causa daquela dispersão, porém, ela aparece ao mesmo tempo como espiritualidade particular [besondere], como ânimo particular *[partikulär];* e posto que se apresentam como a coisa principal não o repouso sem necessidade do Deus em si mesmo, senão a aparência em geral, o ser para outro e o manifestar, tornam-se agora por si mesmos objetos de exposição artística também a mais variada subjetividade – em seu movimento e atividade vivos como paixão, ação e acontecimento humanos –, em suma, o amplo âmbito do sentimento *[Einpfindens],* da volição e da omissão humanos. – Segundo este conteúdo, o elemento sensível da arte igualmente se particularizou em si mesmo para mostrar-se adequado à interioridade subjetiva. Tal material oferece a cor, o som e, por fim, o som como mera |120| designação para intuições e representações interiores, e como modos de realização daquele Conteúdo por meio deste material temos a pintura, a música e a poesia. Uma vez que aqui

a matéria sensível aparece em si mesma particularizada e por todos os lados estabelecida idealmente, ela corresponde geralmente ao Conteúdo espiritual em geral da arte, e a conexão entre o significado espiritual e o material sensível progride para uma interioridade superior à que era possível na arquitetura e na escultura. Contudo, essa *é* uma unidade mais interior, que toma totalmente partido do subjetivo, e na medida em que Forma e conteúdo devem se particularizar e se estabelecer idealmente, ela somente se realiza às custas da universalidade objetiva do Conteúdo assim como da fusão com o imediatamente sensível.

Assim como Forma e conteúdo se elevam à idealidade, na medida em que abandonam a arquitetura simbólica e o ideal clássico da escultura, tais artes retiram seu tipo *[Typus]* da Forma de arte *romântica,* cujo modo de configuração elas mais adequadamente estão destinadas a manifestar. E elas são uma totalidade de artes porque o próprio romântico é em si mesmo a Forma a mais concreta.

A articulação interna desta *terceira esfera* das artes particulares deve ser estabelecida da seguinte maneira:

a) A *primeira* arte, que ainda se encontra próxima da escultura, é a *pintura.* Ela utiliza como material para seu conteúdo e sua configuração a visibilidade enquanto tal, na medida em que esta se particulariza imediatamente nela mesma, isto é, se determina como cor. O material da arquitetura e da escultura é, na verdade, igualmente visível e colorido, mas não é como na pintura o tornar visível enquanto tal, na qual a luz em si mesma simples, ao se especificar com o seu oposto, o escuro, e com ele se associar, se torna cor. Essa visibilidade assim subjetivada e estabelecida idealmente não requer nem a diferença de massa abstratamente mecânica da materialidade pesada, tal como na arquitetura, nem a totalidade da espacialidade sensível | 121 | tal como a escultura ainda a mantém, mesmo que concentrada e em Formas orgânicas; antes, a visibilidade e o tornar visível da pintura têm sua diferença idealizada, como a particularidade das cores, e assim libertam a arte da completude sensível-espacial do material, na medida em que se restringem à dimensão da superfície.

Por outro lado, o conteúdo também recebe a mais ampla particularização. Tudo o que no coração humano ganha espaço enquanto sensação *[Empfindung],* representação e finalidade, tudo o que o coração é capaz de configurar como fato, toda essa multiplicidade pode constituir o diversificado conteúdo da pintura. Todo o reino da particularidade, desde o mais alto Conteúdo do espírito até os mais singulares objetos da natureza, mantém sua posição. Pois também a natureza finita em suas cenas e fenômenos particulares pode aqui aparecer, basta que alguma alusão a um elemento do espírito as ligue mais intimamente com o pensamento e a sensação *[Empfindung]*.

b) A *segunda* arte por meio da qual se efetiva o romântico *é,* depois da pintura, a *música.* Embora ainda sensível, seu material progride para uma subjetividade e particularização ainda mais profundas. O estabelecimento ideal do sensível pela música deve ser procurado no fato de que ela supera igualmente a indiferente separação do espaço, cuja aparência total a pintura ainda deixa subsistir e intencionalmente simula, e a idealiza na unidade individual *[individuelle Eins]* do ponto. Mas, enquanto tal negatividade, o ponto é em si mesmo concreto e superação ativa no seio da materialidade como movimento e vibração do corpo material em si mesmo na sua relação consigo mesmo. Tal idealidade inicial da matéria, que não mais aparece como idealidade espacial, mas como temporal, é o som, o sensível estabelecido negativamente, cuja visibilidade abstrata se transformou em audibilidade, na medida em que o som desprende o ideal como que de seu confinamento na materialidade. – Esta primeira interiorização e animação da matéria fornece o |122| material para a interioridade e alma propriamente ainda indeterminadas do espírito, e permite que em seus sons o ânimo soe e ressoe com toda a escala de suas sensações e paixões. Desse modo, assim como a escultura se apresenta como o centro entre a arquitetura e as artes da subjetividade romântica, a música constitui novamente o ponto central das artes românticas e o ponto de transição entre a sensibilidade espacial abstrata da pintura e a espiritualidade abstrata da poesia. Enquanto oposição à sensação *[Empfindung]* e interioridade, a música possui em si mesma como consequência, tal como a arquitetura, uma relação intelectual de quantidade e também o fundamento de uma sólida regularidade de sons e suas combinações.

c) Finalmente, a *terceira* exposição a mais espiritual da Forma de arte romântica devemos buscá-la na *poesia.* A sua peculiaridade característica reside na potência com que submete ao espírito e a suas representações o elemento sensível, do qual a música e a pintura já haviam começado a libertar a arte. Pois o som, o último material exterior da poesia, não é nela mais a própria sensação *[Empfindung]* que ressoa, mas um *signo*

*[Zeichen]* por si sem significação e, na verdade, um signo da representação tornada concreta em si mesma, e não apenas da sensação *[Empfindung]* indefinida e de suas nuanças e gradações. Por meio disso, o *som* torna-se *palavra* enquanto fonema em si mesmo articulado, cujo sentido é designar representações e pensamentos, na medida em que o ponto em si mesmo negativo, para o qual a música se dirigia, agora se apresenta como o ponto completamente concreto, como ponto do espírito, como o indivíduo autoconsciente que a partir de si mesmo une o espaço infinito da representação ao tempo do som. Esse elemento sensível, contudo, que na música ainda se encontrava totalmente em união com a interioridade, é aqui separado do conteúdo da consciência, enquanto o espírito determina esse conteúdo para si e em si mesmo para a representação, para |123| cuja expressão ele, na verdade, se serve do som, mas somente como um signo por si mesmo destituído de valor e de conteúdo. Assim, o som pode ser mera letra, pois o audível e do mesmo modo o visível se rebaixaram à mera alusão do espírito. Em consequência, o autêntico elemento da exposição poética é a própria *representação* poética e o processo de intuição *[Veranschaulichung]* espiritual; na medida em que esse elemento é comum a todas as Formas de arte, a poesia também atravessa a todas e se desenvolve autonomamente nelas. A arte poética é a arte universal do espírito tornado livre em si mesmo e que não está preso ao material exterior e sensível para a sua realização, que se anuncia apenas no espaço e no tempo interiores das representações e sentimentos. Mas, exatamente nesse estágio supremo, a arte também ultrapassa a si mesma, na medida em que abandona o elemento da sensibilização reconciliada do espírito, e da poesia da representação passa para a prosa do pensamento.

Essa é a totalidade articulada das artes particulares: a arte exterior da arquitetura, a arte objetiva da escultura e a arte subjetiva da pintura, da música e da poesia. Na verdade, tentaram-se muitas vezes outros tipos de divisões, pois a obra de arte oferece tal riqueza de aspectos que, como muitas vezes ocorreu, podemos estabelecer ora este, ora aquele como fundamento de divisão, como, por exemplo, o material sensível. A arquitetura é então a cristalização e a escultura a figuração orgânica da matéria em sua totalidade sensível espacial; a pintura, a superfície colorida e a linha, enquanto na música o espaço em geral passa para o ponto em si mesmo preenchido do tempo; até, por fim, na poesia o material exterior ser totalmente desvalorizado. Essas diferenças foram também concebidas segundo seu lado totalmente abstrato da espacialidade e temporalidade. É certo que tal particularidade abstrata da obra de arte, como o material, pode ser perseguida de modo consequente em sua |124| peculiaridade, mas não pode ser executada como o que em última instância fundamenta, dado que tal aspecto mesmo tem sua origem num princípio superior e deve, por isso, se submeter a ele.

Vimos que este princípio superior são as Formas de arte simbólica, clássica e romântica, que constituem os momentos universais da própria Ideia da beleza.

Sua relação com as artes particulares em sua forma concreta é de tal natureza que as artes constituem a existência real das Formas de arte. Pois a *arte simbólica* alcança sua efetividade mais adequada e sua maior aplicação na *arquitetura,* onde ela impera segundo o seu mais completo conceito e ainda não foi rebaixada, por assim dizer, à natureza inorgânica de uma outra arte; para a *Forma de arte clássica,* em contrapartida, a *escultura* é a realidade incondicionada que assume a arquitetura apenas como envoltura e, por outro lado, ainda não é capaz de modelar a pintura e a música como Formas absolutas para seu conteúdo; a Forma de arte *romântica,* por fim, se apropria da expressão pictural e musical de um modo autônomo e incondicionado como também da exposição poética; mas a poesia é adequada a todas as Formas do belo e se estende sobre todas elas, porque seu autêntico elemento é a bela fantasia, e a fantasia é necessária para toda produção da beleza, seja qual for a Forma a que pertença.

Portanto, o que as artes particulares realizam em obras de arte singulares, segundo o conceito, são apenas as Formas universais da Ideia de beleza que a si se desenvolve; enquanto que na sua efetivação exterior ergue-se o amplo panteão da arte, cujo construtor e mestre de obras é o espírito do belo que se apreende a si mesmo, mas que a história mundial irá consumar apenas em seu desenvolvimento de milênios.

**Arthur Schopenhauer**

O mundo como
vontade e representação

# O mundo como vontade e representação*

Arthur Schopenhauer (1788–1860)

Tradução
*Jair Barboza*

---

Nos trechos a seguir, selecionados de sua obra principal, *O mundo como vontade e representação* (1818), Schopenhauer (1788–1860) aborda o modo peculiar de conhecimento propiciado pela arte. Segundo ele, há uma peculiaridade fundamental na contemplação estética por ser um modo de conhecimento destituído de vontade. "O conhecimento do belo supõe sempre, inseparável e simultaneamente, o puro sujeito que conhece e a Ideia conhecida como objeto. Todavia, a fonte da fruição estética residirá ora mais na apreensão da Ideia conhecida, ora mais na bemaventurança e tranquilidade espiritual do conhecer puro, livre de todo querer e individualidade e do tormento ligado a ela". Além de interpretar a experiência estética à luz de sua metafísica da vontade, Schopenhauer comenta as artes particulares como a pintura e faz a sua leitura da avaliação platônica sobre a arte, em especial, a poesia.

**Temas:** metafísica, sublime, vontade, epistemologia, pintura.

---

\* SCHOPENHAUER, A. *O Mundo como Vontade e Representação*. São Paulo: UNESP, 2005. p. 265-287. Agradecemos à Editora da UNESP por autorizar a utilização do texto.

*§ 38*

Encontramos no modo de conhecimento estético DOIS COMPONENTES INSEPARÁVEIS. Primeiro o conhecimento do objeto não como coisa isolada, mas como IDEIA platônica, ou seja, como forma permanente de toda uma espécie de coisas; depois a consciência de si daquele que conhece, não como indivíduo, mas como PURO SUJEITO DO CONHECIMENTO DESTITUÍDO DE VONTADE. A condição sob a qual esses dois componentes entram em cena sempre unidos é o abandono do modo de conhecimento ligado ao princípio de razão, único útil para o serviço tanto da Vontade quanto da ciência. – Desses dois componentes do modo de conhecimento estético resulta também a SATISFAÇÃO despertada pela consideração do belo, e, na verdade, satisfação mais em face de um ou de outro, conforme o objeto da contemplação.

I 231
// Todo QUERER nasce de uma necessidade, portanto de uma carência, logo de um sofrimento. A satisfação põe um fim ao sofrimento; todavia, contra cada desejo satisfeito permanecem pelo menos dez que não o são. Ademais, a nossa cobiça dura muito, as nossas exigências não conhecem limites; a satisfação, ao contrário, é breve e módica. Mesmo a satisfação final é apenas aparente: o desejo satisfeito logo dá lugar a um novo: aquele é um erro conhecido, este um erro ainda desconhecido. Objeto algum alcançado pelo querer pode fornecer uma satisfação duradoura, sem fim, mas ela se assemelha sempre apenas a uma esmola

atirada ao mendigo, que torna sua vida menos miserável hoje, para prolongar seu tormento amanhã. – Daí, portanto, deixar-se inferir o seguinte: pelo tempo em que o querer preenche a nossa consciência, pelo tempo em que estamos entregues ao ímpeto dos desejos com suas contínuas esperanças e temores, por conseguinte, pelo tempo em que somos sujeito do querer, jamais obtemos felicidade duradoura ou paz. E em essência é indiferente se perseguimos ou somos perseguidos, se tememos a desgraça ou almejamos o gozo: o cuidado pela Vontade sempre exigente, não importa em que figura, preenche e move continuamente a consciência. Sem tranquilidade, entretanto, nenhum bem-estar verdadeiro é possível. O sujeito do querer, consequentemente, está sempre atado à roda de Íxion que não cessa de girar, está sempre enchendo os tonéis das Danaides, é o eternamente sedento Tântalo.[1]

Quando, entretanto, uma ocasião externa ou uma disposição interna nos arranca subitamente da torrente sem fim do querer, libertando o conhecimento do serviço escravo da Vontade, e a atenção não é mais direcionada aos motivos do querer, mas, ao contrário, à apreensão das coisas livres de sua relação com a Vontade, portanto sem interesse, sem subjetividade, considerando-as de maneira puramente objetiva, estando nós inteiramente entregues a elas, na medida em que são simples representações, não motivos; – então aquela paz, sempre procurada antes pelo caminho do querer, e sempre fugidia, entra em cena de uma só vez por si mesma e tudo está bem conosco. E o estado destituído de dor que Epicuro louvava como o bem supremo e como o estado dos deuses. Pois, nesse instante, somos alforriados do desgraçado ímpeto volitivo, festejamos o Sabbath[2] dos trabalhos forçados do querer, a roda de Íxion cessa de girar.

I 232 Semelhante estado é exatamente aquele descrito anteriormente // como exigido para o conhecimento da Ideia, como pura contemplação,

---

[1] Na mitologia grega, *Íxion* tentou se envolver afetivamente com Hera, esposa de Zeus, e é por este condenado a girar eternamente numa roda flamejante. *Tântalo* desafiou a onisciência dos deuses, cozinhando o próprio filho e o servindo a eles; porém, descoberto em seu embuste, foi condenado a sede e fome eternas, no inferno pendurado num galho e tentando alcançar a água próxima que sempre se afasta, ou comer frutos de galhos sempre levados pelo vento. As *Danaides,* companheiras de infortúnio de íxion e Tântalo, por terem assassinado os maridos, foram condenadas a encher d'água tonéis sem fundo. (N. T.)

[2] "Sábado", sétimo dia da semana reservado pelos judeus ao descanso. (N. T.)

absorver-se na intuição, perder-se no objeto, esquecimento de toda individualidade, supressão do modo de conhecimento que segue o princípio de razão e apreende apenas relações, pelo que simultânea e inseparavelmente a coisa isolada intuída se eleva à Ideia de sua espécie, e o indivíduo que conhece a puro sujeito do conhecer isento de Vontade, ambos, enquanto tais, não mais se encontrando na torrente do tempo e de todas as outras relações. É indiferente se se vê o pôr do sol de uma prisão ou de um palácio.

Disposição interna e preponderância do conhecimento sobre o querer podem introduzir-nos nesse estado em qualquer ambiente. Isso o mostram aqueles maravilhosos neerlandeses, que direcionavam sua intuição puramente objetiva aos objetos mais insignificantes e erigiam monumentos duradouros de sua objetividade e paz de espírito nas pinturas de NATUREZA-MORTA, que o espectador estético não pode considerar sem comoção, visto que aqui se presentifica o calmo e sereno estado de espírito do artista livre de Vontade, que era necessário para intuir objetivamente tão insignificantes coisas, considerá-las tão atenciosamente e depois repetir essa intuição de maneira tão límpida. Na medida em que o quadro também exige a participação do espectador em semelhante estado, a sua comoção muitas vezes é incrementada pela oposição com o estado pessoal inquieto, a constituição mental irrequieta turvada pelo querer veemente, na qual se encontra. No mesmo espírito, pintores de paisagem, em especial Ruisdael, frequentes vezes pintaram temas paisagísticos extremamente insignificantes, e com isso produziram o mesmo efeito de maneira ainda mais aprazível.

Efeito tão intenso é alcançado exclusivamente pela força interna de uma mente artística. Aquela disposição mental puramente objetiva também será favorecida e fomentada exteriormente pela intuição de objetos que predispõem a ela, pela exuberância da bela natureza que nos convida à sua contemplação e até mesmo se nos impõe. A natureza, ao apresentar-se de um só golpe ao nosso olhar, quase sempre consegue nos arrancar, embora apenas por instantes, à subjetividade, à escravidão do querer, colocando-nos no estado de puro conhecimento. Com isso, quem é atormentado por paixões, ou necessidades e preocupações, torna-se, mediante um único e livre olhar na natureza, subitamente aliviado, sereno, reconfortado. // A tempestade das paixões, o ímpeto

I 233

dos desejos[3] e todos os tormentos do querer são, de imediato, de uma maneira maravilhosa, acalmados. Pois no instante em que, libertos do querer, entregamo-nos ao puro conhecimento destituído de Vontade, como que entramos num outro mundo, onde tudo o que excita a nossa Vontade e, assim, tão veementemente nos abala, não mais existe. Tal libertação do conhecimento eleva-nos tão completamente sobre tudo isso quanto o sono e o sonho. Felicidade e infelicidade desaparecem. Não somos mais indivíduo, este foi esquecido, mas puro sujeito do conhecimento. Existimos tão somente como olho cósmico UNO, que olha a partir de todo ser que conhece, porém só no homem tem a capacidade de tornar-se tão inteiramente livre do serviço da Vontade. Nesse sentido, as diferenças de individualidade desaparecem tão completamente que é indiferente se o olho que vê pertence a um rei poderoso ou a um mendigo miserável. Pois felicidade e penúria não são transportadas além daqueles limites. Note-se o quão próximo de nós pode sempre se encontrar um domínio em que podemos nos furtar por completo à nossa penúria! Mas quem tem a força para nele se manter por longo tempo? Assim que surge novamente na consciência uma relação com a vontade, com a nossa pessoa, precisamente dos objetos intuídos puramente, o encanto chega ao fim. Recaímos no conhecimento regido pelo princípio de razão. Não mais conhecemos a Ideia, mas a coisa isolada, elo de uma cadeia à qual nós mesmos pertencemos. De novo estamos abandonados às nossas penúrias. – A maioria dos homens quase sempre se situa nesse ponto de vista, já que lhes falta por completo a objetividade, isto é, a genialidade. Eis por que de bom grado nunca ficam sozinhos com a natureza; precisam de sociedade, ao menos de um livro. Seu conhecer permanece servil à Vontade. Procuram, por conseguinte, só por aqueles objetos que têm alguma relação com o seu querer e, de tudo que não possua uma tal relação, ecoa em seu interior, semelhante a um baixo fundamental, um repetitivo e inconsolável "de

---

[3] *Sturm der Leidenschaften* (tempestade das paixões) e *Drang des Wunsches* (ímpeto dos desejos), justamente termos que compõem o nome do movimento artístico ultrarromântico alemão, *Sturm und Drang*. Schopenhauer tem aqui em mente, sem dúvida, a inquietação romântica de seu período, cuja obra exponencial foi *Os sofrimentos do jovem Werther*, de Goethe, que, lida por jovens impetuosos e atormentados, muitas vezes não correspondidos amorosamente (como o personagem principal do romance), desencadeou uma onda de suicídios na Europa. (N. T.)

nada serve". Assim, na solidão, até mesmo a mais bela cercania assume para eles um aspecto desolado, cinza, estranho, hostil.

I 234 Essa bem-aventurança do intuir destituído de vontade é, por fim, // também o que espalha um encanto tão extraordinário sobre o passado e a distância, expondo-os em luz exuberante por meio de uma autoilusão, pois, na medida em que tornamos presentes os perdidos dias pretéritos, longinquamente situados, na verdade a fantasia chama de volta apenas os objetos, não o sujeito do querer, que outrora carregava consigo seus sofrimentos incuráveis, como o faz agora. Mas, tais sofrimentos foram esquecidos. Desde então cederam frequentemente o seu lugar a outros. Com *isso, a intuição* objetiva faz efeito na recordação exatamente como faria a intuição presente, no caso de ser possível entregarmo-nos a esta livres do querer. Eis por que, sobretudo quando uma necessidade nos angustia mais do que o comum, a recordação súbita de cenas do passado distante muitas vezes paira diante de nós como um paraíso perdido. Apenas o objetivo, não o individual-subjetivo, é chamado de volta pela fantasia, figurando diante de nós aquele objetivo como se, outrora, fosse tão puro e tão pouco turvado por qualquer relação com a vontade como o é agora a sua imagem na fantasia – embora antes a relação dos objetos com o nosso querer provocasse tanto tormento quanto agora. Podemos furtar-nos ao sofrimento seja pelos objetos presentes, seja pelos objetos longínquos, desde que nos elevemos à pura consideração objetiva dos mesmos e consigamos criar a ilusão de que somente os objetos estão presentes, não nós. O resultado é que, libertos do si-mesmo sofredor, tornamo-nos, como sujeito do conhecer, inteiramente unos com os objetos; e, assim como nossa necessidade lhes é estranha, assim também, nesse instante, semelhante necessidade é estranha a nós mesmos. Resta apenas o mundo como representação; o mundo como Vontade desapareceu.

Por meio de todas essas considerações espero ter tornado claro de que espécie e envergadura é a participação que possui a condição subjetiva da satisfação estética, ou seja, a libertação do conhecer a serviço da vontade, o esquecimento de si-mesmo como indivíduo e a elevação da consciência ao puro sujeito do conhecer, atemporal e destituído de vontade, independente de todas as relações. Ora, junto com esse lado subjetivo da contemplação estética sempre entra em *cena*

I 235 simultaneamente, como // correlato necessário, o seu lado objetivo, a *apreensão* intuitiva da Ideia platônica. Antes, porém, de passarmos à consideração mais detalhada desse lado objetivo e das realizações da arte a ele relacionadas, *é* aconselhável nos determos naquele lado subjetivo da satisfação estética *e* coroarmos a sua consideração com a explicitação da impressão do SUBLIME, já que este depende por inteiro da condição subjetiva da impressão estética, e nasce por meio de uma modificação dela. Depois consideraremos o lado objetivo, com o que será completada toda a presente investigação.

Entrementes, cabe ainda esta observação referente ao que foi dito até agora. A luz é o mais aprazível das coisas. Ela se tornou símbolo de tudo o que é bom e salutar. Em todas as religiões ela indica a salvação eterna, enquanto a escuridão indica a danação. Ormuzd mora na mais pura luz, Ahriman na noite eterna. O paraíso de Dante assume as aparências de Vauxhall em Londres, visto que todos os espíritos bem-aventurados aparecem em pontos de luz, reunidos em figuras regulares. A ausência de luz nos torna imediatamente tristes; seu retorno, alegres. As cores despertam de imediato um prazer vivaz e, caso sejam transparentes, atinge o grau supremo. Tudo isso provém exclusivamente do fato de a luz ser o correlato e a condição do modo de conhecimento intuitivo mais perfeito, o único que não afeta imediatamente a vontade. Pois, diferentemente das afecções dos outros sentidos, a visão, em si, imediatamente e por meio de seu efeito sensível, não é capaz do agradável ou desagradável da SENSAÇÃO no órgão. Noutros termos, não tem ligação imediata alguma com a vontade. Só a intuição originada no entendimento pode ter tal ligação, que, dessa maneira, encontra-se na relação do objeto com a vontade. Já na audição se dá algo completamente diferente. Tons podem provocar dores imediatamente e, sem referência à harmonia ou à melodia, podem ser também de imediato sensualmente agradáveis. O tato, enquanto uno com o sentimento do corpo inteiro, está ainda mais submetido a esse influxo imediato sobre a vontade, embora também haja tato destituído de dor ou agrado. O odor, entretanto, é // sempre agradável ou desagradável; o paladar ainda mais. Portanto, esses dois últimos sentidos são os mais intimamente ligados à vontade. Eis por que sempre foram chamados de sentidos menos nobres e, por Kant, de sentidos subjetivos. Por conseguinte, a alegria proveniente da luz é de fato apenas a alegria derivada da possibilidade objetiva do modo de conhecimento intuitivo mais puro e perfeito. Nesse sentido, pode-se inferir que o conhecer puro, livre e isento de todo querer é o mais altamente aprazível e, nele mesmo, possui uma substancial participação na fruição estética. – A partir dessa consideração da luz deriva também a beleza inacreditavelmente grandiosa que conferimos a objetos refletidos n'água. Aquele tipo mais suave, mais rápido, mais sutil de ação dos corpos uns sobre os outros, ao qual agradecemos a de longe mais perfeita e pura de nossas percepções – a saber, a impressão mediante raios de luz refletidos –, é aqui trazido perante os olhos de maneira inteiramente distinta, clara, completa, em causa e efeito, numa escala grandiosa. Tal é a base de nossa alegria estética, que, no principal, enraíza-se integralmente no fundamento subjetivo da satisfação estética, e é alegria do puro conhecer e seus caminhos.[1]

### § 39

A todas essas considerações que intentam salientar a parte subjetiva da satisfação estética, vale dizer, que essa satisfação é a alegria do simples conhecimento intuitivo enquanto tal, em oposição à Vontade, liga-se imediatamente à seguinte explanação daquela disposição que se denominou sentimento do SUBLIME.

Já foi anteriormente observado que o pôr-se no estado do puro intuir ocorre da maneira mais fácil quando os próprios objetos se acomodam a tal estado, isto é, quando, mediante a sua figura multifacetada e ao mesmo tempo distinta e determinada, tornam-se facilmente representantes de suas Ideias, no que justamente consiste a beleza em // sentido objetivo. Sobretudo a bela natureza possui essa qualidade. Por conseguinte, ela desperta, até na pessoa mais insensível, ao menos uma satisfação estética fugaz. Sim, é notável como o reino vegetal em particular convida à consideração estética, como que a exige. Poder-se-ia até dizer que semelhante vir ao encontro de nós está ligado ao fato de tais seres orgânicos não serem, como o corpo animal, objeto imediato do conhecimento: por conseguinte, precisam de outro indivíduo dotado de entendimento para, a partir do mundo do querer cego, entrarem em cena no mundo como representação. Anseiam por essa entrada para conseguirem ao menos mediatamente o que lhes é negado imediatamente. Porém, não insistirei nesse pensamento arriscado, talvez beirando o excêntrico, pois apenas uma consideração bastante íntima e concentrada da natureza poderá provocá-lo e justificá-lo.[2] Enquanto esse vir-ao-encontro da natureza e a significação e distinção de suas formas mediante as quais nos falam as Ideias nelas individualizadas for o que nos tira do conhecimento das meras relações que servem à vontade, pondo-nos no estado de contemplação estética, para assim nos elevar a puro sujeito do conhecer destituído de Vontade, é simplesmente o BELO que age sobre nós, e o sentimento aí despertado é o da beleza. Contudo, se precisamente os objetos cujas figuras significativas nos convidam à sua pura contemplação têm uma relação hostil com a Vontade humana em geral, como exposta em sua objetidade, o corpo humano, e são-lhe contrários, ameaçando-o com toda a sua superpotência que elimina qualquer resistência, ou reduzindo-o a nada com toda a sua grandeza incomensurável; e se, apesar disso, o contemplador não dirige a sua atenção // a essa relação hostil, impositiva contra sua vontade, mas, embora a perceba e a reconheça, desvia-se dela com consciência, na medida em que se liberta violentamente da própria vontade e de sua relações, entregue agora tão somente ao conhecimento, e contempla calmamente como puro sujeito do conhecer destituído de Vontade exatamente aqueles objetos tão aterradores para a Vontade, apreendendo somente a sua Ideia alheia a qualquer relação, por conseguinte detendo-se de bom grado em sua contemplação, conseguintemente elevando-se por sobre si mesmo, sua pessoa, seu querer, qualquer querer –, então o que o preenche é o sentimento do SUBLIME, ele se encontra no estado de elevação, justamente também nomeando-se SUBLIME o objeto que ocasiona esse estado.[4] O que diferencia o sentimento do sublime do sentimento do belo é o seguinte. No belo o puro conhecimento ganhou a preponderância sem luta, pois a beleza do objeto, isto é, a sua índole facilitadora do conhecimento da Ideia, removeu da consciência, sem resistência e portanto imperceptivelmente, a vontade e o conhecimento das relações que a servem de maneira escrava; o que aí resta é o puro sujeito do conhecimento, sem nenhuma lembrança da vontade. No sublime, ao contrário, aquele estado de puro conhecimento é obtido por um desprender-se consciente e violento das relações do objeto com a vontade conhecidas como desfavoráveis, mediante

---

[4] Sublime aqui se escreve *Erhabenen*. Trata-se da substantivação do verbo *erheben,* elevar-se. O sublime, pois, é um estado de *Erhebung,* elevação. Já o objeto empírico que ocasiona tal estado é dito sublime, *erhaben.* Como se *vê,* um jogo de palavras feito por Schopenhauer com os termos *Erhabenen, Erhebung, erhaben.* (N. T.)

um livre elevar-se acompanhado de consciência para além da vontade e do conhecimento que a esta se vincula. Uma tal elevação tem de ser não apenas obtida com consciência, como também mantida com consciência, sendo, assim, acompanhada de uma contínua lembrança da Vontade, porém, não de um querer particular, individual, como o temor ou o desejo, mas da Vontade humana em geral, tal qual esta se exprime em sua objetidade, o corpo humano. Caso um ato isolado e real da Vontade entre em cena na consciência por meio de uma aflição efetiva pessoal e de um perigo advindo do objeto, imediatamente a vontade individual, assim efetivamente excitada, ganha a preponderância, e a calma da contemplação se torna impossível. A impressão do sublime se perde, visto que cede lugar à angústia; o esforço do indivíduo para se salvar reprime quaisquer outros pensamentos. – // Alguns exemplos contribuirão bastante para tornar clara essa teoria do sublime estético e assim a colocar fora de dúvida; ao mesmo tempo, eles mostrarão a diversidade de graus do sentimento do sublime. Este, como vimos, é em sua determinação fundamental uno com o sentimento do belo, com o conhecer puro destituído de Vontade, e com a entrada em cena necessária do conhecimento das Ideias alheias às relações determinadas pelo princípio de razão. Apenas por um acréscimo é que o sentimento do sublime se distingue do belo, a saber, pelo elevar-se para além da relação conhecida como hostil do objeto contemplado com a Vontade em geral. Nascem daí diversos graus de sublime, sim, gradações entre o belo e o sublime,[5] em função de semelhante acréscimo ser forte, clamoroso, impositivo, próximo, ou apenas fraco, distante, só indicado. Penso ser mais apropriado para a minha exposição primeiro trazer diante

I 239

---

[5] Traduzimos aqui *Übergänge* por "gradações", em vez de transições, como teríamos de fazê-lo se optássemos por uma versão mais comportada. Isso para diferenciar Schopenhauer de Kant, que opera uma "transição" *(Übergang)* definitiva entre o belo e o sublime no capítulo 23 da *Crítica da faculdade de juízo*. Schopenhauer, porém, emprega aqui o termo *Übergang* no sentido de transcurso gradual, sem que haja saída de um ponto e chegada a outro diferente. Como dito linhas antes pelo autor, o sentimento do sublime em sua determinação fundamental (Ideia intuída) é "uno" com o do belo, distinguindo-se deste apenas pelo "acréscimo" do elevar-se do contemplador para além da relação conhecida como desfavorável do objeto com a Vontade. Tanto *é* que Schopenhauer falará mais adiante do "sublime no belo" *(Erhabenen am Schönen)*. Com isso, o termo gradação funciona melhor porque indica os graus sequenciais em que suavemente o belo e o sublime se confundem de acordo com o estado estético em que se está, sem porém distinguirem-se em natureza. (N.T.)

dos olhos essas gradações e, em geral, os graus mais fracos de impressão do sublime, embora aqueles de receptividade estética não tão grande e fantasia não tão vivaz só possam compreender os exemplos que logo depois serão fornecidos dos graus mais elevados e distintos do sublime – únicos nos quais podem se deter, podendo portanto deixar de lado os primeiros exemplos dos graus mais débeis da mencionada impressão.

Assim como o homem é ímpeto tempestuoso e obscuro do querer (indicado pelo polo dos órgãos genitais, como seu foco), e simultaneamente sujeito eterno, livre, sereno, do puro conhecer (indicado pelo polo do cérebro), assim também, em conformidade com essa oposição, o sol é fonte de LUZ, é condição do modo mais perfeito de conhecimento e, justamente por isso, do que há mais aprazível nas coisas, e simultaneamente é fonte de CALOR, da primeira condição de qualquer vida, isto é, de todo fenômeno da Vontade em graus mais elevados. Assim, o que o calor é para a vontade, a luz é para o conhecimento. A luz é justamente por isso o maior diamante na coroa da beleza, e tem a mais decisiva influência no conhecimento de todo objeto belo: sua presença em geral é condição indispensável; seu posicionamento favorável incrementa até mesmo a beleza do que há de mais belo. Sobretudo o belo na arquitetura é incrementado por seu favor, com o qual inclusive a // coisa mais insignificante se torna objeto belo. – Ora, em meio ao inverno rigoroso, a toda natureza congelada, ao vermos os raios do sol nascente se refletirem na massa pétrea, iluminando-a sem aquecê-la, com o que apenas o modo mais puro de conhecimento é favorecido, não a vontade, a consideração do belo efeito da luz sobre essa massa nos coloca, como toda beleza, no estado do puro conhecer. Aqui, entretanto, mediante a breve lembrança da ausência de aquecimento por aqueles raios, portanto do princípio vivificador, já é preciso uma certa elevação sobre o interesse da vontade, um pequeno esforço é exigido para permanecer no puro conhecimento, com desvio de todo querer, justamente por aí operando-se uma transição[6] do sentimento do belo para o do sublime. Trata-se do traço mais tênue do sublime no belo, este último a aparecer aqui apenas em grau muito baixo. Um grau ainda mais baixo é o que se segue.

Transportemo-nos para uma região extremamente solitária, horizonte a se perder de vista sob o céu completamente sem nuvens,

---

[6] Cf. nota anterior. (N.T.)

árvores e plantas numa atmosfera inteiramente imóvel, nenhum animal, nenhum homem, nenhuma corrente de água, a quietude mais profunda. Uma tal cercania é como se fosse um apelo à seriedade, à contemplação com abandono de todo querer e sua indigência: mas justamente isso confere a uma tal cercania solitária e profundamente quieta um traço de sublime; pois, visto que não oferece objeto algum, nem favorável nem desfavorável à vontade ávida de ansiar e adquirir, permanece ali apenas o estado da contemplação pura, e quem não é capaz desta será sacrificado com ignomínia vergonhosa ao vazio da vontade desocupada, ao tormento do tédio. Na presença de uma semelhante cercania temos uma medida do nosso valor intelectual. Um bom critério desse é, em geral, o grau da nossa capacidade de suportar ou amar a solidão. A descrita cercania fornece, portanto, um exemplo do sublime em grau baixo, na medida em que nela, ao estado de puro conhecer, em sua paz e plena suficiência, mescla-se, como contraste, uma lembrança da dependência e pobreza de uma vontade necessitada de constantes empenhos. − Esse é o tipo // de sublime que celebrizou as pradarias ilimitadas no interior da América do Norte.

I 241

Se agora imaginarmos essa região também desnudada de plantas e mostrando apenas rochedos escarpados, então, mediante a completa ausência do orgânico necessário à nossa subsistência, a vontade já se angustia. O ermo assume um caráter amedrontador. Nossa disposição se torna mais trágica. A elevação ao puro conhecer ocorre com abandono decisivo do interesse da vontade, e, enquanto permanecemos no estado do puro conhecer, entra em cena de maneira bem distinta o sentimento do sublime.

Em grau ainda maior o sentimento do sublime pode ser ocasionado pela natureza em agitação tempestuosa. Semiescuridão e nuvens trovejantes, ameaçadoras. Rochedos escarpados, horríveis na sua ameaça de queda e que vedam o horizonte. Rumor dos cursos d'água espumosos. Ermo completo. Lamento do ar passando pelas fendas rochosas. Aí aparece intuitivamente diante dos olhos a nossa dependência, a nossa luta contra a natureza hostil, a nossa vontade obstada; porém, enquanto as aflições pessoais não se sobrepõem e permanecemos em contemplação estética, é o puro sujeito do conhecer quem mira através daquela luta da natureza, através daquela imagem da vontade obstada, para apreender de maneira calma, imperturbável, incólume *(unconcerned)*, as Ideias exatamente naqueles objetos que são ameaçadores e terríveis para a vontade. Precisamente nesse contraste reside o sentimento do sublime.

A impressão é ainda mais poderosa quando temos diante dos olhos a luta revoltosa das forças da natureza em larga escala, quando, nessa cercania, uma catarata a cair impede com seu estrépito que ouçamos a própria voz; ou quando nos postamos diante do amplo e tempestuoso mar: montanhas d'água sobem e descem, a rebentação golpeia violentamente os penhascos, espumas saltam no ar, a tempestade uiva, o mar grita, relâmpagos faíscam das nuvens negras e trovões explodem em barulho maior do que o da tempestade e do mar. Então, no imperturbável espectador dessa cena, a duplicidade de sua consciência atinge o mais elevado grau: ele se sente // simultaneamente como indivíduo, fenômeno efêmero da Vontade que o menor golpe daquelas forças pode esmagar, indefeso contra a natureza violenta, dependente, entregue ao acaso, um nada que desaparece em face de potências monstruosas, e também se sente como sereno e eterno sujeito do conhecer, o qual, como condição do objeto, é o sustentáculo exatamente de todo esse mundo, a luta temerária da natureza sendo apenas sua representação, *ele* mesmo repousando na tranquila apreensão das Ideias, livre e alheio a todo querer e necessidade. É a plena impressão do sublime, aqui ocasionada pela visão de uma potência superior ao indivíduo além de qualquer possibilidade de comparação, e que o ameaça com o aniquilamento.

De uma maneira completamente diferente nasce a impressão do sublime a partir da presentificação de uma simples grandeza no espaço e no tempo, cuja incomensurabilidade reduz o indivíduo a nada. Podemos denominar aquele primeiro tipo sublime dinâmico; este segundo, sublime matemático, guardando assim a nomenclatura kantiana e sua correta partição, embora nos distanciemos por completo dele na explicitação da essência íntima dessa impressão, isentando-a seja de reflexões morais, seja de hipóstases da filosofia escolástica.

Quando nos perdemos na consideração da grandeza infinita do mundo no espaço e no tempo, quando meditamos nos séculos passados e vindouros, ou também quando consideramos o céu noturno estrelado, tendo inumeráveis mundos efetivamente diante dos olhos e a incomensurabilidade do cosmo se impõe à consciência – sentimo-nos nessa consideração reduzidos a nada, sentimo-nos como indivíduo, como corpo vivo, como fenômeno transitório da Vontade, uma gota no oceano, condenados a desaparecer, a dissolvermo-nos no nada. Mas eis que se eleva simultaneamente contra tal fantasma de nossa nulidade, contra aquela impossibilidade mentirosa, a consciência imediata de que todos esses mundos existem apenas em nossa representação, apenas como modificações do eterno sujeito do puro conhecer, o qual nos sentimos tão logo esquecemos a individualidade, sujeito este que é o sustentáculo necessário e condicionante de todos os mundos e de todos os tempos. A grandeza do mundo, antes inquietante, repousa agora em nós. Nossa dependência dele é suprimida por // sua dependência de nós. – Tudo isso, contudo, não entra em cena imediatamente na reflexão, mas se mostra como uma consciência apenas sentida de que, em certo sentido (que apenas a filosofia pode revelar), somos unos com o mundo e, por conseguinte, não somos oprimidos por sua incomensurabilidade, mas somos elevados. É a consciência sentida daquilo que o *Upanixade* dos vedas já exprimiu repetidas vezes de maneira variada, em especial no dito antes citado: *Hae omnes creaturae in totum ego sum, et praeter me aliud ens non est,* todas essas criações em sua totalidade são eu, e exterior a mim não existe ser algum *(Upanixade,* XXIV, v.I, p.122). Trata-se de elevação para além do indivíduo, sentimento do sublime.[7]

I 243

Também se pode receber essa impressão do sublime matemático de uma maneira completamente imediata já através de um espaço que, considerado em comparação com a abóbada celeste, é pequeno, porém, por ser perceptível imediata e completamente, faz efeito sobre nós com sua inteira grandeza em todas as três dimensões, tornando a medida de nosso corpo quase que infinitamente pequena. Isso nunca pode ser ocasionado por um espaço vazio para a percepção, logo, por um espaço aberto, mas somente por um espaço perceptível imediatamente em todas as dimensões pela limitação, portanto uma cúpula enorme e bastante alta, como a da catedral de São Pedro em Roma, ou a de São Paulo em Londres. O sentimento do sublime nasce aqui pela percepção do nada esvaecente de nosso próprio corpo em face de uma grandeza que, por seu turno, se encontra apenas em nossa representação, cujo sustentáculo somos nós como sujeito que conhece; portanto, como em toda parte,

---

[7] Novamente o jogo de palavras entre *Erhebung,* elevação, e *Erhabenen,* sublime. (N.T.)

o sentimento do sublime nasce aqui do contraste da insignificância e dependência de nosso si-mesmo como indivíduo, como fenômeno da Vontade, com a consciência de nosso si-mesmo como puro sujeito do conhecer. Mesmo a abóbada do céu estrelado atua assim sobre nós, desde que seja considerada sem reflexão, não em sua verdadeira grandeza, mas sim em sua grandeza aparente. —Muitos objetos de nossa contemplação despertam a impressão do sublime pelo fato de, tanto em virtude de sua grandeza espacial quanto de sua avançada antiguidade, portanto de sua duração temporal, fazerem com que nos sintamos diante deles reduzidos a nada, não obstante deleitarmo-nos com sua visão. Desse tipo são as // altíssimas montanhas, as pirâmides do Egito, as ruínas colossais da grande Antiguidade.

I 243

Sim, também ao ético se deixa transmitir a nossa explanação do sublime, a saber, àquilo que se descreve como caráter sublime. Este também se origina do fato de a vontade não ser excitada por objetos que, normalmente, são propícios para excitá-la; ao contrário, também aí o conhecimento prepondera. Um semelhante caráter, consequentemente, considerará os homens de maneira puramente objetiva, não segundo as relações que poderiam ter com a sua vontade. O caráter sublime, por exemplo, notará erros, ódio, injustiça dos outros contra si, sem no entanto ser excitado pelo ódio; notará a felicidade alheia, sem no entanto sentir inveja; até mesmo reconhecerá as qualidades boas dos homens, sem no entanto procurar associação mais íntima com eles; perceberá a beleza das mulheres, sem cobiçá-las. A sua felicidade ou infelicidade pessoal não lhe abaterá mas, antes, será como o Horácio descrito por Hamlet:

> for *thou hast been*
> *As one, in suffering all, that suffers nothing;*
> *A man, that fortune's buffets and rewards*
> *Hast ta'en with equal thanks. etc. (A. 3. sc. 2.)* [8]

Pois, em seu próprio decurso de vida com seus acidentes, olhará menos a própria sorte e mais a da humanidade em geral, e, assim, conduzirá a si mesmo mais como quem conhece, não como quem sofre.

---

[8] "Fostes como alguém / Que sofrendo tudo, nada sofreu; / Um homem que recebeu equânime / Tanto a favorável quanto a desfavorável fortuna." (N.T.)

## § 40

Visto que os opostos se esclarecem, talvez seja aqui oportuna a observação de que o oposto propriamente dito do sublime é algo que, à primeira vista, não se reconhece como tal: o EXCITANTE. Entendo sob este termo aquilo // que estimula a vontade, apresentando-se diretamente à sua satisfação, ao seu preenchimento. – Se o sentimento do sublime nasce quando um objeto empírico desfavorável à vontade se torna objeto de pura contemplação, mantida mediante um contínuo desvio da vontade e elevação sobre seus interesses, o que justamente constitui a sublimidade da disposição, o excitante, ao contrário, faz descer o espectador da pura contemplação exigida para apreensão do belo, ao excitar necessariamente a sua vontade por meio de objetos empíricos que lhe são diretamente favoráveis; com isso, o puro contemplador não permanece mais puro sujeito do conhecer, mas se torna o necessitado e dependente sujeito do querer. – Que comumente todo belo mais jovial seja chamado excitante é algo a ser creditado a um conceito demasiado amplo, por falta de uma discriminação mais correta, e que tenho de colocar completamente de lado, sim, desprezar. – Na acepção já mencionada e explanada, encontro apenas dois tipos de excitante no domínio da arte, ambos indignos dela. Um deles, bem inferior, encontra-se nas naturezas-mortas dos neerlandeses, quando estes se equivocam na exposição de iguarias comestíveis que, por meio de sua apresentação ilusória, despertam necessariamente o apetite, um verdadeiro estímulo à vontade que põe fim a qualquer contemplação estética do objeto. Frutas pintadas ainda são aceitáveis, visto que, como um desenvolvimento tardio de flores, e pela sua forma e cor, oferecem-se como um belo produto natural, sem que se seja obrigado a pensar na sua comestibilidade. Mas, infelizmente, encontramos com frequência, pintadas com naturalidade ilusória, iguarias preparadas e servidas, ostras, arenques, lagostas, pães amanteigados, cerveja, vinho etc.; tudo isso é bastante repreensível. – Na pintura de gênero e na escultura o excitante consiste nas suas figuras nuas, cujo posicionamento, semipanejamento e todo o modo de execução são calculados para despertar a lubricidade do espectador, pelo que a pura consideração estética é de imediato suprimida e a obra se posta contra a finalidade da arte. Um tal erro corresponde por inteiro àquele dos neerlandeses anteriormente censurado. Os antigos, apesar da plena nudez e completa beleza de suas figuras, estão quase sempre livres desse erro, já que o artista mesmo as criou com espírito puramente objetivo, cheio de beleza ideal, // não com espírito de cobiça subjetiva, sensual. – O excitante, portanto, é em toda parte para ser evitado na arte.

I 246

Há também um excitante negativo, ainda mais repreensível que o recém-explanado excitante positivo. Trata-se do repugnante, o qual, assim como o excitante em sentido estrito, desperta a vontade do espectador e, com isso, destrói a pura consideração estética. Aqui, no entanto, o que é excitado é um violento não-querer, uma repulsa. A vontade é despertada na medida em que lhe são apresentados objetos de horror. Por isso se reconheceu desde sempre que o excitante negativo é inadmissível na arte, na qual até mesmo o feio é suportável, desde que não repugnante, e seja posto em lugar adequado, como veremos mais adiante.

### §41

O curso de nossa consideração tornou necessário incluir a elucidação do sublime ali onde a do belo foi efetuada apenas em sua metade, ou seja, só no tocante ao lado subjetivo. Pois é apenas uma modificação especial desse lado o que diferencia o sublime do belo, a saber, se o estado do puro conhecer destituído de Vontade, pressuposto e exigido por toda contemplação estética, apareceu por si mesmo sem resistência, mediante o simples desaparecer da vontade da consciência, na medida em que o objeto convida e atrai para isso, ou se semelhante estado foi alcançado por elevação livre e consciente por sobre a vontade, em referência à qual o objeto empírico contemplado tem uma relação até mesmo desfavorável, hostil, e que suprimiria a contemplação, caso nos detivéssemos nele. Eis aí a diferença entre belo e sublime. Quanto ao objeto, no entanto, belo e sublime não são essencialmente diferentes. Pois em cada um deles o objeto da consideração estética não é a coisa isolada, mas a Ideia que nela se esforça por revelação, isto é, a objetidade adequada da Vontade num grau determinado. O correlato necessário da Ideia e, tanto quanto esta, independente do princípio de razão, é o puro sujeito do conhecer, assim como o correlato da coisa isolada é o indivíduo cognoscente, os dois últimos residindo no domínio do princípio de razão.

I 247

// Quando nomeamos um objeto BELO, dizemos que ele é objeto de nossa consideração estética, e isso envolve dois fatores.

Primeiro, a sua visão nos torna OBJETIVOS, isto é, na sua contemplação estamos conscientes de nós mesmos não como indivíduos mas como puro sujeito do conhecer destituído de Vontade. Segundo, conhecemos no objeto não a coisa particular mas uma Ideia, o que só ocorre caso a nossa consideração do objeto não esteja submetida ao princípio de razão, não siga uma relação do objeto com algo exterior a ele (o que em última instância sempre se conecta a uma relação com nossa vontade), mas repouse no objeto mesmo. Pois a Ideia e o puro sujeito do conhecer sempre entram em cena na consciência simultaneamente como correlatos necessários. Com essa entrada em cena desaparece também concomitantemente toda diferença temporal, pois os dois são completamente alheios ao princípio de razão em todas as suas figuras e estão fora das relações por ele estabelecidas: são comparáveis ao arco-íris e ao sol, que não têm participação alguma no movimento incessante e na sucessão de gotas que caem. Por conseguinte, *se,* por exemplo, conheço esteticamente uma árvore, ou seja, com olhos artísticos, portanto não ela, mas a sua Ideia, é sem significação se a árvore intuída é exatamente esta ou seu ancestral vicejante há milhares de anos. Do mesmo modo, é indiferente se o espectador é este ou aquele outro indivíduo que viveu numa época e num lugar diferentes; pois, juntamente com o princípio de razão, foram suprimidos tanto a coisa individual quanto o indivíduo que conhece, restando somente a Ideia e o puro sujeito do conhecer, os quais, juntos, constituem a objetidade adequada da Vontade nesse grau. A Ideia está isenta não apenas do tempo, mas também do espaço: a Ideia não é propriamente uma figura espacial que oscila diante de mim; ao contrário, é a expressão, a significação pura, o ser mais íntimo da figura, que se desvela e fala para mim. Ideia que é integralmente a mesma, apesar da grande diversidade das relações espaciais da figura.

I 248
Visto que, de um lado, toda coisa existente pode ser considerada de maneira puramente objetiva e exterior a qualquer relação, e, de outro, a Vontade aparece em toda coisa num grau determinado de sua // objetidade, expressão de uma Ideia, segue-se daí que toda coisa é BELA. – Que também o insignificante possa tornar-se objeto de uma consideração puramente objetiva e destituída de vontade, e assim se justifique como belo, atesta-o, nesse sentido, as mencionadas naturezas-mortas dos neerlandeses (§ 38). Uma coisa é mais bela que outra quando facilita a pura consideração objetiva, vem-lhe ao encontro,

sim, como que compele a isso: então a nomeamos muito bela. Esse é o caso, primeiro, quando algo isolado exprime de modo puro a Ideia de sua espécie mediante proporção bem distinta, puramente determinada, inteiramente significativa de suas partes, reunindo em si todas as exteriorizações possíveis da Ideia de sua espécie e a manifestando com perfeição: justamente por aí a coisa isolada facilita bastante ao espectador a transição para a Ideia, o qual atinge assim o estado de intuição pura; segundo, quando aquela vantagem da beleza particular de um objeto reside em a Ideia mesma a exprimir-se a partir dele ser um grau superior de objetidade da Vontade e, por conseguinte, diz muito mais, é mais significativo. Eis por que o ser humano, mais do que qualquer outra coisa, é belo, e a manifestação de sua essência é o fim supremo da arte. A figura e expressão humanas são o objeto mais significativo das artes plásticas, assim como as ações humanas o são da poesia. – Contudo, cada coisa possui a sua beleza específica: não apenas cada ser orgânico que se expõe na unidade de uma individualidade, mas também cada ser inorgânico e informe, sim, cada artefato; pois todos manifestam as Ideias, pelas quais a Vontade se objetiva nos graus mais baixos, dando, por assim dizer, o tom mais profundo e grave da harmonia da natureza. Gravidade, rigidez, fluidez, luz, etc. são as Ideias que se exprimem em rochedos, edifícios, correntezas d'águas. As belas jardinagem e arquitetura podem apenas ajudá-las a desdobrar suas qualidades distintamente, de maneira multifacetada e plena, oferecendo-lhes oportunidade de se exprimir puramente, com o que justamente clamam por consideração estética, facilitando-a. Consideração essa que é pouco ou nada permitida por edifícios ruins ou ambientes que negligenciam a natureza e assim corrompem a arte. Todavia, mesmo de tais objetos as Ideias fundamentais e gerais da natureza não podem ser totalmente // banidas. Elas ainda falarão mediante semelhantes objetos ao espectador que as procure. Mesmo edifícios ruins ainda são passíveis de consideração estética: as Ideias das qualidades gerais da sua matéria permanecem reconhecíveis, apesar de a forma artificiosa ali empregada não ser nenhum meio de facilitação da Ideia, mas, antes, um obstáculo que dificulta a consideração estética. Também artefatos servem, em consequência, para a expressão de Ideias. Porém, não é a Ideia de artefato que se exprime a partir deles, mas a do material ao qual se deu essa forma artística. Na língua dos escolásticos isso é dito bem confortavelmente com duas palavras, a saber, no artefato exprime-se a sua *forma substantialis,* forma substancial, não a sua forma forma *accidentalis,* forma acidental. Esta última não conduz a Ideia alguma mas apenas a um conceito humano da qual se originou. Excusado é dizer que por artefato não entendemos, expressamente, nenhuma obra da arte plástica. De resto, os escolásticos compreendiam sob *forma substantialis,* em verdade, aquilo que nomeio grau de objetivação da Vontade em uma coisa. Retornarei à forma de expressão da Ideia de material quando da consideração da bela arquitetura. – Em conformidade com nossa visão, não podemos concordar com Platão, quando este afirma *(Rep.,* X, 596 b; *Parmen.,* 130 b-d) que mesa e cadeira expressam as Ideias de mesa e cadeira. Ao contrário, dizemos que elas expressam as Ideias que já se exprimem em seu mero material. Porém, conforme Aristóteles *(Met.,* XI, cap. 3), Platão mesmo estatuíra somente Ideias de seres naturais: ὁ Πλατων εφη, ότι είδη εστιν όποσα φυσει. *(Plato dixit, quod ideae eorum sunt, quae natura sunt)*[9] e no cap. 5 é dito que, conforme os platônicos, não há Ideia alguma de casa e anel. Em todo caso, já os discípulos mais próximos de Platão, como relata Alcino, negavam que houvesse Ideia de artefatos. Ele diz: Ὁρίζονται δε την ιδεαν, παραδειγμα των κατα φυσιν αιωνιον. Ουτε γαρ τοις πλειστοις των απο Πλατωνος αρεσκει, των τεχνικων ειναι ιδεας, οίον ασπιδος η λυρας, ουτε μην των παρα φυσιν, οίον πυρετου και χολερας, // ούτε των κατα μερος, οίον Σωκρατους και Πλατωνος, αλλ' ουτε των ευτελων τίνος, οίον ρυπου και καρφους, ̔ ουτε των προς τι, οίον μείζονος και ύπερεχοντος ειναι γαρ τας ιδεας νοησεις θεου αιωνιους τε και αυτοτελεις.– *(Definiunt autem ideam exemplar aeternum* eorum, *quae secundum naturam existunt. Nam plurimis ex iis, qui Platonem secuti sunt, minime placuit, arte factorum ideas esse, ut clypei atque Lyrae; neque rursus eorum, quae praeter naturam, ut febris et cholerae; neque particularium, ceu Socratis et Platonis; neque etiam rerum vilium, veluti sordium et festucae; neque relationum, ut majoris et excedentis: esse namque ideas intellectiones dei aeternas, ac seipsis perfectas.)*[10] – Nesta ocasião é preciso ainda mencionar um outro ponto

I 250

---

[9]  Platão ensinou que há tantas Ideias quanto há coisas naturais." (N. T.)

[10]  "Definem Ideia como arquétipos eternos das coisas naturais. Muitos dos discípulos de Platão não admitem que haja Ideias de artefatos, isto é, de clípeos ou liras, ou de coisas contra a natureza, como febre e cólera, nem de seres individuais, como Sócrates e Platão, muito menos de coisas insignificantes, como adornos e pequenos pedaços, ou ainda de relações como ser maior ou menor, pois as Ideias são os pensamentos eternos e acabados de deus." (N. T.)

da doutrina platônica das Ideias, em relação ao qual a nossa doutrina se distancia bastante: quando ele ensina *(Rep.* X, 597 d - 598 a) que o objeto cuja exposição a bela arte intenta, o modelo da pintura e da poesia, não seria a Ideia, mas a coisa individual. Minha visão inteira da arte e do belo afirma justamente o contrário, e tampouco a opinião de Platão nos fará errar; em verdade, ela é a fonte de um dos maiores e mais reconhecidos erros daquele grande homem, a saber, a depreciação e rejeição da arte, em especial da poesia. Seus falsos juízos sobre esta estão diretamente associados à mencionada passagem.

### § 42

Retorno ao meu tratamento filosófico da impressão estética. O conhecimento do belo supõe sempre, inseparável e simultaneamente, o puro sujeito que conhece e a Ideia conhecida como objeto. Todavia, a fonte da fruição estética residirá ora mais na apreensão da Ideia conhecida, ora mais na bem-aventurança e tranquilidade espiritual do conhecer puro, livre de todo querer e individualidade e do tormento ligado a ela. A predominância de um ou outro componente da fruição estética dependerá de a Ideia apreendida intuitivamente ser um grau elevado ou mais baixo de objetidade da Vontade. Assim, tanto na consideração estética (na efetividade, ou pelo médium da arte) da bela natureza nos reinos inorgânico e vegetal, quanto nas obras da bela arquitetura, a fruição do puro conhecer destituído de vontade será preponderante, porque as Ideias aqui apreendidas são graus mais baixos de objetidade da Vontade, por conseguinte não são fenômenos de significado mais profundo e conteúdo mais sugestivo. Se, ao contrário, o objeto da consideração ou da exposição estética forem animais e homens, a fruição residirá mais na apreensão objetiva dessas Ideias, as quais são a manifestação mais clara da Vontade, pois expõem a grande variedade de figuras, a riqueza e o significado profundo dos seus fenômenos, logo, manifestam da maneira mais perfeita a essência da Vontade em sua veemência, sobressalto, satisfação, ou em sua discórdia (exposições trágicas), finalmente até mesmo em sua viragem ou auto-supressão, que, em especial, é o tema da pintura cristã. De modo geral a pintura de gênero e o drama têm por objeto a Ideia da Vontade iluminada por pleno conhecimento. — Passarei agora em revista as artes particulares, pelo que justamente a exposta teoria do belo adquirirá mais nitidez e completude.

# Notas

i Cf. cap. 33 do segundo tomo.

ii Tanto mais me alegra e surpreende agora, quarenta anos após conceber o pensamento anterior tão tímida e hesitantemente, a descoberta de que já Santo Agostinho o havia expressado: *Arbusta formas suas varias, quibus mundi hujus visibilis structura formosa est, sentiendas sensibus praebent; ut,* pro *eo quod nosse non possunt, quasi innotescere velle videantur. (De civ. Dei,* XI, 27.) [As árvores oferecem à percepção dos sentidos as suas formas variadas com as quais a estrutura deste mundo visível é adornada, de tal maneira que, por serem incapazes de *conhecer,* podem aparecer como se quisessem *ser conhecidas.]*

**Karl Marx**

Manuscritos
econômico-filosóficos
e Grundrisse

# Manuscritos econômico-filosóficos e Grundrisse*

## Karl Marx (1818–1883)

Traduções
*Jesus Ranieri*
*Mario Duayer*

---

A história é o solo sobre o qual a arte pode florescer. Afinal, apenas ironicamente, assumiríamos que "a concepção da natureza e das relações sociais, que é a base da imaginação grega e, por isso, da [mitologia] grega, é possível com 'máquinas de fiar automáticas', ferrovias, locomotivas e telégrafos elétricos". No entanto, como explicar que, ainda após a descoberta da pólvora, a *Ilíada* provoca deleite? Ou seja, como explicar que, mesmo distante da antiguidade, e mesmo com a sensibilidade empobrecida pelas condições de vida na modernidade, ainda encontramos prazer estético em uma obra de arte grega? Agora, apresentamos ao leitor dois trechos de Karl Marx (1818–1883), dos *Manuscritos econômico-filosóficos* (1844) e dos *Grundrisse* (1858), nos quais o autor respectivamente disserta sobre a sensibilidade humana e o valor da história para a constituição do significado da obra de arte.

**Temas:** história, literatura, mitologia grega, sociedade, economia.

---

\* MARX, K. *Manuscritos Econômico-Filosóficos*. São Paulo: Boitempo, 2004. p. 108-114. MARX, K. *Grundrisse*. São Paulo: Boitempo, 2011. p. 62-64. Agradecemos à Editora Boitempo por autorizar a utilização do texto.

# Manuscritos Econômico-Filosóficos[1]

A propriedade privada nos fez tão cretinos e unilaterais que um objeto somente é o *nosso* [objeto] se o temos, portanto, quando existe para nós como capital ou é por nós imediatamente possuído, comido, bebido, trazido em nosso corpo, habitado por nós, etc., enfim, *usado*. Embora a propriedade privada apreenda todas essas efetivações imediatas da própria posse novamente apenas como *meios de vida*, e a vida, à qual servem de meio, é a *vida* da *propriedade privada*: trabalho e capitalização.

O lugar *de todos* os sentidos físicos e espirituais passou a ser ocupado, portanto, pelo simples estranhamento de todos esses sentidos, pelo sentido de *ter*. A essa absoluta miséria tinha de ser reduzida a essência humana, para com isso trazer para fora de si sua riqueza interior. (Sobre a categoria do *ter* vide *Hess* nas "Vinte e uma páginas de impressão"[2]).

---

[1] MARX, KARL. *Manuscritos econômico-filosóficos*. Tradução de Jesus Ranieri. São Paulo: Boitempo, 2004. p. 108-114.

[2] A respeito, cf. Hess, Moses. "Philosophie der That". In: *Einundzwanzig Bogen aus der Schweiz*, editado por Georg Herwegh, Zürich, Winterthur, 1843, primeira parte, p. 329. "A propriedade material é o ser para si (*Fürsichsein*) do espírito tornado ideia fixa. Porque ele concebe o trabalho, a elaboração ou manifestação ativa (*Hinausarbeiten*) de seu si não como seu ato livre, como sua própria vida espiritual, mas [o] compreende como um outro material, está também obrigado a conservar-se para si mesmo, não se perder na infinitude, chegar ao seu ser para si. Mas a propriedade termina, aquela que enclausura o espírito que deve ser, a saber, seu ser para si, quando a ação não [está] na criação, mas no resultado, o universo enquanto efêmero, compreende seu ser-outro enquanto seu ser para si e, com ambas as mãos, é con-

A suprassunção da propriedade privada é, por conseguinte, a *emancipação* completa de todas as qualidades e sentidos humanos; mas ela é essa emancipação justamente pelo fato de esses sentidos e propriedades terem se tornado *humanos*, tanto subjetiva quanto objetivamente. O olho se tornou olho *humano*, da mesma forma como o seu *objeto* se tornou um objeto social, *humano*, proveniente do homem para o homem. Por isso, imediatamente em sua práxis, os *sentidos* se tornaram *teoréticos*. Relacionam-se com a *coisa* por querer a coisa, mas a coisa mesma é um comportamento *humano objetivo* consigo própria e com o homem, e vice-versa. Eu só posso, em termos práticos, relacionar-me humanamente com a coisa se a coisa se relaciona humanamente com o homem. A carência ou a fruição perderam, assim, a sua natureza *egoísta* e a natureza a sua mera *utilidade* (*Nützlichkeit*), na medida em que a utilidade (*Nutzen*) se tornou utilidade *humana*.

Da mesma maneira, os sentidos e o espírito do outro homem se tornaram a minha *própria* apropriação. Além desses órgãos imediatos formam-se, por isso, órgãos *sociais*, na *forma* da sociedade, logo, por exemplo, a atividade em imediata sociedade com outros, etc., tornou-se um órgão da minha *externação de vida* e um modo da apropriação da vida *humana*.

Compreende-se que o olho *humano* frui de forma diversa da que o olho rude, não humano [frui]; o *ouvido* humano diferentemente da do ouvido rude etc.

Nós vimos. O homem só não se perde em seu objeto se este lhe vem a ser como objeto *humano* ou homem objetivo. Isso só é possível na medida em que ele vem a ser objeto *social* para ele, em que ele próprio se torna ser social (*gesellschaftliches Wesen*), assim como a sociedade se torna ser (*Wesen*) para ele neste objeto.

Consequentemente, quando, por um lado, para o homem em sociedade a efetividade objetiva (*gegenständliche Wirklichkeit*) se torna em toda parte efetividade humana e, por isso, efetividade de suas *próprias* forças essenciais, todos os objetos tornam-se [a] *objetivização* de si

---

servado. Isto é, precisamente, a mania do ser (*Seinsucht*), ou seja, o sentido que subsiste enquanto individualidade determinada, enquanto eu delimitado, enquanto essência finita – que conduz à mania do ter (*Habsucht*). Isto é, novamente, a negação de toda determinidade, do eu abstrato e do comunismo abstrato, o resultado da insignificante 'coisa em si' (*Ding an sich*), do criticismo e da revolução, do insatisfeito dever (*Sollens*), que levou ao ser e ao ter. Que se transformou, de verbo auxiliar, em substantivo".

mesmos para ele, objetos que realizam e confirmam sua individualidade enquanto objetos *seus*, isto é, *ele mesmo* torna-se objeto. *Como* se tornam seus para ele, depende da *natureza do objeto* e da natureza da força essencial que corresponde a *ela*, pois precisamente a *determinidade* desta relação forma o modo particular e *efetivo* da afirmação. Ao *olho* um objeto se torna diferente do que ao *ouvido*, e o objeto do olho *é* um outro que o do *ouvido*. A peculiaridade de cada força essencial é precisamente a sua *essência peculiar*, portanto também o modo peculiar da sua objetivação, do seu *ser* vivo *objetivo-efetivo* (*gegenständliches wirkliches lebendiges Sein*). Não só no pensar, || VIII | portanto, mas com *todos* os sentidos o homem é afirmado no mundo objetivo.

Por outro lado, subjetivamente apreendido: assim como a música desperta primeiramente o sentido musical do homem, assim como para o ouvido não musical a mais bela música não tem *nenhum* sentido, é nenhum objeto, porque o meu objeto só pode ser a confirmação de uma das minhas forças essenciais, portanto só pode ser para mim da maneira como a minha força essencial é para si como capacidade subjetiva, porque o sentido de um objeto para mim (só tem sentido para um sentido que lhe corresponda) vai precisamente tão longe quanto vai o *meu* sentido, por causa disso é que os *sentidos* do homem social são sentidos *outros* que não os do não social; [é] apenas pela riqueza objetivamente desdobrada da essência humana que a riqueza da sensibilidade *humana* subjetiva, que um ouvido musical, um olho para a beleza da forma, em suma as fruições humanas todas se tornam *sentidos* capazes, sentidos que se confirmam como forças essenciais *humanas*, em parte recém-cultivados, em parte recém-engendrados. Pois não só os cinco sentidos, mas também os assim chamados sentidos espirituais, os sentidos práticos (vontade, amor, etc.), numa palavra o sentido *humano*, a humanidade dos sentidos, vem a ser primeiramente pela existência do *seu* objeto, pela natureza *humanizada*.

A *formação* dos cinco sentidos é um trabalho de toda a história do mundo até aqui. O *sentido* constrangido à carência prática rude também tem apenas um sentido *tacanho*. Para o homem faminto não existe a forma humana da comida, mas somente a sua existência abstrata como alimento; poderia ela justamente existir muito bem na forma mais rudimentar, e não há como dizer em que esta atividade de se alimentar se distingue da atividade *animal* de alimentar-se. O homem carente, cheio de preocupações, não tem nenhum *sentido* para o mais belo espetáculo; o comerciante de minerais vê apenas o valor mercantil, mas não a beleza e a natureza peculiar do mineral; ele não tem sentido mineralógico algum; portanto, a objetivação da essência humana, tanto do ponto de vista teórico quanto prático, é necessária tanto para fazer *humanos* os *sentidos* do homem quanto para criar *sentido humano* correspondente à riqueza inteira do ser humano e natural.

Assim como pelo movimento da *propriedade privada* e da sua riqueza, assim como da sua miséria – ou da riqueza e miséria materiais e espirituais – a sociedade que vem a ser encontra todo o material para essa *formação, assim* também a sociedade que *veio a ser* produz o homem nessa total riqueza da sua essência, o homem *plenamente rico e profundo* enquanto sua permanente efetividade.

Vê-se como subjetivismo e objetivismo, espiritualismo e materialismo, atividade e sofrimento perdem a sua oposição apenas quando no estado social e, por causa disso, a sua existência enquanto tais oposições; vê-se como a própria resolução das oposições *teóricas só* é possível de um modo *prática*, só pela energia prática do homem e, por isso, a sua solução de maneira alguma é apenas uma tarefa do conhecimento, mas uma *efetiva* tarefa vital que a *filosofia* não pôde resolver, precisamente porque a tomou *apenas* como tarefa teórica.

Vê-se como a história da *indústria* e a existência *objetiva* da indústria conforme veio a ser são o livro *aberto* das *forças essenciais humanas,* a *psicologia* humana presente sensivelmente, a qual não foi, até agora, apreendida em sua conexão com a *essência* do homem, mas sempre apenas numa relação externa de utilidade, porque – movendo-se no interior do estranhamento – só sabia apreender enquanto efetividade das forças essenciais humanas e enquanto *atos genéricos humanos* a existência universal do homem, a religião, ou a história na sua essência universal-abstrata, enquanto política, arte, literatura, etc. | | IX | Na *indústria material, comum* (– que justamente se apreende tanto como uma parte daquele movimento universal, quanto se pode fazer dela mesma uma parte *particular* da indústria, já que toda a atividade humana até agora era trabalho, portanto, indústria, atividade estranhada de si mesma –) temos diante de nós as *forças essenciais objetivadas* do homem sob a forma de *objetos sensíveis, estranhos, úteis*, sob a forma de estranhamento. Uma *psicologia* para a qual esse livro, portanto precisamente a parte mais presente e perceptível de modo sensível, a parte mais acessível da história, está fechado, não pode[ndo] se tornar uma ciência *real*, plena de conteúdo efetivo. O que se deve pensar, em geral, de uma ciência que abstrai *solenemente* dessa grande parte do trabalho humano e não sente em si mesma a sua incompletude, enquanto uma riqueza do fazer humano assim expandida nada lhe diz senão, talvez, o que se pode dizer numa palavra: *"carência"*, *"carência comum!"*?

As *ciências naturais* desenvolveram uma enorme atividade e se apropriaram de um material sempre crescente. Entretanto, a filosofia permaneceu para elas tão estranha justamente quanto elas permaneceram estranhas para a filosofia. A fusão momentânea foi apenas uma *ilusão fantástica*. Havia a vontade, mas faltava a capacidade. A própria historiografia só de passagem leva em consideração a ciência natural como momento do esclarecimento (*Aufklärung*), da utilidade, de grandes descobertas singulares. Mas quanto mais a ciência natural interveio de modo *prático* na vida humana mediante a indústria, reconfigurou-a e preparou a emancipação humana, tanto mais teve de completar, de maneira imediata, a desumanização. A *indústria* é a relação histórica *efetiva* da natureza e, portanto, da ciência natural com o homem; por isso, se ela é apreendida como revelação *exotérica* das *forças essenciais* humanas, então também a essência *humana* da natureza ou a essência *natural* do homem é compreendida dessa forma, e por isso a ciência natural perde a sua orientação abstratamente material, ou antes idealista, tornando-se a base da ciência *humana*, como agora já se tornou – ainda que em figura estranhada – a base da vida efetivamente humana; uma *outra* base para a vida, uma outra para a *ciência* é de antemão uma mentira. A natureza que vem a ser na história humana – no ato de surgimento da história humana – é a natureza *efetiva* do homem, por isso a natureza, assim como vem a ser por intermédio da indústria, ainda que em figura *estranhada*, é a natureza *antropológica* verdadeira.

A *sensibilidade* (vide Feuerbach) tem de ser a base de toda ciência. Apenas quanto esta parte daquela na dupla figura tanto da consciência *sensível* quanto da carência *sensível* – portanto apenas quando a ciência parte da natureza – ela é ciência *efetiva*.[3] A fim de que o *"homem"* se

---

[3] Feuerbach, Ludwig. *Vorläufige Thesen zur Reformation der Philosophie*. In: *Anekdota zur neuesten deutschen Philosophie und Publicistik*, editado por Arnold Ruge, v. 2, Zürich, Winterthur, 1843, p. 84–85. E também, do mesmo autor: *Grundsätze der Philosophie der Zukunft, Zürich*, Winterthur, 1843, p. 58–70.

torne objeto da consciência *sensível* e a carência do "homem enquanto homem" se torne necessidade (*Bedürfnis*), para isso a história inteira é a história da preparação / a história do desenvolvimento. A história mesma é uma parte *efetiva* da *história natural*, do devir da natureza até o homem. Tanto a ciência natural subsumirá mais tarde precisamente a ciência do homem quanto a ciência do homem subsumirá sob si a ciência natural: será *uma* ciência. | | X | O *homem* é o objeto imediato da ciência natural; pois a *natureza sensível* imediata para o homem é imediatamente a sensiblidade humana (uma expressão idêntica), imediatamente como o homem *outro* existindo sensivelmente para ele; pois sua própria sensibilidade primeiramente existe por intermédio do *outro* homem enquanto sensibilidade humana para ele mesmo. Mas a *natureza* é o objeto imediato da *ciência do homem*. O primeiro objeto do homem – o homem – é natureza, sensibilidade, e as forças essenciais humanas sensíveis particulares; tal como encontram apenas em objetos *naturais* sua efetivação objetiva, [essas forças essenciais humanas] podem encontrar apenas na ciência do ser natural em geral seu conhecimento de si. O elemento do próprio pensar, o elemento da externação de vida do pensamento, a *linguagem*, é de natureza sensível. A efetividade *social* da natureza e a ciência natural *humana* ou a *ciência natural do homem* são expressões idênticas.

Vê-se como o lugar da *riqueza* e da *miséria* nacional-econômicas é ocupado pelo *homem rico* e pela necessidade (*Bedürfnis*) *humana* rica. O homem *rico* é simultaneamente o homem *carente* de uma totalidade da manifestação humana de vida. O homem, no qual a sua efetivação própria existe como necessidade (*Notwendigkeit*) interior, como *falta* (*Not*). Não só a *riqueza*, também a *pobreza* do homem consegue na mesma medida – sob o pressuposto do socialismo – uma significação *humana* e, portanto, social. Ela é o elo passivo que deixa sentir ao homem a maior riqueza, o *outro* homem como necessidade (*Bedürfnis*). A dominação da essência objetiva em mim, a irrupção da minha atividade essencial é a *paixão*, que com isto se torna a *atividade* da minha essência.

5) Um *ser* se considera primeiramente como independente tão logo se sustente sobre os próprios pés, e só se sustenta primeiramente sobre os próprios pés tão logo deva a sua *existência* a si mesmo. Um homem que vive dos favores de outro se considera como um ser dependente. Mas eu vivo completamente dos favores de outro quando lhe

devo não apenas minha *vida*; quando ele é a *fonte* da minha vida, e minha vida tem necessariamente um tal fundamento fora de si quando ela não é a minha própria criação. A *criação* é, portanto, uma representação (*Vorstellung*) muito difícil de ser eliminada da consciência do povo. O ser-por-si-mesmo (*Durchsichselbstsein*) da natureza e do homem é *inconcebível* para ele porque contradiz todas as *palpabilidades* da vida prática.

A criação da *terra* recebeu um violento golpe da *geognosia*,[4] isto é, da ciência que expõe a formação da terra, o vir a ser da terra como um processo, como autoengendramento. A generatio aequivoca [geração espontânea] é a única refutação prática da teoria da criação.[5]

Ora, é certamente fácil dizer ao indivíduo singular o que já diz Aristóteles[6]: foste gerado por teu pai e tua mãe, portanto, a cópula de dois seres humanos, logo um ato genérico do ser humano, produziu o ser humano em ti. Vês, portanto, que também fisicamente o ser humano deve sua existência ao ser humano. Tens de manter, portanto, não apenas *um* dos lados sob os olhos, o progresso infinito, segundo o qual continuas a perguntar: quem gerou o meu pai, a quem gerou o seu avô, etc. Tens também de não largar o *movimento circular*, que é sensivelmente intuível naquele progresso, segundo o qual o homem repete a si próprio na procriação, portanto, o ser humano permanece[ndo] sempre sujeito.

Responderás, porém: concedido a ti esse movimento circular, concede-me tu o progresso, que sempre me impele a continuar, até que eu pergunte: quem gerou o primeiro ser humano e a natureza em geral?

Só posso responder-te: a tua pergunta é, ela mesma, um produto da abstração. Pergunta-te como chegas àquela pergunta; interroga-te se a tua pergunta não ocorre a partir de um ponto de vista ao qual eu não posso responder porque ele é um ponto de vista invertido. Se tu te

---

[4] A geognosia nasceu na Bergakademir, Freiberg (Saxônia), por iniciativa de Abraham Gottlob Werner, no ano de 1780, como uma ciência particular de estudo da formação da terra, da estrutura do globo terrestre e de sua composição mineral. A respeito, vide: Hegel, Georg Wilhelm Friedrich. *Vorlesungen üben die Naturphilosophie als der Encyclopädie der philosophischen Wissenchaften im Grudrisse*, parte 2, editado por Karl Ludwig Michelet, Berlim, 1842, p. 432-440.

[5] A respeito, vide Hegel, Georg Wilhelm Friedrich. *Vorlesungen über die Naturphilosophie...*, cit., p. 455-470.

[6] Cf. provavelmente Aristóteles, *Metafísica*, VIII, 4. Vide também Hegel, Georg Wilhelm Friedrich. *Vorlesungen über die Naturphilosophie...*, cit. p. 646-647.

perguntas pela criação da natureza e do ser humano, abstrais, portanto do ser humano e da natureza. Tu os assentas como *não-sendo* e ainda queres, contudo, que eu te os prove como *sendo*. Digo-te, agora: se renuncias à tua abstração também renuncias à tua pergunta ou, se quiseres manter a tua abstração, sê então consequente, e quanto pensando pensas o ser humano e a natureza como *não-sendo* | | XI |, então pensa-te a ti mesmo como não-sendo, tu que também és natureza e ser humano. Não penses, não me perguntes, pois, tão logo pensas e perguntas, tua *abstração* do ser da natureza e do homem não tem sentido algum. Ou és um tal egoísta que assentas tudo como nada e queres, tu mesmo, ser?

Tu replicar podes a mim: eu não quero assentar o nada da natureza etc.; pergunto-te pelo *ato de surgimento* dela, assim como pergunto ao anatomista pela formação dos ossos, etc.

Mas, na medida em que, para o homem socialista, *toda a assim denominada história mundial* nada mais é do que o engendramento do homem mediante o trabalho humano, enquanto o vir a ser da natureza para o homem, então ele tem, portanto, a prova intuitiva, irresistível, do seu *nascimento* por meio de si mesmo, do seu *processo de geração*. Na medida em que a *essencialidade* (*Wesenhaftigkeit*) do ser humano e da natureza se tornou prática, sensivelmente intuível; na medida em que o homem [se tornou prática, sensivelmente intuível] para o homem enquanto existência da natureza e a natureza para o homem enquanto existência do homem, a pergunta por um ser *estranho*, por um ser acima da natureza e do homem – uma pergunta que contém a confissão da inessencialidade da natureza e do homem – tornou-se praticamente impossível.

## Grundrisse

Na arte, é sabido que determinadas épocas de florescimento não guardam nenhuma relação com o desenvolvimento geral da sociedade, nem, portanto, com o da base material, que é, por assim dizer, a ossatura de sua organização. Por exemplo, os gregos comparados com os modernos, ou mesmo com Shakespeare. Para certas formas de arte, a epopeia, por exemplo, é até mesmo reconhecido que não podem ser produzidas em sua forma clássica, que fez época, tão logo entre em cena a produção artística enquanto tal; que, portanto, no domínio da própria arte, certas formas significativas da arte só são possíveis em um estágio pouco desenvolvido do desenvolvimento artístico. Se esse é o caso na relação dos diferentes gêneros artísticos no domínio da arte, não surpreende que seja também o caso na relação do domínio da arte como um todo com o desenvolvimento geral da sociedade. A dificuldade consiste simplesmente na compreensão geral dessas contradições. Tão logo são especificadas, são explicadas.

Consideremos, p. ex., a relação da arte grega e, depois, a de Shakespeare, com a atualidade. Sabe-se que a mitologia grega foi não apenas o arsenal da arte grega, mas seu solo. A concepção da natureza e das relações sociais, que é a base da imaginação grega e, por isso, da [mitologia] grega, é possível com 'máquinas de fiar automáticas', ferrovias, locomotivas e telégrafos elétricos? Como fica Vulcano diante de Roberts et Co., Júpiter diante do para-raios e as forças da natureza diante do Crédit Mobilier? Toda mitologia supera, domina e plasma as forças da natureza na imaginação e pela imaginação; desaparece, por conseguinte, com o domínio efetivo daquelas forças. Em que se converte a Fama ao lado da Printing House Square[7]? A arte grega pressupõe a mitologia grega, *i.e.*, a natureza e as próprias formas sociais já elaboradas pela imaginação popular de maneira inconscientemente artítica. Esse é seu material. Não uma mitologia qualquer, *i.e.*, não qualquer elaboração artística inconsciente da natureza (incluído aqui tudo o que é objetivo, também a sociedade). A mitologia egípcia jamais poderia ser o solo ou o seio materno da arte grega. Mas, de todo modo, [pressupõe] *uma* mitologia. Por conseguinte, de modo algum um desenvolvimento social que exclua toda relação mitológica com a natureza, toda relação mitologizante com ela; que, por isso, exige do artista uma imaginação independente da mitologia.

De outro lado: é possível Aquiles com pólvora e chumbo? Ou mesmo a *Ilíada* com a imprensa ou, mais ainda, com a máquina de imprimir? Com a alavanca da prensa, não desaparecem necessariamente a canção, as lendas e a musa, não desaparecem, portanto, as condições necessárias da poesia épica?

Mas a dificuldade não está em compreender que a arte e o epos gregos estão ligados a certas formas de desenvolvimento social. A

---

[7]  Praça de Londres onde se localizavam a redação e a oficina do jornal *The Times*.

dificuldade é que ainda nos proporcionam prazer artístico e, em certo sentido, valem como norma e modelo inalcançável.

Um homem não pode voltar a ser criança sem tornar-se infantil. Mas não o deleita a ingenuidade da criança, e não tem ele próprio novamente que aspirar a reproduzir a sua verdade em um nível superior? Não revive cada época, na natureza infantil, o seu próprio caráter em sua verdade natural? Por que a infância histórica da humanidade, ali onde revela-se de modo mais belo, não deveria exercer um eterno encanto como um estágio que não volta jamais? Há crianças mal-educadas e crianças precoces. Muitos dos povos antigos pertencem a essa categoria. Os gregos foram crianças normais. O encanto de sua arte, para nós, não está em contradição com o estágio social não desenvolvido em que cresceu. Ao contrário, é seu resultado e está indissoluvelmente ligado ao fato de que as condições sociais imaturas sob as quais nasceu, e somente das quais poderia nascer, não podem retornar jamais.

**Friedrich Wilhelm Nietzsche**

O nascimento da tragédia

# O nascimento da tragédia*

Friedrich Wilhelm Nietzsche (1844–1900)

Tradução
*William Mattioli*

---

Qual o papel da arte no modo como lidamos com a existência? A pergunta deve ser colocada na primeira pessoa justamente porque, ao abordar a experiência grega, *O nascimento da tragédia* (1872) também se volta para a modernidade. Avaliando a figura de Sócrates, Nietzsche (1844–1900) também abordava o privilégio dado à razão em detrimento de outras faculdades humanas. Este texto discute principalmente a relação da arte com a existência; além disso, pretende ser uma análise da tragédia como estilo dramático na Grécia e uma crítica da cultura e da filosofia.

**Temas:** tragédia, metafísica, racionalidade, crítica cultural.

---

\* Fonte: NIETZSCHE, F.W. *Die Geburt der Tragödie aus dem Geiste der Musik* (1. ed. 1872, 2. ed. 1874 [1878]) = *Die Geburt der Tragödie. Oder: Griechenthum und Pessimismus.* Nova edição com tentativa de autocrítica (1886). § 3, § 7, § 10, § 13, § 14, § 16, § 18 e § 24. In: *Kritische Studienausgabe (KSA) 1.* Herausgegeben von Giorgio Colli und Mazzino Montinari. Berlin: Walter de Gruyter, 1999.

## §3

[...]

Agora a montanha mágica do Olimpo como que se abre a nós e nos mostra suas raízes. O grego conhecia e sentia os horrores e pavores da existência: para ser simplesmente capaz de viver, ele tinha de colocar à sua frente a resplandecente fantasia onírica dos olímpicos. Aquela imensa desconfiança frente aos poderes titânicos da natureza, aquela Moira reinando impiedosa sobre todos os conhecimentos, aquele abutre do grande amigo dos homens, Prometeu, aquele destino terrível do sábio Édipo, aquela maldição sobre a linhagem dos Átridas que obriga Orestes ao matricídio, em suma, toda aquela filosofia do deus selvagem, juntamente com seus exemplos míticos, da qual pereceram os sombrios Etruscos – foi contínua e reiteradamente superada pelos gregos, ou pelo menos velada e subtraída ao olhar, através daquele *mundo intermediário* artístico dos olímpicos. Para poder viver, os gregos tiveram de criar esses deuses, por uma necessidade das mais profundas: advento que devemos nos representar de modo a conceber que, a partir da teogonia titânica originária do horror, através daquele impulso apolínio à beleza, se desenvolveu, em lentas transições, a teogonia olímpica da alegria: como rosas a irromper de um arbusto espinhoso. De que outro modo poderia aquele povo tão profundamente sensitivo, tão impetuoso no desejo, tão particularmente apto ao *sofrimento*, ter suportado a existência, se esta mesma não lhe tivesse sido mostrada em seus deuses, banhada de uma glória mais elevada. O mesmo impulso que chama a arte à vida como complementação e plenificação da existência, que seduz a continuar vivendo, deu origem também ao mundo olímpico, por meio do qual a "vontade" helênica pôs diante de si um espelho transfigurador. Assim os deuses justificam a vida dos homens ao vivê-la eles mesmos – a única teodiceia satisfatória! A existência, sob a clara luz solar de tais deuses, é sentida como aquilo que é em si desejável, e a verdadeira *dor* do homem homérico consiste em separar-se dela, sobretudo na separação iminente: de modo que agora poderíamos dizer deles, invertendo a sabedoria silênica, "a pior de todas as coisas é para eles morrer em breve, a segunda pior, simplesmente morrer um dia". Se uma vez soa o lamento, ele ressoa por Aquiles, de vida curta, pelas vicissitudes e mudanças do gênero humano, semelhante às folhas, pelo ocaso da idade heroica. Não é indigno do maior dos heróis ansiar por continuar vivendo, mesmo que seja como peão. Tão impetuosamente anseia a "vontade", no estágio apolíneo, a essa existência, tão unido a ela se sente o homem homérico, que mesmo o lamento se torna seu hino de louvor.

Mas aqui deve ser dito que essa harmonia, sim, essa unidade do homem com a natureza, contemplada tão nostalgicamente pelos homens modernos, para a qual Schiller cunhou o termo artístico "*naif*" (ingênuo), não é de modo algum um estado assim tão simples, que ocorre por si só, de certo modo inevitável, que *deveríamos* encontrar na porta de toda cultura, como um paraíso da humanidade: somente pôde acreditar nisso uma época que procurou conceber o Emílio de Rousseau também como artista e que julgou ter encontrado em Homero um tal artista Emílio, educado no coração da natureza. Onde nos deparamos com o "*naif*" na arte, ali podemos reconhecer o efeito supremo da cultura apolínea: a qual deve primeiramente derrubar um reino de titãs e matar monstros e, através de potentes fantasias alucinatórias e jubilosas ilusões, se tornar vitoriosa sobre uma profundeza terrível da consideração de mundo e sobre a mais sensível capacidade para o sofrimento. Mas quão raramente é alcançado o "*naif*", aquela imersão total na beleza da aparência! Quão indizivelmente sublime é por essa razão *Homero*, que está para aquela cultura popular apolínea, enquanto indivíduo, como o artista onírico individual está para a aptidão onírica do povo e da natureza em geral. A "ingenuidade" homérica só pode ser compreendida como vitória plena da ilusão apolínea: essa é uma ilusão tal qual a natureza a emprega tão frequentemente para alcançar seus propósitos. O verdadeiro fim é oculto por uma imagem ilusória: é a essa imagem que estendemos as mãos, e aquele fim é alcançado pela natureza através de nosso engano. Nos gregos, a "vontade" quis se contemplar a si mesma, na transfiguração do gênio e do mundo artístico; para venerar a si mesma, suas criaturas tinham de sentir-se dignas de veneração, elas tinham de se ver refletidas em uma esfera superior, sem que esse mundo pleno da contemplação agisse como imperativo ou como exprobação. Essa é a esfera da beleza, na qual eles viam suas imagens especulares, os olímpicos. Com esse espelhamento da beleza, a "vontade" helênica lutou contra o talento para o sofrimento e para a sabedoria do sofrimento, correlativo ao talento artístico: e como monumento de sua vitória temos diante de nós Homero, o artista ingênuo.

### § 7

[...] O consolo metafísico – ao qual nos entrega toda verdadeira tragédia, como já indico aqui – de que a vida, no fundamento das coisas, apesar de toda a transitoriedade dos fenômenos, seria indestrutivelmente poderosa e plena de júbilo, esse consolo aparece com clareza corporal como coro de sátiros, como coro de seres da natureza que vivem por assim dizer inextirpavelmente por detrás de toda civilização e que, apesar de toda transitoriedade das gerações e da história dos povos, permanecem eternamente os mesmos.

Com esse coro se consola o heleno profundo e singularmente apto ao mais sutil e mais pesado sofrimento, que olhou, com olhar intrépido, para o terrível movimento de aniquilação da assim chamada história mundial, assim como para a crueldade da natureza, e que corre o risco de ansiar por uma negação budista da vontade. Ele é salvo pela arte, e pela arte salva-se nele – a vida.

O arrebatamento do estado dionisíaco, com seu aniquilamento das barreiras e limites ordinários da existência, contém, com efeito, enquanto perdura, um elemento *letárgico* no qual imerge tudo que foi pessoalmente vivenciado no passado. Assim, o mundo da realidade cotidiana e o mundo da realidade dionisíaca se separam por esse abismo do esquecimento. Tão logo porém aquela realidade cotidiana adentra novamente a consciência, ela é, enquanto tal, sentida com nojo; uma disposição ascética e negadora da vontade é o fruto daqueles estados. Nesse sentido, o homem dionisíaco porta uma semelhança com Hamlet: ambos lançaram um olhar verdadeiro para o interior da essência das coisas, eles *conheceram*, e agir lhes causa náuseas; pois seus atos nada podem mudar na essência eterna das coisas, eles sentem como ridículo ou vergonhoso que lhes seja exigido reendireitar o mundo que está fora dos gonzos. O conhecimento mata a ação, para agir é preciso estar velado pela ilusão – eis o ensinamento de Hamlet, não aquela sabedoria barata de Hans o Sonhador, que, devido à reflexão em demasia, como que por um excesso de possibilidades, não chega à ação; não é o refletir, não! – é o verdadeiro conhecimento, a visão da verdade pavorosa, o que predomina sobre todo motivo que impele à ação, tanto em Hamlet quanto no homem dionisíaco. Agora nenhum consolo mais é efetivo, o anseio transcende um mundo após a morte, transcende os próprios deuses; a existência, juntamente com seus reflexos fulgurantes nos deuses ou num imortal além, é negada. Na consciência (*Bewusstheit*) da verdade uma vez contemplada, o homem vê agora, por todos os lados, somente o terrível ou absurdo do ser, ele agora compreende o simbólico no destino de Ofélia, ele agora reconhece a sabedoria do deus selvagem, Sileno: ele sente náuseas.

Aqui, nesse perigo supremo da vontade, aproxima-se a *arte*, como feiticeira salvadora, como feiticeira da cura; somente ela é capaz de converter aqueles pensamentos nauseantes acerca do terrível ou absurdo da existência em representações com as quais se pode viver: são elas o *sublime* enquanto aplacamento artístico do terrível, e o *cômico* enquanto descarga artística da náusea do absurdo. O coro de sátiros do ditirambo é o ato salvador da arte grega; no mundo intermediário desses acompanhantes dionisíacos se esgotavam aqueles assaltos descritos há pouco.

## § 10

É uma tradição incontestável que a tragédia grega, em sua configuração mais antiga, tinha por objeto somente os sofrimentos de Dionísio, e que durante muito tempo o único herói cênico presente era justamente Dionísio. Contudo, podemos afirmar com a mesma certeza que, até Eurípedes, Dionísio nunca deixou de ser o herói trágico; que, pelo contrário, todas as famosas figuras do palco grego, Prometeu, Édipo, etc., são apenas máscaras daquele herói primordial, Dionísio. Que por detrás de todas essas máscaras se oculta uma divindade, eis a razão essencial para a típica "idealidade" tão frequentemente admirada daquelas famosas figuras. Foi afirmado por não sei quem que todos os indivíduos seriam, enquanto indivíduos, cômicos e, portanto, não-trágicos: de onde se deveria deduzir que os gregos simplesmente não *podiam* suportar indivíduos no palco trágico. De fato eles parecem ter sentido dessa forma: assim como aquela distinção e estimação platônica da "ideia" em contraposição ao "ídolo", à cópia, está profundamente alicerçada na essência helênica. Mas para nos servirmos da terminologia de Platão seria preciso falar das figuras trágicas do palco helênico mais ou menos da seguinte maneira: o único Dionísio verdadeiramente real aparece em uma pluralidade de figuras, na máscara de um herói guerreiro e como que envolto na trama da vontade individual. Do modo como fala e age agora o deus que aparece, ele se assemelha a um indivíduo errante, aspirante e sofredor: e o que faz com que ele *apareça* com essa precisão e nitidez épica é a ação do Apolo oniromante, que decifra para o coro seu estado dionisíaco através daquela aparição alegórica. Na verdade, porém, aquele herói é o Dionísio sofredor, dos Mistérios, aquele deus que experimenta em si os sofrimentos da individuação, acerca do qual mitos maravilhosos narram como ele foi despedaçado, quando menino, pelos titãs, e é agora adorado nesse estado como Zagreu: aqui é sugerido que esse despedaçamento, o verdadeiro *sofrimento* dionisíaco, seria idêntico a uma transformação em ar, água, terra e fogo, que nós, portanto, deveríamos considerar o estado de individuação como a fonte e causa primordial de todo sofrimento, como algo em si condenável. Do sorriso desse Dionísio se originaram os deuses olímpicos, de suas lágrimas, os homens. Naquela existência enquanto deus despedaçado, Dionísio tem a natureza dupla de um demônio cruel e selvagem, e de um soberano brando e benevolente. Mas a esperança dos epoptas era de um renascimento de Dionísio, que devemos conceber agora, de modo premonitório, como o fim da individuação: era a este terceiro Dionísio vindouro que soava o canto bramante de júbilo dos epoptas. E somente nessa esperança há um brilho de alegria sobre a face do mundo dilacerado, destroçado em indivíduos: como é figurado pelo mito através da imagem de Deméter, imersa em luto eterno, que se re*alegra* pela primeira vez ao ser informada que poderia *mais uma vez* dar à luz Dionísio. Nas intuições aduzidas, já temos juntos todos os componentes de uma consideração de mundo profunda e pessimista, e com isso, ao mesmo tempo, *a doutrina da tragédia presente nos Mistérios*: o conhecimento fundamental da unidade de todo o existente, a consideração da individuação como a causa primordial do mal, a arte como a jubilosa esperança de que o feitiço da individuação pode ser quebrado, como o pressentimento de uma unidade restabelecida.

Foi aludido precedentemente que o *epos* homérico é a poesia da cultura olímpica, com a qual ela entoou seu próprio canto de triunfo sobre os horrores da batalha titânica. Agora, sob a influência preponderante da poesia trágica, os mitos homéricos renascem transmutados e mostram nessa metempsicose que, entrementes, também a cultura olímpica foi vencida por uma consideração de mundo ainda mais profunda. O pertinaz titã Prometeu anunciou ao seu torturador olímpico que um dia seu domínio seria ameaçado pelo maior dos perigos caso não se aliasse a ele no devido tempo. Em Ésquilo reconhecemos o pacto do Zeus apavorado, temendo seu fim, com o Titã. Assim, a antiga era tiânica é serodiamente trazida mais uma vez do Tártaro à luz. A filosofia da natureza selvagem e nua contempla os mitos do mundo homérico a passarem dançantes diante de si com a face desvelada da verdade: eles empalidecem, eles estremecem diante dos olhos lampejantes dessa deusa – até que o poderoso punho do artista dionisíaco os compele ao serviço da nova divindade. A verdade dionisíaca assume todo o âmbito do mito como símbolo *de seus* conhecimentos e os pronuncia em parte no culto público da tragédia, em parte nas celebrações secretas das festividades dramáticas dos Mistérios, mas sempre sob o antigo manto mítico. Qual foi aquela força que libertou Prometeu de seus abutres e transformou o mito em veículo da sabedoria dionisíaca? É a força hercúlea da música: que, enquanto tal, tendo chegado à sua suprema aparição na tragédia, sabe interpretar o mito com nova e profundíssima significação; do mesmo modo como já tivemos que caracterizar isso anteriormente como a mais poderosa faculdade da música. Pois é a sina de todo mito arrastar-se gradualmente para dentro da obtusidade de uma suposta realidade histórica e ser tratado por alguma época futura como um fato singular com pretensões históricas: e os gregos já estavam inteiramente a caminho de, com perspicácia e arbítrio, colocar sobre o seu sonho mítico de juventude o selo de uma *narrativa de juventude* histórico-pragmática. Pois esse é o modo como as religiões costumam perecer: a saber, quando os pressupostos míticos de uma religião são sistematizados sob os olhos severos e intelectuais de um dogmatismo ortodoxo como um conjunto acabado de eventos históricos, e começa-se então a defender temerosamente a credibilidade dos mitos, mas resistindo a sua natural sobrevivência e propagação; quando, portanto, o sentimento para o mito perece, e o seu lugar é assumido pela pretensão da religião a fundamentos históricos. Esse mito agonizante foi então tomado pelo recém-nascido gênio da música dionisíaca: e em suas mãos ele floresceu novamente, com cores que jamais mostrara, com um eflúvio que excitou um vislumbre nostálgico de um mundo metafísico. Após este último fulgor, ele rui, suas folhas murcham, e logo os zombeteiros Lucianos da Antiguidade se precipitam para capturar as flores desbotadas e devastadas, carregadas por todos os ventos. Através da tragédia o mito alcança seu conteúdo mais profundo, sua forma mais plena de expressão; uma vez mais ele se ergue, como um herói ferido, e em seus olhos arde, com derradeiro e poderoso brilho, toda a abundância de força, juntamente com a tranquilidade plena de sabedoria daquele que já sente a morte iminente.

Que querias tu, sacrílego Eurípedes, quando buscaste forçar este moribundo mais uma vez a laborar para ti? Ele pereceu sob tuas mãos violentas: e agora necessitavas de um mito plagiado, mascarado, que, como o macaco de Hércules, apenas soubesse ornamentar-se com a velha pompa. E assim como o mito morreu para ti, também morreu para ti o gênio da música: e mesmo saqueando com mão voraz todos os jardins da música, ainda assim alcançaste apenas uma música plagiada e mascarada. E uma vez que abandonaste Dionísio, Apolo também te abandonou; afugenta todas as paixões e as atrai para teu círculo, retalha e lapida apropriadamente uma dialética sofística para as falas de teus heróis — também os teus heróis têm somente paixões decalcadas e mascaradas e proferem apenas falas decalcadas e mascaradas.

## § 13

[…]

Porém, a mais pungente palavra em favor daquela nova e inaudita apreciação do saber e do conhecimento foi proferida por Sócrates ao constatar ser o único que confessava a si mesmo *nada saber*; enquanto deparava por toda parte, durante suas andanças críticas por Atenas em casa dos grandes estadistas, oradores, poetas e artistas, com a presunção do saber. Com espanto ele reconheceu que a todas aquelas celebridades faltava um conhecimento correto e seguro mesmo acerca de suas profissões e que elas as exerciam somente por instinto. "Somente por instinto": com essa expressão tocamos o coração e o núcleo da tendência socrática. Com ela, o socratismo condena igualmente a arte vigente como a ética vigente: aonde quer que ele dirija seu olhar examinador, ele vê a falta de conhecimento e o poder da ilusão, e infere dessa falta a obliquidade e condenabilidade internas daquilo que era vigente. A partir desse único ponto, Sócrates acreditava ter de corrigir a existência: ele, enquanto indivíduo único, adentra, com o semblante do desprezo e da superioridade, como o precursor de um tipo inteiramente distinto de cultura, arte e moral, um mundo cujas bordas teríamos a maior felicidade e honra em tocar.

Essa é a enorme suspeita que a cada vez nos acomete em face de Sócrates e que nos incita reiteradamente a reconhecer o sentido e a intenção desse que é o mais problemático dos fenômenos da Antiguidade. Quem é esse que, enquanto indivíduo único, se permite negar a essência grega, a qual, como Homero, Píndaro e Ésquilo, como Fídias, como Péricles, como Pítia e Dionísio, como o mais profundo abismo e a mais elevada altura, está segura de nossa admirada adoração? Que força demoníaca é essa que se atreve a derramar no pó este elixir mágico? Que semideus é esse ao qual o coro de espíritos dos mais nobres da humanidade tem de bramir: "Ai! Ai! Tu o destruíste, o belo mundo, com poderoso punho; ele desmorona, ele rui!"

Uma chave para a compreensão da natureza de Sócrates nos é dada por aquele fenômeno maravilhoso que é designado como "demônio de Sócrates". Em circunstâncias especiais, nas quais seu imenso entendimento começa a vacilar, ele recebia um ponto de apoio firme através de uma voz divina que se manifestava em tais momentos. Quando surge, essa voz sempre *dissuade*. Nessa natureza absolutamente anormal, essa sabedoria instintiva se revela apenas para, aqui e ali, se contrapor *obstrutivamente* ao conhecimento consciente. Enquanto em todos os homens produtivos o instinto é justamente a força criadora-afirmativa, e é a consciência que se porta de modo crítico e dissuasivo: em Sócrates o instinto se torna crítico, a consciência criadora – uma verdadeira monstruosidade *per defectum*! Com efeito, percebemos aqui um *defectus* monstruoso de toda tendência mística, de modo que Sócrates deveria ser designado como o específico *não-místico*, no qual a natureza lógica é tão excessivamente desenvolvida por uma superfetação quanto o é aquela sabedoria instintiva no místico. Por outro lado, porém, foi inteiramente negada àquele impulso lógico que se manifestava em Sócrates a possibilidade de se voltar contra si mesmo; nessa torrente impetuosa ele revela uma tal violência de natureza como só a encontramos, para nosso aterrorizado espanto, entre as maiores de todas as forças instintivas. Aquele que sentiu um só sopro daquela divina ingenuidade e segurança do modo de vida socrático, a partir dos escritos platônicos, sente também como a roda impulsora do socratismo lógico está, por assim dizer, em movimento *por detrás* de Sócrates, e como isso deve ser contemplado através de Sócrates como através de uma sombra. Que ele mesmo, contudo, tinha um pressentimento dessa circunstância, eis algo que se expressa na seriedade solene com a qual ele invocava por toda parte sua vocação divina e a invocou ainda frente a seus juízes. Refutá-lo nesse ponto era, no fundo, tão impossível quanto assentir à sua influência que dissolvia os instintos. Frente a esse conflito insolúvel, quando ele foi enfim levado diante do fórum do estado grego, apenas uma forma de condenação era ordenada, o exílio; como algo absolutamente enigmático, irrubricável, inexplicável, eles estavam autorizados a expulsá-lo para além das fronteiras, sem que alguma posteridade tivesse o direito de acusar os atenienses de um ato ignominioso. Mas que a morte, e não somente o exílio, tenha sido pronunciada contra ele, eis algo que parece ter sido imposto pelo próprio Sócrates, com plena lucidez e sem o horror natural diante da morte: ele caminhou para a morte, com aquela tranquilidade com a qual ele, segundo a descrição de Platão, deixa o banquete nos primeiros alvores da aurora, como o último dos bebedores, para começar um novo dia; enquanto atrás dele, nos bancos e no chão, permanecem adormecidos os comensais, a sonharem com Sócrates, o verdadeiro erótico. *O Sócrates moribundo* se tornou o novo ideal, jamais contemplado alhures, da nobre juventude grega: e foi o típico mancebo helênico, Platão, quem, acima de todos, se prostrou frente a essa imagem com toda a fervorosa entrega de sua alma entusiástica.

## § 14

[...]

Aqui, o *pensamento filosófico* subjuga a arte e a constrange a agarrar-se estritamente ao caule da dialética. No esquematismo lógico encasulou-se a tendência *apolínea*: do mesmo modo como tivemos de perceber em Eurípedes algo correspondente e, além disso, uma tradução do *dionisíaco* em afeto naturalista. Sócrates, o Herói dialético no drama platônico, nos lembra a natureza aparentada do herói euripidiano, que tem de defender seus atos por meio de razões e contrarrazões e, assim, corre frequentemente o risco de ser privado de nossa compaixão trágica: pois quem poderia desconhecer o elemento *otimista* na essência da dialética, que celebra em cada inferência seu jubileu e só é capaz respirar na clareza e consciência frias: o elemento otimista que, uma vez penetrado na tragédia, tem de progressivamente se apoderar de suas regiões dionisíacas e impeli-las necessariamente ao autoaniquilamento – até o salto mortal para o espetáculo burguês. Evoquemos apenas as consequências das sentenças socráticas: "Virtude é saber; só se erra por desconhecimento; o virtuoso é o feliz": nessas três formas fundamentais do otimismo jaz a morte da tragédia. Pois agora o herói virtuoso tem de ser dialético, agora tem de haver entre virtude e sabedoria, entre crença e moral, um nexo necessário e visível, agora a solução transcendental da justiça de Ésquilo é rebaixada ao princípio raso e impertinente da "justiça poética" com seu vulgar *deus ex machina*.

Como aparece agora, em face desse novo mundo cênico socrático--otimista, o *coro* e em geral todo o mundo subterrâneo musical-dionisíaco da tragédia? Como algo casual, como uma reminiscência facilmente prescindível da origem da tragédia; enquanto reconhecemos, por outro lado, que o coro só pode ser entendido como *causa e fundamento* da tragédia e do trágico em geral. Já em Sófocles se mostra aquela perplexidade com relação ao coro – um importante sinal de que já com ele começa a desmoronar o chão dionisíaco da tragédia. Ele não ousa mais confiar ao coro a parcela principal do efeito; antes, ele restringe seu alcance de tal forma que ele agora aparece quase coordenado com os atores, como se ele fosse suspenso da orquestra para dentro da cena: com o que sua essência é, sem dúvida, totalmente destruída, mesmo que Aristóteles dê sua aprovação justamente a esta concepção do coro. Aquele deslocamento da posição do coro, que Sófocles recomendou em todo caso através de sua *praxis* e, conforme a tradição, até mesmo por meio de um escrito, é o primeiro passo para o *aniquilamento* do coro, cujas fases se sucedem umas às outras, com rapidez assustadora, em Eurídepes, Agaton e na Comédia Nova. A dialética otimista, com o flagelo de seus silogismos, expulsa a *música* da tragédia: isto é, ela destrói a essência da tragédia, que pode ser interpretada unicamente como manifestação e figuração de estados dionisíacos, como simbolização visual da música, como o mundo onírico de uma embriaguez dionisíaca.

Caso tenhamos que supor, portanto, uma tendência antidionisíaca atuante já antes de Sócrates, que somente nele adquire uma expressão incrivelmente imponente: nesse caso não devemos recuar frente à questão de para onde aponta então um fenômeno tal como o de Sócrates: o qual, em vista dos diálogos platônicos, não podemos compreender como um poder meramente dissolutivo e negativo. E tão certamente quanto o efeito mais imediato do impulso socrático visava a desagregação da tragédia dionisíaca, assim também uma profunda experiência de vida do próprio Sócrates nos obriga à pergunta se, então, entre o socratismo e a arte, existe *necessariamente* apenas uma relação antipódica e se o nascimento de um "Sócrates artístico" é algo em si absolutamente contraditório.

Com efeito, aquele lógico despótico tinha, aqui e ali, frente à arte, o sentimento de uma lacuna, de um vazio, de uma meia-exprobação, de um dever talvez não cumprido. Com frequência lhe vinha, como relata aos seus amigos na prisão, a mesma aparição onírica, que dizia sempre a mesma coisa.: "Sócrates, faça música!" Ele se tranquiliza até seus últimos dias com o pensamento de que seu filosofar seria a suprema arte das musas, e não acredita realmente que uma divindade virá lhe lembrar daquela "vulgar música popular". Por fim, na prisão, para libertar inteiramente sua consciência moral, ele se dispõe ainda a fazer aquela música menosprezada por ele. E nessa disposição ele compõe um proêmio a Apolo e coloca em versos algumas fábulas esópicas. Foi algo semelhante à preventiva voz daimônica o que o impeliu a tais exercícios, foi sua intuição apolínea de que ele, como um deus bárbaro, não compreendia uma nobre imagem divina e corria o risco de pecar contra uma divindade – através de sua incompreensão. Aquela palavra da aparição onírica socrática é o único sinal de uma hesitação quanto aos limites da natureza lógica: talvez – assim ele teve de se perguntar – aquilo que não me é compreensível não seja também imediatamente o incompreensível. Talvez haja um reino da sabedoria do qual o lógico está banido. Talvez a arte seja até mesmo um necessário correlato e suplemento da ciência.

## § 16

[...] Como se relaciona a música para com a imagem e o conceito? Schopenhauer, a quem Richard Wagner elogia a insuperável clareza e transparência de exposição justamente nesse ponto, manifesta-se a esse respeito do modo mais detalhado na seguinte passagem, que eu reproduzirei aqui em toda sua extensão. *O mundo como vontade e representação* I, p. 309: "Segundo tudo isso, podemos ver o mundo fenomênico, ou a natureza, e a música, como duas expressões diversas da mesma coisa, a qual, por essa razão, é ela mesma o único mediador da analogia entre ambas, cujo conhecimento é exigido para se compreender aquela analogia. Por conseguinte, a música é, quando vista como expressão do mundo, uma linguagem universal no mais alto grau, que está até mesmo para a universalidade dos conceitos mais ou menos como estes estão para as coisas particulares. Sua universalidade, entretanto, não é de modo algum aquela universalidade vazia da abstração, mas, antes, uma de natureza totalmente diversa, e está ligada a uma clara e absoluta determinidade. Nisso ela se assemelha às figuras geométricas e aos números, que, enquanto formas universais de todos os objetos possíveis da experiência e a eles aplicáveis *a priori*, nem por isso são abstratos, mas sim intuitivos e absolutamente determinados. Todas as possíveis aspirações, excitações e manifestações da vontade, todos aqueles processos no íntimo do homem que a razão lança no vasto conceito negativo de sentimento, podem ser expressos através das inúmeras melodias possíveis, mas sempre na universalidade da mera forma, sem a matéria, sempre apenas segundo o em-si, não segundo o fenômeno, como sua mais íntima alma, sem corpo. A partir dessa relação íntima que a música mantém para com a verdadeira essência de todas as coisas pode-se explicar também o fato de que, quando para alguma cena, ação, evento, ambiente, soa uma música adequada, esta parece nos revelar o mais secreto sentido destes e surge como o mais correto e mais claro comentário acerca deles; do mesmo modo que, para aquele que se entrega inteiramente à impressão de uma sinfonia, é como se ele visse todos os possíveis processos da vida e do mundo em si desfilando à sua frente: contudo, ao meditar, não é capaz de indicar nenhuma semelhança entre aquele jogo tonal e as coisas que pairam diante dele. Pois a música se distingue de todas as outras artes pelo fato de não ser uma cópia do fenômeno, ou mais corretamente, da adequada objetidade da vontade, mas imediatamente cópia da própria vontade, e representa, portanto, o lado metafísico de tudo o que físico no mundo, a coisa em si de todo fenômeno. Por conseguinte, poderíamos chamar o mundo tanto de música encarnada como de vontade encarnada: a partir disso pode-se esclarecer por que a música realça imediatamente cada pintura, sim, cada cena da vida real e do mundo, elevando sua significatividade; tanto mais, com efeito, quanto mais análoga for sua melodia com relação ao espírito íntimo do fenômeno dado. Nisso repousa o fato de podermos submeter à música um poema, como canto, ou uma apresentação intuitiva, como pantomima, ou ambos, como ópera. Tais imagens individuais da vida humana, submetidas à linguagem universal da música, jamais lhe estão associadas ou lhe correspondem com necessidade absoluta; antes, elas mantêm com ela somente a relação de um exemplo arbitrário para com um conceito geral: elas representam, na determinidade da realidade efetiva, aquilo que a música expressa na universalidade da mera forma. Pois as melodias são, em certa medida, assim como os conceitos universais, um *abstractum* da realidade efetiva. Esta, com efeito, ou seja, o mundo das coisas individuais, fornece o intuitivo, o singular e individual, o caso particular, tanto para a universalidade dos conceitos quanto para a universalidade da música, duas universalidades que, contudo, se contrapõem uma à outra em certo aspecto; na medida em que os conceitos contêm apenas as formas primeiramente abstraídas da intuição, por assim dizer, a casca externa retirada das coisas, ou seja, são inteira e realmente *abstracta*; ao passo que a música, ao contrário, nos dá o núcleo ou o coração íntimo das coisas, que precede toda figuração. Essa relação poderia ser realmente bem expressa na linguagem dos escolásticos na medida em que se disse-se: os conceitos são os *universalia post rem*, a música, porém, fornece os *universalia ante rem*, e a realidade efetiva os *universalia in re*. Que, contudo, uma relação entre uma composição e uma apresentação intuitiva seja meramente possível, isso repousa, como foi dito, no fato de que ambas são apenas expressões totalmente diversas da mesma essência íntima do mundo. E, quando uma tal relação está realmente presente num caso particular, ou seja, quando o compositor soube expressar na linguagem universal da música os movimentos da Vontade, que constituem o núcleo de um evento: nesse caso a melodia da canção, a música da ópera, são plenas de expressão. Mas a analogia encontrada pelo compositor entre aquelas duas tem de ter vindo do conhecimento imediato da essência do mundo, inconsciente à sua razão, e não pode ser uma imitação mediada por conceitos, com intencionalidade consciente: de outro modo a música não expressará a essência íntima, a Vontade mesma; antes, ela imitará de modo insuficiente apenas seu fenômeno; como o faz toda música propriamente figurativa".

Portanto, compreendemos a música, conforme a doutrina de Schopenhauer, como a linguagem da vontade imediatamente, e sentimos nossa fantasia impelida a configurar aquele mundo de espíritos que fala a nós, invisível e, no entanto, tão vivamente movido, e a incorporá-lo para nós em um exemplo análogo. Por outro lado, imagem e conceito chegam a uma elevada significatividade sob o efeito de uma música verdadeiramente correspondente. Assim, dois tipos de efeito costumam ser exercidos pela arte dionisíaca sobre a faculdade artística apolínea: a música incita à *contemplação alegórica* da universalidade dionisíaca, fazendo então emergir a imagem alegórica *na mais alta significatividade*. Desses fatos, compreensíveis em si e acessíveis a qualquer observação profunda, eu deduzo a capacidade da música para dar à luz *o mito*, isto é, o exemplo mais significativo, e justamente o mito *trágico*: o mito que fala do conhecimento dionisíaco em alegorias. Por meio do fenômeno do lírico, expus como a música, no lírico, anela a manifestar sua essência em imagens apolíneas: se pensarmos agora que a música, em sua mais alta intensificação, deve procurar alcançar ainda a mais elevada figuração, deveremos então considerar possível que ela saiba encontrar também a expressão simbólica para a sua verdadeira sabedoria dionisíaca; e em que outro lugar deveremos procurar esta expressão senão na tragédia e no conceito do *trágico*?

Da essência da arte, tal como ela é comumente compreendida, unicamente segundo a categoria da aparência e da beleza, não se pode absolutamente deduzir o trágico de forma honesta; somente a partir do espírito da música compreendemos uma alegria no aniquilamento do indivíduo. Pois somente por meio dos exemplos particulares de um tal aniquilamento se nos torna claro o fenômeno eterno da arte dionisíaca, que exprime a vontade em sua onipotência, como que por detrás do *principio individuationis*, a vida eterna para além de todo fenômeno e apesar de todo aniquilamento. A alegria metafísica com o trágico é uma tradução da sabedoria dionisíaca, instintivamente inconsciente, para a linguagem da imagem: o herói, o fenômeno supremo da vontade, é negado para nosso prazer, pois afinal ele é apenas fenômeno, e através de seu aniquilamento a vida eterna da vontade sequer é tocada. "Nós acreditamos na vida eterna", assim clama a tragédia; enquanto a música é a ideia imediata dessa vida. Um objetivo inteiramente diverso é perseguido pela arte do artista plástico: aqui, Apolo supera o sofrimento do indivíduo por meio da veneração luminosa da *eternidade do fenômeno*, aqui a beleza triunfa sobre o sofrimento inerente à vida, a dor é em certo sentido suprimida dos traços da natureza através de uma ilusão. Na arte dionisíaca e em seu simbolismo trágico, é a mesma natureza que se dirige a nós, com sua verdadeira voz, não dissimulada: "Sede como sou! A mãe primordial, eternamente criadora em meio à incessante mudança dos fenômenos, aquela que impele eternamente à existência, que eternamente se satifaz com essa transitoriedade do fenômeno!"

## § 18

É um fenômeno eterno: a vontade ávida sempre encontra um meio de manter suas criaturas na vida e de impeli-las à continuação da vida através de uma ilusão estendida sobre as coisas. Este é enlaçado pelo prazer socrático do conhecer e pela ilusão de, por meio dele, poder curar a chaga eterna da existência, aquele é envolto pelo véu sedutor da beleza da arte a adejar diante de seus olhos, aquele outro, por sua vez, pelo consolo metafísico de que, por baixo do torvelinho dos fenômenos, continua a fluir, indestrutível, a vida eterna: para não falar das ilusões mais comuns e quase ainda mais potentes, que a vontade prontifica a cada instante. Esses três níveis de ilusão estão destinados somente às naturezas mais nobremente dotadas, que sentem em geral com mais profundo desprazer o fardo e o peso da existência e que precisam ser iludidas e, assim, afastadas desse desprazer por meio de estimulantes selecionados. Desses estimulantes constitui-se tudo o que chamamos cultura: conforme a proporção da mistura, temos uma cultura preferencialmente *socrática*, *artística* ou *trágica*: ou, se me permitem exemplificações históricas: há ou uma cultura alexandrina, ou helênica, ou budista.

Todo o nosso mundo moderno está enredado nas tramas da cultura alexandrina e conhece como ideal o *homem teórico*, provido das mais altas forças cognitivas, a trabalhar a serviço da ciência, cuja arquétipo e progenitor é Sócrates. Todos os nossos meios educacionais têm como meta originalmente este ideal: toda outra existência deve empenhar-se arduamente para se colocar acessoriamente à altura, como uma existência permitida, não como existência desejada. Num sentido quase aterrorizante, por muito tempo o homem culto foi encontrado aqui apenas na forma do erudito; mesmo as nossas artes poéticas tiveram de desenvolver-se a partir de imitações eruditas, e no efeito principal da rima reconhecemos ainda o nascimento de nossa forma poética a partir de experimentos artificiais com uma linguagem não familiar e verdadeiramente erudita. Quão incompreensível deveria parecer a um grego legítimo o moderno homem de cultura, o em si compreensível *Fausto*, a precipitar-se com todas as faculdades, insatisfeito, entregando-se, pelo impulso ao saber, à magia e ao diabo, e que devemos pôr ao lado de Sócrates apenas para compará-los e reconhecer que o homem moderno começa a entrever os limites daquele prazer socrático do conhecimento e, do vasto e tumultuoso mar do saber, ele anseia por uma costa. Quando Goethe declara a Eckelmann, em relação a Napoleão: "Sim, meu caro, há também uma produtividade dos atos", ele lembrou, de forma graciosamente ingênua, que o homem não teórico é, para o homem moderno, algo inverossímil e espantoso, de modo que é novamente necessária a sabedoria de um Goethe para se achar compreensível, sim, perdoável, uma forma de existência tão estranha.

E agora não devemos ocultar-nos o que jaz velado no seio dessa cultura socrática! O otimismo que se imagina sem limites. Agora não devemos nos espantar se os frutos desse otimismo amadurecem, se a sociedade, fermentada até suas camadas mais baixas por uma tal cultura, começa gradualmente a estremecer sob agitações e desejos suntuosos, se a crença na felicidade terrena de todos, se a crença na possibilidade de uma tal cultura universal do saber se converte gradualmente na exigência ameaçadora de uma tal felicidade terrena alexandrina, na conjuração de um *deus ex machina* euridipiano! Devemos observar: a cultura alexandrina necessita de uma classe de escravos para poder existir de modo duradouro: mas ela nega, em sua consideração otimista da existência, a necessidade de uma tal classe e, assim, uma vez consumido o efeito de suas belas palavras sedutoras e tranquilizadoras acerca da "dignidade do homem" e da "dignidade do trabalho", vai gradualmente de encontro a um aniquilamento terrível. Não há nada mais terrível do que uma classe bárbara de escravos, que aprendeu a ver sua existência como uma injustiça e se dispõe a fazer vingança não apenas por si, mas por todas as gerações. Quem ousa, contra tais tempestades ameaçadoras, com ânimo seguro, apelar às nossas religiões pálidas e cansadas, que degeneraram, mesmo em seus fundamentos, em religiões de eruditos: de modo que o mito, o pressuposto necessário de toda religião, já se encontra paralisado por toda parte, e mesmo nesse âmbito alcançou o domínio aquele espírito otimista que acabamos de designar como o germe de aniquilamento da nossa sociedade.

Enquanto o infortúnio adormecido no seio da cultura teórica começa gradualmente a atemorizar o homem moderno, e ele, inquieto, lança mão de meios do tesouro de suas experiências para desviar o perigo, sem realmente acreditar nesses meios; enquanto ele, portanto, começa a vislumbrar suas próprias consequências: grandes naturezas de disposição universal souberam utilizar, com uma circunspecção inacreditável, o arsenal da própria ciência, a fim de expor os limites e a condicionalidade do conhecimento em geral e, assim, rejeitar de modo decisivo a pretensão da ciência à validade universal e a metas universais: demonstração na qual foi reconhecida pela primeira vez, enquanto tal, aquela representação ilusória que, pela mão da causalidade, se pretende ser capaz de perscrutar a essência mais íntima das coisas. A enorme coragem e sabedoria de *Kant* e *Schopenhauer* alcançou a mais difícil vitória, a vitória sobre o otimismo que jaz oculto na essência da lógica, o qual, por sua vez, é o fundamento subterrâneo da nossa cultura. Se este havia acreditado na cognoscibilidade e perscrutabilidade de todos os enigmas do mundo, apoiado nas *aeternae veritates* para ele indubitáveis, e tratado espaço, tempo e causalidade como leis inteiramente incondicionadas e de validade absolutamente universal, Kant revelou como estas na verdade serviam apenas para elevar o mero fenômeno, a obra de Maia, à única e suprema realidade, e colocá-las no lugar da verdadeira essência mais íntima das coisas, tornando assim impossível o conhecimento efetivo acerca dela, isto é, conforme uma expressão de Schopenhauer, para fazer adormecer ainda mais profundamente o sonhador (*O mundo como vontade e representação* I, p. 498). Com esse conhecimento é inaugurada uma cultura que ouso designar como trágica: cujo atributo mais importante é que, no lugar da ciência como meta suprema, é colocada a sabedoria, a qual, não se deixando iludir pelos sedutores descaminhos da ciência, se volta com olhar imóvel para a imagem total do mundo e, com um sentimento simpático de amor, procura apreender nela o sofrimento eterno como o próprio sofrimento.

[...]

### § 24

Entre os efeitos artísticos próprios da tragédia musical, tivemos de salientar uma *ilusão* apolínea por meio da qual devemos ser salvos da unidade imediata com a música dionisíaca, enquanto nossa excitação musical pode descarregar-se num âmbito apolíneo e num mundo visual intermediário intercalado entre ambos. Nisso, acreditamos ter observado como, exatamente por meio desse descarregamento, aquele mundo intermediário da ação cênica, o drama em geral, se tornou, a partir deles, visível e compreensível num grau inatingível em qualquer outra arte apolínea: de modo que tivemos de reconhecer aqui, onde essa arte foi por assim dizer animada e alçada pelo espírito da música, a mais alta intensificação de suas forças e assim, naquela aliança fraterna entre Apolo e Dionísio, o ápice das intenções artísticas tanto apolíneas quanto dionisíacas.

É claro que a imagem luminosa apolínea não alcançava, exatamente nessa iluminação interna por meio da música, o efeito próprio dos graus mais fracos da arte apolínea; aquilo de que a epopeia ou a pedra animada são capazes, constranger o olho que contempla àquele encantamento tranquilo com o mundo da *individuatio*, eis algo que, aqui, apesar de uma animação e nitidez superiores, não podia ser alcançado. Nós contemplamos o drama e penetramos, com olhar perfurante, no seu movimentado mundo interior dos motivos — e no entanto era como se uma imagem alegórica desfilasse diante de nós, cujo sentido mais profundo acreditávamos quase decifrar, e que desejávamos puxar tal qual uma cortina, a fim de vislumbrar por detrás dela a imagem originária. Essa mais clara nitidez da imagem não nos bastava: pois ela parecia revelar algo tanto quanto ocultá-lo; e enquanto ela parecia, com sua revelação alegórica, incitar a rasgar o véu, a desvelar o fundo misterioso, era precisamente aquela visibilidade plena, plenamente iluminada, que, por sua vez, mantinha o olho enfeitiçado e o impedia de penetrar mais profundamente.

Quem não vivenciou isso, ter de olhar e ao mesmo tempo ansiar para além do olhar, dificilmente poderá imaginar quão clara e distintamente esses dois processos coexistem e são coextensivamente sentidos na consideração do mito trágico: enquanto os espectadores verdadeiramente estéticos me confirmarão que, entre os efeitos próprios da tragédia, o que há de mais notável é aquela coexistência. Transfiramos agora esse fenômeno do espectador estético para um processo análogo no artista trágico e teremos entendido a gênese do *mito trágico*. Ele compartilha com a esfera artística apolínea o prazer pleno na aparência e na contemplação, ao mesmo tempo em que nega esse prazer, obtendo uma satisfação ainda mais elevada no aniquilamento do mundo visível da aparência. O conteúdo do mito trágico é, inicialmente, um acontecimento épico com a glorificação do herói guerreiro: mas de onde provém aquele traço, em si enigmático, de que o sofrimento no destino do herói, as mais dolorosas superações, as mais angustiantes oposições dos motivos, em suma, a exemplificação daquela sabedoria de Sileno, ou, expresso esteticamente, o feio e desarmônico, é reiteradamente apresentado em tantas e inumeráveis formas, com tal devoção, e precisamente na idade mais exuberante e juvenil de um povo, senão justamente do fato de que nisso tudo é sentido um prazer superior?

Pois que a vida decorra realmente de modo tão trágico, isso é o que menos explicaria o surgimento de uma forma de arte; se, diferentemente, a arte não é apenas imitação da realidade da natureza, mas justamente um suplemento metafísico dessa realidade da natureza, colocado ao lado dela para sua superação. O mito trágico, na medida em que pertence à arte, é parte integral nesse propósito metafísico de transfiguração próprio à arte em geral: porém, o que é por ele transfigurado quando apresenta o mundo do fenômeno sob a imagem do herói sofredor? Não é a "realidade" desse mundo fenomênico, pois ele nos diz precisamente: "Vede! Vede com atenção! Essa é vossa vida! Esse é o ponteiro no relógio de vossa existência!"

E essa vida era mostrada pelo mito a fim de com isso transfigurá-la diante de nós? Mas se não é esse caso, onde repousa então o prazer estético com o qual fazemos desfilar diante de nós também aquelas imagens? Eu pergunto pelo prazer estético e sei perfeitamente que muitas dessas imagens, além disso, podem produzir, por vezes, ainda um deleite moral, como na forma da compaixão ou de um triunfo moral. Contudo, quem quisesse deduzir o efeito do trágico unicamente destas fontes morais, como certamente foi comum na estética por um tempo demasiadamente longo, não pode crer ter com isso feito algo em prol da arte: a qual deve exigir sobretudo pureza em seu domínio. Para o esclarecimento do mito trágico, a primeira exigência é justamente procurar o prazer que lhe é próprio na esfera puramente estética, sem se estender ao âmbito da compaixão, do temor, do moralmente sublime. Como podem o feio e o desarmônico, o conteúdo do mito trágico, suscitar um prazer estético?

Aqui se faz então necessário que nos lancemos, com um movimento ousado, para dentro de uma metafísica da arte, e para isso eu repito a sentença anterior de que apenas como fenômeno estético a existência e o mundo aparecem justificados: um sentido no qual justamente o mito trágico deve nos convencer que mesmo o feio e o desarmônico são um jogo artístico que a vontade joga consigo mesma na plenitude eterna de seu prazer. Esse fenômeno primordial da arte dionisíaca, de difícil apreensão, é contudo apreendido de modo compreensível e imediato no significado maravilhoso da *dissonância musical*: assim como unicamente a música, posta ao lado do mundo, pode oferecer um conceito do que se deve entender por justificação do mundo como fenômeno estético. O prazer produzido pelo mito trágico tem a mesma procedência que a sensação prazerosa da dissonância na música. O dionisíaco, com seu prazer primordial percebido mesmo na dor, é a matriz comum da música e do mito trágico.

Ao recorrermos à relação musical da dissonância, aquele difícil problema do efeito trágico não se tornou entrementes essencialmente mais fácil? Sim, agora entendemos o que quer dizer, na tragédia, querer olhar e ao mesmo tempo ansiar para além do olhar: estado que, no tocante à dissonância empregada artisticamente, deveríamos caracterizar precisamente como aquele no qual queremos ouvir e ansiamos ao mesmo tempo para além do ouvir. Aquele desejo pelo infinito, o bater de asas do anseio, no supremo prazer diante da realidade efetiva claramente percebida, lembra que nos é mister reconhecer em ambos os estados um fenômeno dionisíaco que nos revela sempre reiteradamente o lúdico construir e destruir do mundo individual enquanto efusão de um prazer primordial, de forma semelhante a quando Heráclito, o obscuro, compara a força criadora do mundo a uma criança que, brincando, assenta pedras aqui e ali, construindo montes de areia e novamente deitando-os abaixo.

Portanto, para apreciar corretamente a aptidão dionisíaca de um povo, deveremos pensar não somente na música do povo, mas também, de modo igualmente necessário, no mito trágico desse povo como o segundo testemunho daquela aptidão. Da mesma forma pode-se agora supor, por ocasião desse estreito parentesco entre música e mito, que uma degeneração e depravação de um será acompanhada por uma atrofia da outra: se de outra parte no enfraquecimento do mito em geral venha a se expressar um amortecimento da faculdade dionisíaca. Acerca de ambos, porém, um olhar sobre o desenvolvimento da natureza alemã não poderia nos deixar em dúvida: na ópera como no caráter abstrato de nossa existência destituída de mito, numa arte rebaixada ao entretenimento como numa vida guiada pelo conceito, se nos revelou aquela natureza do otimismo socrático, igualmente inartística e consumidora da vida. Para nosso consolo, contudo, havia sinais de que, apesar disso, o espírito alemão, intocado na magnífica saúde, profundeza e força dionisíaca, tal qual um cavaleiro profundamente adormecido, repousa e sonha num abismo inacessível: abismo do qual emerge em direção a nós a canção dionisíaca, a fim de nos dar a entender que este cavaleiro alemão, mesmo agora, ainda sonha seu mito dionisíaco primevo em austeras visões bem-aventuradas. Que ninguém creia que o espírito alemão tenha perdido para sempre sua pátria mítica, se ele ainda compreende de modo tão claro os cantos de pássaro que narram sobre aquela pátria. Um dia ele se encontrará desperto, em toda a frescura matinal de um sono imenso: então ele matará dragões, aniquilará os anões traiçoeiros e despertará Brunilda — e nem mesmo a lança de Wotan será capaz de impedir seu caminho.

Meus amigos, vós que acreditais na música dionisíaca, sabeis também o que a tragédia significa para nós. Nela temos o mito trágico, renascido da música — e nele podeis depositar todas as suas esperanças e esquecer o mais doloroso! O mais doloroso, porém, é para todos nós — o longo aviltamento sob o qual o espírito alemão, alienado de casa e de pátria, vivia a serviço de anões traiçoeiros. Vós compreendeis estas palavras — como compreendereis também, por fim, minhas esperanças.

**Sigmund Freud**

O poeta e o fantasiar

# O poeta e o fantasiar*

Sigmund Freud (1856–1939)

Tradução
*Ernani Chaves*

O que a psicanálise teria a nos dizer sobre a produção poética? Seria uma perspectiva semelhante ao que ocorre acerca da moral, a saber, um desvelamento crítico do pano de fundo pulsional de construções consideradas universais e transcendentes às experiências individuais? A beleza sedutora das obras nos expõe ao risco de idealizarmos demasiadamente a atividade do poeta a ponto de atribuir-lhe uma espécie de capacidade mágica autônoma em relação à história subjetiva. Ainda que o fantasiar do poeta tenha a sua óbvia peculiaridade, é instrutivo entender como a sua elaboração pode ser comparada a outros processos imaginativos, como a fantasia infantil. "O poeta faz algo semelhante à criança que brinca; ele cria um mundo de fantasia, que leva a sério, ou seja, um mundo formado por grande mobilização afetiva, na medida em que se distingue rigidamente da realidade". Neste texto escrito em 1908, Freud (1856–1939) aproxima a atividade poética de outros modos de fantasiar, como o fantasiar infantil e onírico.

**Temas:** psicologia, inconsciente, fantasia, sublimação, poesia.

---

\* Fonte: FREUD, S. "Der Dichter und das Phantasieren". In: *Schriften über Kunst und Künstler*. Einleitung von Peter Gay. Frankfurt/Main: Fischer, 1993. p. 29-40.

# O poeta e o fantasiar (1908)[1]

Sempre foi muito atraente para nós, leigos, poder saber de onde o poeta, essa extraordinária personalidade, extrai seus temas – algo no sentido da questão que o Cardeal dirigiu a Ariosto[2]– e como ele consegue nos comover tanto, despertar-nos emoções, que talvez julgássemos jamais fôssemos capazes de sentir. Nosso interesse nesse caso só cresceu devido à circunstância de que o próprio poeta, quando perguntado a respeito, não nos fornece nenhuma informação ou nenhuma que seja satisfatória e não é, de modo algum, perturbado pelo nosso conhecimento, de que o melhor juízo acerca das condições da escolha do material poético e da essência da arte de plasmar poeticamente, em nada contribuiria para fazer de nós mesmos poetas.

Se pelo menos pudéssemos encontrar em nós mesmos ou entre os nossos próximos, uma atividade de algum modo semelhante à do poeta! A investigação a respeito nos permitiria esperar conseguir uma primeira explicação sobre a criação poética. E realmente existe uma perspectiva a esse respeito; – o próprio poeta gosta de reduzir a distância

---

[1] FREUD, S. "Der Dichter und das Phantasieren". In: *Schriften über Kunst und Künstler*. Einleitung von Peter Gay. Frankfurt/Main: Fischer, 1993. p. 29-40.

[2] Freud refere-se à pergunta que teria sido feita pelo Cardeal d'Este de Ipollito ao seu protetor, o poeta Ludovico Ariosto (1474-1533), autor de "Orlando Furioso": "onde você encontra assim muitas histórias?" (N.T.).

entre o que lhe é singular e a essência humana em geral; ele nos assegura com frequência, que em cada um existe um poeta escondido e que o último poeta deverá morrer junto com o último homem.

Não deveríamos procurar os primeiros traços da atividade poética já nas crianças? A atividade que mais agrada e a mais intensa das crianças é o brincar. Talvez devêssemos dizer: toda criança brincando se comporta como um poeta, na medida em que ela cria seu próprio mundo, melhor dizendo, transpõe as coisas do seu mundo para uma nova ordem, que lhe agrada. Seria então injusto pensar, que a criança não leva a sério esse mundo; ao contrário, ela leva muito a sério suas brincadeiras, mobilizando para isso grande quantidade de afeto. O oposto da brincadeira não é a seriedade, mas – a realidade. A criança diferencia enfaticamente seu mundo de brincadeira da realidade, apesar de toda a distribuição de afeto, e empresta, com prazer, seus objetos imaginários e relacionamentos às coisas concretas e visíveis do mundo real. Não é outra coisa do que esse empréstimo que ainda diferencia a "brincadeira" da criança do "fantasiar".

O poeta faz algo semelhante à criança que brinca; ele cria um mundo de fantasia, que leva a sério, ou seja, um mundo formado por grande mobilização afetiva, na medida em que se distingue rigidamente da realidade. E a linguagem mantém essa afinidade entre a brincadeira infantil e a criação poética, na medida em que a disciplina do poeta, que necessita do empréstimo de objetos concretos passíveis de representação, é caracterizada como brincadeira/jogo (*Spiele*): comédia (*Lustspiel*), tragédia (*Trauerspiel*) e as pessoas que as representam, como atores (*Schauspieler*). Mas, a partir da irrealidade do mundo poético se seguem importantes consequências para a técnica artística, pois muitas coisas que não poderiam causar gozo como reais, podem fazê-lo no jogo da fantasia e muitas moções que em si são desagradáveis, podem se tornar para o ouvinte ou expectador do poeta fonte de prazer.

Consideremos ainda por um momento outra relação presente na oposição entre realidade e brincadeira! Depois que a criança cresce e abandona suas brincadeiras, quando passa a se preocupar psiquicamente durante décadas em compreender as realidades da vida com a seriedade exigida, então ela pode, um dia, sucumbir a uma disposição psíquica, que mais uma vez suprime a oposição entre brincadeira e realidade. O adulto pode, então, se lembrar, com que grande seriedade ele conduziu suas brincadeiras infantis e na medida em que equipara suas pretensas ocupações sérias com essas brincadeiras de criança, se desfaz de todas as pesadas opressões e alcança o maior ganho de prazer, o do *humor*.

Alguém que está crescendo deixa de brincar, renunciando claramente ao ganho de prazer que a brincadeira lhe trazia. Mas quem conhece a vida psíquica das pessoas, sabe que nada é mais difícil do que renunciar a um prazer que um dia foi conhecido. No fundo, não poderíamos renunciar a nada, apenas trocamos uma coisa por outra; o que parece ser uma renúncia é, na verdade, uma formação substitutiva ou um sucedâneo. Assim, quando alguém que está crescendo deixa de brincar, nada mais faz a não ser esse empréstimo aos objetos reais; em vez de *brincar*, agora *fantasia*. Ele constrói castelos no ar, cria o que chamamos de sonhos diurnos. Acredito que a maioria das pessoas, de tempos em tempos na sua vida, forma fantasias. Trata-se de uma atividade, à qual durante muito tempo não se deu atenção e cujo significado não foi suficientemente apreciado.

É mais difícil observar o fantasiar das pessoas do que a brincadeira das crianças. De fato a criança também brinca sozinha ou forma, com outras crianças, um fechado sistema psíquico com a finalidade de brincar, mas mesmo se também a criança não mostra nada previamente ao adulto, ela não esconde sua brincadeira diante dele. Mas, o adulto se envergonha de suas fantasias e as esconde dos outros, ele as guarda como o que lhe é mais íntimo, em geral, ele prefere responder por seus delitos, que partilhar suas fantasias. Pode suceder que ele se considere como a única pessoa que tem tais fantasias e não suspeita que suas criações sejam similares às de outras pessoas. Essas diferentes atitudes, a daquele que brinca e a daquele que fantasia, encontram sua boa fundamentação nos motivos pelos quais ambas se complementam e dão continuidade a essas atividades.

A brincadeira infantil foi dirigida por desejos, na verdade por um desejo, aquele que ajuda a educar a criança: o de se tornar grande e adulta. As crianças sempre brincam de "ser grande", imitando na brincadeira, o que se tornou conhecido delas, da vida dos grandes. Elas não têm nenhum motivo para esconder esse desejo. Já o adulto é bem diferente: por um lado, ele sabe que se espera que ele não brinque mais ou que não fantasie mais, mas, que aja no mundo real e, por outro lado, que sob suas fantasias se produzem muitos desejos que, de qualquer modo, devem permanecer necessariamente ocultos; por isso, ele se envergonha de suas fantasias como coisas de criança e proibidas.

Os senhores devem perguntar como se conhece com tanta exatidão essas informações acerca do fantasiar das pessoas, se estas o encobrem com tanto mistério. Ora, existe uma espécie de pessoa que conferiu, de fato, não a um Deus, mas a uma Deusa severa – a Necessidade – o encargo de dizer o que as faz sofrer e o que as alegra. Essas pessoas são os nervosos, que dos médicos de quem esperam o seu restabelecimento por meio do tratamento psíquico, também esperam que respondam por suas fantasias; dessas fontes surgem o nosso melhor conhecimento e nós conseguimos assim fundamentar inteiramente a suspeita de que nossos doentes não nos comunicam nada diferente do que as pessoas sãs também poderiam experimentar.

Conheçamos agora algumas características do fantasiar. Deve-se dizer que quem é feliz não fantasia, apenas o insatisfeito. Desejos insatisfeitos são as forças impulsionadoras [*Triebekräfte*] das fantasias e toda fantasia individual é uma realização de desejo, uma correção da realidade insatisfatória. Os desejos que impulsionam são diferentes de acordo com o sexo, o caráter e as relações da pessoa que fantasia. Mas, eles podem se agrupar, sem coação, de acordo com duas direções principais. Ou eles são desejos de ambição, que servem à elevação da personalidade, ou são eróticos. Nas jovens mulheres dominam quase exclusivamente os desejos eróticos, pois sua ambição é, em geral, consumida pela ânsia de amor; nos rapazes, ao lado dos eróticos, os desejos egoístas e ambiciosos são os de primeira necessidade. De fato, não gostaríamos de acentuar a oposição entre essas duas direções, mas muito mais sua frequente unificação; como em inúmeros retábulos é visível, em um canto, a imagem do fundador, assim poderíamos descobrir, na maioria das fantasias de ambição, em um ângulo qualquer, a dama para quem o fantasiador realiza todos esses atos heroicos, a quem ele lança todos os êxitos aos pés. Os senhores veem, aqui existem motivos suficientemente fortes para esconder; à dama bem educada se concede, em geral, apenas um mínimo de necessidade erótica e o rapaz deve aprender a reprimir o excesso de sentimento de si, que ele traz dos mimos da infância, com o objetivo da disciplina em uma sociedade tão rica em indivíduos com semelhantes exigências.

Não deveríamos imaginar os produtos desse processo, as fantasias individuais, castelos no ar ou sonhos diurnos como petrificados e inalteráveis. Eles são muito mais adaptáveis às mudanças das impressões da vida, se modificam a cada oscilação da situação da vida, recebendo de cada nova e eficaz impressão uma conhecida "marca do tempo". As relações da fantasia com o tempo são muito significativas. Deve-se dizer: uma fantasia paira entre três tempos, os três momentos temporais de nossa imaginação. O trabalho psíquico se acopla a uma impressão atual, a uma oportunidade no presente, capaz de despertar um dos grandes desejos da pessoa, remonta a partir daí à lembrança de uma vivência antiga, na sua maioria uma vivência infantil, na qual aquele desejo foi realizado e cria então uma situação ligada ao futuro, que se apresenta como a realização daquele desejo, seja no sonho diurno ou na fantasia, que traz consigo os traços de sua gênese naquela oportunidade e na lembrança. Ou seja, passado, presente, futuro, se alinham como um cordão percorrido pelo desejo.

O exemplo mais banal pode esclarecer-vos quanto à minha posição. Vejam o caso de um jovem pobre e órfão, a quem os senhores deram o endereço de um empresário, com quem ele talvez pudesse encontrar um emprego. No caminho, ele pode se perder num sonho diurno, evadindo-se tendo em vista sua situação. O conteúdo dessa fantasia era de que ele conseguiria o emprego, que agradaria ao seu novo chefe, se tornaria indispensável aos negócios, se mudaria para a casa do patrão, casaria com a sua atraente filha e então ele próprio, dirigiria os negócios como sócio e depois, como herdeiro. Assim sendo, o sonhador substitui o que ele poderia ter numa infância feliz: a casa protetora, os queridos pais e o primeiro objeto de sua inclinação afetiva. Os senhores veem neste exemplo, como o desejo utiliza uma oportunidade no presente para projetar, segundo um modelo do passado, uma imagem do futuro.

Haveria muito mais a dizer sobre as fantasias: mas quero me limitar a uma interpretação mínima. O desejar abusivo e o tornar-se poderoso próprio das fantasias cria as condições da entrada na neurose ou na psicose; as fantasias também são as mais próximas preparações psíquicas dos sintomas de sofrimento, dos quais lamentam nossos doentes. Aqui se apresenta um largo caminho em direção às patologias.

Mas não posso deixar de lado a relação das fantasias com os sonhos. Também nossos sonhos noturnos nada mais são do que essas fantasias, tal como mostramos de forma evidente por meio da sua interpretação.[3]

---

[3] Ver do autor, "Interpretação dos sonhos", 1900. (Ges. Werke, Bd. II/III).

A língua há muito já decidiu, na sua intransponível sabedoria, a questão acerca da essência dos sonhos, na medida em que ela também permitiu nomear as vaporosas criações da fantasia, de "sonhos diurnos". Se apesar desse indício de sentido, nossos sonhos, no geral, permanecem obscuros para nós, então eles comovem a partir de uma circunstância, segundo a qual tais desejos também são ativados em nós à noite, de modo que nos envergonhamos e que devem ser escondidos de nós mesmos, que devem, por isso, serem reprimidos e enviados para o inconsciente. Tais desejos reprimidos e seus derivados não podem ser permitidos, a não ser como uma expressão ruim, desfigurada. Depois que o *desfiguramento onírico* foi esclarecido pelo trabalho científico, não foi mais difícil reconhecer que os sonhos noturnos são realizações de desejo tal como os sonhos diurnos e as fantasias tão conhecidas de todos nós.

Falamos muito de fantasia, então vamos ao poeta! Deveríamos de fato tentar comparar o poeta com o "sonhador no dia mais luminoso", suas criações com sonhos diurnos? Isso leva a uma primeira diferença; devemos diferenciar os poetas que retomam temas já prontos, como os épicos e trágicos, daqueles que parecem criar livremente seus temas. Paremos um pouco nos últimos e procuremos para nossa comparação não aqueles poetas mais valorizados pela crítica, mas o narrador não exigente de romances, novelas e histórias, que por isso encontram inumeráveis e zelosos leitores e leitoras. Nas criações desses autores uma característica nos salta aos olhos: todos possuem um herói que ocupa o centro dos interesses, para quem o autor procura, por todos os meios, ganhar nossa simpatia e que ele parece proteger com uma providência especial. Se, ao final do capítulo de um romance, deixei o herói sem consciência, sangrando devido a uma ferida profunda, então estou seguro de encontrá-lo no início do próximo capítulo entregue aos maiores cuidados e a caminho da recuperação e se o primeiro volume terminou com o naufrágio do navio em meio à tempestade, no qual nosso herói se encontrava, então estou certo de que lerei no começo do segundo volume sua milagrosa salvação. O sentimento de segurança, com que acompanho o herói em meio a seu perigoso destino é o mesmo com o qual um herói real se lança nas águas, para salvar alguém que se afoga ou que se expõe ao fogo inimigo, para tomar de assalto uma bateria, todo sentimento heroico, na verdade, ao qual um dos nossos melhores poetas presenteou com expressões deliciosas: "Nada pode me acontecer"

(*Anzengruber*).[4] Mas, penso reconhecer nessa traiçoeira característica de ficar ileso sem esforço – sua majestade o eu, o herói de todos os sonhos diurnos como em todos os romances.

Outros traços típicos dessas narrativas egocêntricas remetem à mesma afinidade. Se todas as mulheres dos romances sempre se apaixonam pelo herói, isso deve ser compreendido raramente como uma descrição da realidade, mas deve ser simplesmente entendido como a existência necessária dos sonhos diurnos. Do mesmo modo, quando os outros personagens dos romances são rigidamente separados entre bons e maus, renunciando, na realidade, à mistura observada no caráter humano; os "bons" são os que socorrem, mas os "maus" são os inimigos e concorrentes do eu que se tornou herói.

Não desconhecemos, de modo algum, que diversas criações poéticas estão muito distantes do modelo ingênuo dos sonhos diurnos, mas não posso deixar de suspeitar que a mais extrema divergência, por meio de uma sequência de passagens sem interrupções, pode ser relacionada a esse modelo. Ainda em muitos dos conhecidos romances psicológicos me chama atenção que apenas uma pessoa, sempre de novo o herói, é descrita neles; o poeta se instala, igualmente, em sua psique e contempla as outras pessoas de fora. O romance psicológico deve sua especificidade inteiramente à inclinação do autor moderno em dividir seu eu por meio da auto-observação em eus-parciais e, em consequência disso, personifica a avalanche de conflitos de sua vida psíquica em muitos heróis. Em uma oposição bastante específica em relação ao tipo do sonho diurno, os romances parecem ser o que se poderia caracterizar como "excêntricos", nos quais a pessoa introduzida como herói representa o menor papel ativo, antes como um expectador vê os atos e sofrimentos dos outros passarem para ele. Os romances tardios de Zola são desse tipo. Assim sendo, devo observar que a análise psicológica, não poética, reconheceu em muitas peças indivíduos que divergiam das normas estabelecidas, variações análogas dos sonhos diurnos, nas quais o eu se contentou com o papel de expectador.

Se nossa comparação do poeta com o sonhador diurno, da criação artística com o sonho diurno pode ser valiosa, então ela deve ser justificada

---

[4] Referência a Ludwig Anzengruber (1839-1889), ator, jornalista e escritor austríaco, considerado como um "realista". Suas simpatias pelo socialismo fizeram com que o movimento operário austríaco o considerasse um de seus precursores (N.T.).

de um modo fecundo, seja lá como for. Tentemos utilizar nossa proposição feita acima acerca da relação da fantasia com os três tempos, assim como com os desejos, com a obra do poeta e, com sua ajuda, estudar as relações entre a vida do poeta e suas criações. Em geral, não se sabe com quais expectativas devemos nos intrometer neste problema; costumou-se apresentar essa relação de maneira muito simplificada. A partir do conhecimento adquirido com as fantasias, deveríamos esperar o seguinte conteúdo [*Sachgehalt*]: uma forte vivência atual deve despertar no poeta a lembrança de uma vivência antiga, em geral uma vivência infantil, da qual então parte o desejo que será realizado na criação artística; a própria criação permite que se reconheçam tanto elementos de acontecimentos recentes quanto também antigas lembranças.

Não se espantem diante da complexidade dessa fórmula; suspeito, que ela se justifica, na realidade, como um esquema demasiado escasso, mas uma primeira aproximação com o real conteúdo poderia ser nela conservado e após algumas tentativas que empreendi, deveria pensar que essa maneira de observar as produções poéticas poderia ser fecunda. Não esqueçam que o destaque, talvez estranho, às lembranças infantis na vida do poeta deriva, em última instância, da pressuposição que a criação literária, como o sonho diurno, é uma continuação e uma substituição, a uma só voz, das brincadeiras infantis.

Não deixemos de retornar aos tipos de poesia, na qual devemos entrever não a criação livre, mas o trabalho com um material já conhecido e pronto. Também aqui o poeta mantém uma parcela de autonomia, que se expressa na escolha dos temas e na frequente e considerável modificação dos mesmos. Mas, quanto mais os materiais já estão dados, mais surgem outros dos tesouros populares dos mitos, sagas e contos de fada. A investigação acerca dessas formações da psicologia dos povos não está ainda terminada, mas, por exemplo, muito provavelmente correspondam inteiramente aos mitos os resíduos deformados das fantasias de desejo de toda uma nação, os *sonhos seculares* da jovem humanidade.

Os senhores dirão que falei muito mais de fantasias do que do poeta, do que previra no título de minha palestra. Sei disso e peço desculpas tendo em vista o estado atual do nosso conhecimento. Gostaria apenas de vos estimular e desafiar, partindo do estudo das fantasias, a atacar o problema da escolha dos temas poéticos. Ainda não tocamos no outro problema que visa, com os meios do poeta, os efeitos afetivos em nós despertados por suas criações. Gostaria ainda de pelo menos indicar o caminho que, a partir de nossas explicações sobre as fantasias, nos leva aos problemas do efeito poético.

Os senhores se recordam quando dizíamos que quem tem sonhos diurnos esconde suas fantasias cuidadosamente diante dos outros, porque sente que aí há motivos para se envergonhar. Eu acrescentaria que mesmo que ele pudesse nos comunicar essas fantasias, não poderia nos proporcionar, por meio de tal desocultamento, nenhum prazer. Se experimentássemos essas fantasias, ou nos livraríamos delas ou permaneceríamos distantes delas. Mas, se o poeta nos apresentasse previamente suas brincadeiras ou contasse para nós aquilo que esclarecesse seus sonhos diurnos pessoais, então, sentiríamos, provavelmente a partir de diferentes fontes, um grande prazer que flui conjuntamente. Como o poeta realiza isso, eis aí o seu segredo mais íntimo; na técnica da superação desse desafogar, que certamente tem a ver com as limitações existentes entre todo o eu individual e os outros, consiste, verdadeiramente, a *Ars poética*. Podemos supor dois meios para essa técnica: o poeta suaviza o caráter do sonho diurno egoísta por meio de alterações e ocultamentos, e nos espicaça por meio de um ganho de prazer puramente formal, ou seja, estético, o qual ele nos oferece na exposição de suas fantasias. Pode-se chamar esse ganho de prazer, que nos é oferecido, para possibilitar, com ele, o nascimento de um prazer maior a partir de fontes psíquicas ricas e profundas, de um *prêmio por sedução* [Verlockungsprämie] ou de um *prazer preliminar* [Vorlust]. Sou da opinião de que todo prazer estético, criado pelo artista para nós, contém o caráter desse prazer preliminar e que o verdadeiro gozo da obra poética surge da libertação das tensões de nossa psique. Talvez, até mesmo não contribua pouco para esse êxito, o fato de o poeta nos colocar na situação de, daqui em diante, gozarmos com nossas fantasias sem censura e vergonha. Aqui estamos diante de uma entrada para investigações mais novas, mais interessantes e mais plausíveis, mas, pelo menos desta vez, chegamos ao final de nossa explicação.

# Walter Benjamin

# A obra de arte na era de sua reprodutibilidade técnica
(segunda versão em alemão)

# A obra de arte na era de sua reprodutibilidade técnica*

Walter Benjamin (1892–1940)

Tradução
*Daniel Pucciarelli*

---

Evidentemente, é impossível para a obra de arte ser impermeável às condições materiais de sua apresentação. Por isso, a possibilidade de reproduzir em série uma obra não é um elemento banal; ao contrário, é determinante. Seria um erro caso a reflexão estética não considerasse o impacto do modo de produção capitalista quando aplicado à arte. Portanto, uma abordagem do tema "arte e sociedade" jamais poderia passar ao largo da pergunta: como as condições sociais na modernidade afetaram a experiência estética? Integralmente apresentada, a segunda versão de *A obra de arte na era de sua reprodutibilidade técnica* (cuja primeira edição se deu em 1989), de Walter Benjamin (1892–1940), trata também do jogo, da *mímesis* e da técnica.

**Temas:** jogo, mímesis, técnica, modernidade, cinema.

---

\* Fonte: BENJAMIN, W. *Gesammelte Schriften. VII-1.* Herausgegeben von Rolf Tiedemann und Hermann Schweppenhäuser unter Mitarbeit von Christoph Gödde, Henri Lonitz und Gary Smith. Frankfurt am Main: Suhrkamp, 1991.

# A obra de arte na era de sua reprodutibilidade técnica[1] (*segunda versão em alemão*)[2]

> *Le vrai est ce qu'il peut; le faux est ce qu'il veut.*
> Madame de Duras

## I

Quando Marx empreendeu a análise do modo de produção capitalista, esse modo de produção estava em seus primórdios. Marx estabeleceu suas pesquisas de modo que elas adquirissem um valor prognóstico. Ele voltou às relações elementares da produção capitalista e apresentou-as de tal maneira que delas resultou o que se poderia esperar futuramente do capitalismo. Resultou que dele se poderia

---

[1] Tradução: Daniel Pucciarelli (Erasmus Mundus Europhilosophie). Revisão Técnica: Romero Freitas (Universidade Federal de Ouro Preto).

[2] Chegaram até nós quatro versões do ensaio "A obra de arte na era de sua reprodutibilidade técnica": uma em francês e três em alemão. O ensaio foi publicado pela primeira vez em 1936, na revista do Instituto de Pesquisa Social, em uma tradução francesa feita por Benjamin e Klossowski. Como o manuscrito dessa tradução se perdeu e o texto publicado na revista passou por inúmeras alterações por parte dos seus editores, é impossível saber ao certo a partir de qual versão em alemão a tradução foi feita. Três versões em alemão foram publicadas posteriormente. A primeira versão, baseada em um manuscrito que Benjamin escreveu em 1935 e que ele não considerava "pronto"

esperar não apenas uma exploração crescente do proletariado, mas finalmente também a produção de condições que tornariam possível a sua própria supressão.

A modificação fundamental da superestrutura, que se desenrola mais lentamente que a da infraestrutura, precisou de mais de meio século para efetivar, em todos os campos da cultura, a modificação das condições de produção. Apenas hoje se pode indicar como isso aconteceu. Nessas indicações deve-se colocar certas exigências prognósticas. Essas exigências não se referem a teses sobre a arte do proletariado após a tomada do poder, ou mesmo sobre a arte da sociedade sem classes, mas, antes, a teses sobre as tendências de desenvolvimento da arte sob as condições de produção atuais. Sua dialética se torna perceptível não menos na superestrutura do que na economia. Assim, seria falso menosprezar a eficácia de tais teses. Elas põem de lado uma série de conceitos tradicionais − tais como criatividade e genialidade, valor eterno e segredo −, conceitos cuja aplicação descontrolada (e no momento difícil de controlar) conduz à elaboração dos dados em sentido fascista. *Os novos conceitos que serão introduzidos a seguir na teoria da arte se diferenciam dos conceitos tradicionais pelo fato de que eles são completamente inutilizáveis para os propósitos do fascismo. Ao contrário, eles são utilizáveis para a formulação de exigências revolucionárias na política da arte.*

## II

A obra de arte sempre foi fundamentalmente reprodutível. O que os seres humanos fizeram pôde sempre ser refeito por seres humanos. Tal reprodução também fora efetuada por alunos, para o exercício artístico; por mestres, para a difusão das obras; e, finalmente, por

---

para publicação, surgiu pela primeira vez em 1974, no volume I das *Obras reunidas* editadas pela editora Suhrkamp (tradução brasileira em: Benjamin, W. *Obras escolhidas I.* São Paulo: Brasiliense, 1985). A segunda versão, que Benjamin tentou sem sucesso publicar em duas revistas alemãs editadas em Moscou, foi publicada pela primeira vez em 1989 no volume VII das *Obras reunidas*. Essa versão é provavelmente a mais atual das quatro versões do texto, já que é a única que trata explicitamente da relação entre as noções de "jogo", "mímesis" e "técnica". A terceira versão do ensaio, que Benjamin finalizou em 1939, foi publicada pela primeira vez na coletânea *Escritos*, organizada por Theodor e Gretel Adorno em 1955 (tradução brasileira em: Grünewald, J. L. (Org). *A ideia do cinema*, Civilização Brasileira, 1969). (N.R.T.)

terceiros que visavam o lucro. Por outro lado, a reprodução técnica da obra de arte é algo novo, que se impõe historicamente de maneira intermitente, em surtos bastante diferenciados, mas com crescente intensidade. Com a xilografia, o desenho tornou-se tecnicamente reprodutível pela primeira vez, e isso antes que a escrita o fosse por meio da imprensa. As enormes modificações que a imprensa – a reprodução técnica da escrita – trouxe à literatura são conhecidas. No entanto, elas correspondem apenas a *um* caso específico, sem dúvida particularmente importante, *do* fenômeno aqui analisado em escala histórica global. À xilografia somam-se, no decorrer da Idade Média, a gravura em chapa de cobre e a água-forte, assim como, no começo do século XIX, a litografia.

Com a litografia, a técnica de reprodução alcança um patamar essencialmente novo. O procedimento muito mais conciso, que diferencia a aplicação do desenho sobre uma pedra de seu entalho em um bloco de madeira ou de sua cauterização em uma chapa de cobre, deu ao desenho pela primeira vez a possibilidade de levar ao mercado os seus produtos não apenas em tiragens de massa (como anteriormente), mas em novas formas feitas diariamente. A litografia habilitou o desenho a acompanhar o cotidiano de forma ilustrada. Assim, ele começou a acompanhar a imprensa. Já nesses princípios, em poucas décadas após a invenção da litografia, o desenho foi ultrapassado pela fotografia. Com a fotografia, a mão foi pela primeira vez eximida, no processo de reprodução de imagens, das mais importantes tarefas artísticas, que então recaíram exclusivamente sobre o olho. Uma vez que o olho apreende mais rapidamente do que a mão desenha, o processo de reprodução gráfica foi acelerado de tal maneira que ele podia acompanhar a fala. Se a revista ilustrada estava virtualmente contida na litografia, então o cinema sonoro estava virtualmente contido na fotografia. A reprodução técnica do som se deu no final do século anterior. *Por volta de 1900, a reprodução técnica já havia alcançado um padrão no qual ela começou não apenas a fazer da totalidade das obras de arte tradicionais o seu objeto, submetendo o efeito destas a modificações profundas; mais ainda, a reprodução técnica conquistou então seu próprio espaço entre os procedimentos artísticos. Para o estudo desse padrão, nada é mais elucidativo que analisar como suas duas manifestações distintas – reprodução da obra de arte e a arte cinematográfica – refletem—se na arte em sua forma tradicional.*

# III

Mesmo com a reprodução mais desenvolvida, *uma coisa* não está presente: o aqui e agora da obra de arte – sua existência singular no lugar em que ela se encontra. Entretanto, nessa existência singular, e em nada mais, efetuou-se a história à qual, no curso de sua existência, a obra de arte esteve submetida. A essa existência pertencem tanto as modificações que a obra de arte sofreu em sua estrutura física com o passar do tempo quanto as cambiantes relações de propriedade nas quais ela possa ter entrado. Só se pode obter os vestígios de tais modificações através de análises de natureza química ou física, que não podem ser efetuadas na reprodução; por outro lado, os vestígios das relações de propriedade em que a obra de arte possa ter entrado são objeto de uma tradição, cuja persecução deve partir da posição da obra original.

O aqui e agora da obra original constitui o conceito de sua autenticidade, em cuja base se encontra a ideia de uma tradição que acompanhou esse objeto até os dias atuais como o mesmo e idêntico. *Todo o âmbito da autenticidade escapa à reprodutibilidade técnica – e, naturalmente, não apenas à técnica.* Enquanto a obra autêntica conserva a sua autoridade frente à reprodução manual, rotulada, via de regra, como falsificação, o mesmo não ocorre com a reprodução técnica. Há uma dupla razão para tal. Primeiramente, a reprodução técnica se revela frente ao original como mais independente do que a reprodução manual. Ela pode, por exemplo, salientar na fotografia aspectos do original acessíveis apenas à lente ajustável, cujo ângulo de mira é escolhido arbitrariamente, mas não ao olho humano; ou ainda, graças a certos procedimentos como a ampliação ou a câmara lenta, é possível reter imagens que simplesmente se furtam à ótica natural. Essa é a primeira razão. Em segundo lugar, a reprodução técnica pode ainda trazer a cópia do original a certas situações não acessíveis a ele. Acima de tudo, ela torna possível ao original se aproximar do receptor, seja na forma da fotografia ou da gravação. A catedral abandona o seu espaço para ser recebida em um estúdio de um amador; a obra coral, que havia sido executada em uma sala de concerto ou sob céu aberto, pode ser ouvida em um quarto.

É possível que essas diferentes circunstâncias não tenham afetado a subsistência da obra de arte – mas elas desvalorizam, em todo caso, o seu aqui e agora. Se isso é válido não apenas para a obra de arte, mas, por exemplo, também para uma paisagem que passa diante do expectador durante o filme, então por meio desse processo toca-se um dos núcleos mais sensíveis do objeto artístico, um núcleo tão vulnerável que nenhum objeto natural o possui. Trata-se de sua autenticidade. A autenticidade de uma coisa é a soma de tudo nela que, a partir de sua origem, pode ser transmitido, desde seu decurso material até o seu testemunho histórico. E uma vez que este se assenta sobre aquele, o testemunho histórico da coisa é abalado com a reprodução, na qual o seu decurso material escapa aos seres humanos. E certamente só ele; mas o que é abalado dessa maneira é a autoridade da coisa, seu peso tradicional.

Pode-se resumir essas características no conceito da aura, e dizer: o que se atrofia na época da reprodutibilidade técnica da obra de arte é a sua aura. Esse processo é sintomático; seu significado aponta para muito além do âmbito da arte. *A técnica de reprodução, assim poderíamos formular em termos gerais, destaca o reproduzido do âmbito da tradição. Na medida em que multiplica a reprodução, ela substitui a sua aparição singular pela sua aparição em massa. E na medida em que ela permite à reprodução vir ao encontro do receptor em cada situação, ela atualiza o que é reproduzido.* Esses dois processos conduzem a um violento abalo do que é transmitido – um abalo da tradição, que é o outro lado da atual crise e renovação da humanidade. Eles se encontram em íntima relação com os movimentos de massa de nossos dias. Seu agente mais poderoso é o filme. Seu significado social não é pensável – também em sua forma mais positiva, e justamente nela – sem esse lado destrutivo e catártico: a *liquidação do valor tradicional da herança cultural*. Esse fenômeno é mais palpável nos grandes filmes históricos. Ele engloba cada vez mais posições em seu campo. Quando Abel Gance proclamou entusiasticamente, em 1927: "Shakespeare, Rembrandt, Beethoven farão cinema... Todas as lendas, todas as mitologias e todos os mitos, todos os fundadores de religiões, todas as religiões... aguardam a sua ressurreição luminosa, e os heróis se acotovelam junto aos portões!"[3] – ele convidava, sem o saber, para uma abrangente liquidação.

## IV

*No interior de grandes períodos históricos modifica-se, juntamente com todo o modo de existência das coletividades humanas, também o modo de sua*

---

[3] Abel Gance, Le temps de l'image est venu. In: *L'art cinématographique* II. Paris, 1927. p. 94-96.

*percepção.* O modo pelo qual a percepção humana se organiza – o meio[4] em que ela acontece – não é apenas naturalmente, mas também historicamente determinado. O tempo da migração dos povos bárbaros, em que indústria artística do Império Romano Tardio e o Gênesis de Viena[5] surgiram, possuía não apenas uma outra arte que aquela da Antiguidade, mas também uma outra forma de percepção. Os sábios da escola vienense, Riegl e Wickhoff,[6] que prestaram resistência à força da tradição clássica sob a qual aquela arte havia sido soterrada, foram os primeiros a pensar em tirar conclusões, a partir daquela arte, acerca da organização da percepção no tempo em que ela era válida. Por mais que seus conhecimentos fossem amplos, eles estavam limitados pelo fato de que esses pesquisadores se contentavam em mostrar a assinatura formal que era própria à percepção no Império Romano Tardio. Eles não tentaram – e talvez não pudessem mesmo esperá-lo – mostrar as modificações estruturais da sociedade, que se expressavam nessas modificações da percepção. Para o tempo presente, as condições para um conhecimento dessa natureza são mais propícias. E se as modificações no meio da percepção, cujos contemporâneos somos nós, podem ser concebidas como o declínio da aura, então podemos revelar as suas condições sociais.

---

[4] *Medium*, e não *Mittel*. Em vários momentos da obra benjaminiana, desde pelo menos o ensaio "Sobre a linguagem em geral e sobre a linguagem do homem" (1916), a palavra *Medium* ("meio") designa o elemento imediato ou material da linguagem, e não o fato de que a comunicação pode ser entendida como mediação, isto é, como o "meio" (*Mittel*) para se atingir um determinado fim. (N.R.T.)

[5] "Gênesis de Viena": manuscrito ilustrado pertencente à Biblioteca Nacional Austríaca. Produzido provavelmente no século VI d. C. Representa cenas do Gênesis bíblico. (N.R.T.)

[6] Alois Riegl (1858-1905) e Franz Wickhoff (1853-1909): historiadores da arte, representantes da chamada "Escola de Viena". Tiveram importante papel na renovação da sua disciplina. Como observou um especialista: "Desde 1901, o historiador de arte Alois Riegl tinha 'libertado' a arte antiga tardia da acusação de ter se tornado uma arte popular, explicando por uma mudança na vontade expressiva e nas mensagens transmitidas aquilo que se habituou atribuir à falta de técnica dos artistas 'vindos do povo'. Riegl explicava o abandono das convenções clássicas nas artes plásticas pela intenção de exprimir a transcendência, mais do que a forma e pelo interesse colocado no conteúdo, ou seja, na finalidade exterior da obra de arte, mais do que a reprodução realista das formas naturais" (Carrié, J-M. "Elitismo cultural e 'democratização da cultura' no Império Romano Tardio", *História*, v. 29, n. 1, Franca, 2010, p. 464). Wickhoff foi o autor, em 1895, de um estudo sobre o Gênesis de Viena. (N.R.T.)

O que é a aura, falando propriamente? Uma estranha teia composta de espaço e tempo, aparição única de uma distância, por mais próxima que ela seja. Contemplar tranquilamente, em uma tarde de verão, uma serra no horizonte ou um ramo sob cuja sombra descansamos – isso quer dizer respirar a aura da serra, a aura desse galho. À base dessa descrição, é fácil conceber o condicionamento social do atual declínio da aura. Ele repousa sobre duas circunstâncias, e ambas se relacionam com o aumento crescente das massas e a crescente intensidade de seus movimentos. Ou seja: *"trazer as coisas para perto de si" é ao mesmo tempo uma aspiração apaixonada das massas atuais e a sua tendência de superar a unicidade de todo dado por meio de sua reprodução.* Diariamente mostra-se como cada vez mais indeclinável a necessidade de se apreender o objeto na máxima proximidade, na imagem ou, mais ainda, na cópia, na reprodução. E a reprodução, tal como ela é disponibilizada pela revista ilustrada e pelo cinejornal, se distingue de maneira inconfundível da imagem. Unicidade e duração se entrelaçam na imagem assim como volatilidade e repetibilidade na reprodução. Extrair o objeto de seu invólucro, o estilhaçamento da aura, eis a marca de uma percepção cuja "sensibilidade para tudo o que se assemelha no mundo"[7] cresceu de tal maneira que a percepção procura assegurá-lo, por meio da reprodução, também a partir do que é singular. Assim se manifesta no âmbito da sensibilidade o que se faz sentir no âmbito da teoria como o crescente significado da estatística. A orientação da realidade para as massas e das massas para a realidade é um processo de extensão ilimitada, tanto para o pensamento quanto para a sensibilidade.

## V

A singularidade da obra de arte é idêntica à sua inserção no contexto da tradição. Certamente, essa tradição é algo de inteiramente vivo e de extraordinariamente mutável. Uma antiga estátua de Vênus, por exemplo, encontrava-se em uma outra tradição entre os gregos, que fizeram dela um objeto de culto, do que entre os clérigos da Idade Média, que vislumbravam nela um ídolo funesto. No entanto,

---

[7] Citação de um trecho da obra *Novelas exóticas* (1907-1915), do escritor dinamarquês Johannes Vilhelm Jensen (1873-1950): "Richard era um jovem que tinha sensibilidade para tudo o que se assemelha no mundo". (N.R.T.)

o que se impunha a ambos da mesma maneira era a sua singularidade, ou, dito de outro modo, a sua aura. A forma originária da inserção da obra de arte no contexto da tradição encontrou a sua expressão no culto. Como sabemos, as obras de arte mais antigas surgiram a serviço de um ritual; primeiramente de um ritual mágico, posteriormente de um religioso. É decisivo o fato de que esse modo de ser aurático da obra de arte jamais se dissociou inteiramente de sua função ritual. Em outras palavras: *o valor de singularidade da obra de arte "autêntica" encontra a sua fundação sempre no ritual*. Por mais mediada que essa fundação seja, ela é reconhecível, mesmo nas formas mais profanas do culto à beleza, como ritual secularizado. Tais fundamentos se tornam claramente reconhecíveis quando o culto profano à beleza, que se forma com o Renascimento e permanece atuante por três séculos, sofre o seu primeiro abalo sério, após esse período. Quando, com o advento do primeiro meio de reprodução verdadeiramente revolucionário – a fotografia, simultaneamente ao despontar do socialismo –, a arte sente a proximidade da crise que se tornou evidente após cem anos, ela reage com a doutrina da *l'art pour l'art*, que é uma teologia da arte. Dela surgiu então diretamente uma teologia negativa na forma da ideia de uma arte "pura", que recusa não apenas toda função social, mas também toda determinação mediante um tema concreto. (Na poesia, foi Mallarmé o primeiro a alcançar essa posição).

A uma análise que se ocupa da obra de arte na época de sua reprodutibilidade técnica é indispensável compreender essas relações precisamente. Pois elas preparam o conhecimento que aqui é decisivo, a saber: a reprodutibilidade técnica da obra de arte a emancipa, pela primeira vez na história universal, de sua existência parasitária no ritual. A obra de arte reproduzida se torna cada vez mais a reprodução de uma obra de arte criada para a reprodução.[8] Da chapa fotográfica, por

---

[8] No caso das obras cinematográficas, a reprodutibilidade técnica do produto não é uma condição que se encontra de forma externa para a sua difusão em massa, como no caso das obras da literatura ou da pintura, por exemplo. *A reprodutibilidade técnica das obras cinematográficas é imediatamente fundada na técnica de sua produção. Essa técnica possibilita não apenas, da forma mais imediata, a difusão em massa das obras cinematográficas, mas ela a impõe diretamente.* Ela a impõe, pois o custo de produção de um filme é tão elevado que um indivíduo que podia adquirir uma pintura, por exemplo, não pode se permitir adquirir um filme. Em 1927, calculou-se que um filme de maior extensão deveria alcançar um público de nove milhões de pessoas para ser rentável.

exemplo, é possível extrair várias cópias; a pergunta pela cópia autêntica não faz sentido. *No entanto, no instante em que a escala da autenticidade não mais se aplica à produção da arte, então toda função social da arte transformou-se radicalmente. No lugar de sua fundação no ritual, deve surgir sua fundação numa outra práxis, a saber: sua fundação na política.*

## VI

Seria possível apresentar a história da arte como o confronto entre dois polos na própria obra de arte, visualizando a história do decurso desse confronto nos deslocamentos cambiantes da ênfase depositada de um polo da obra de arte para o outro. Esses dois polos são o valor de culto e o valor de exposição.[9] A produção artística

---

Com o cinema sonoro, no entanto, há um retrocesso: o seu público passou a se limitar às fronteiras linguísticas. E isso aconteceu ao mesmo tempo que a afirmação dos interesses nacionais pelo fascismo. Mais importante que registrar esse retrocesso, no entanto, que de resto foi atenuado com o advento das dublagens, é chamar a atenção para sua relação com o fascismo. A simultaneidade de ambos acontecimentos repousa na crise econômica. Os mesmos distúrbios que em geral conduziram à manutenção das relações de propriedade com violência explícita conduziram o capital cinematográfico, posto em risco pela crise, a forçar os trabalhos preliminares ao cinema sonoro. A introdução do filme sonoro trouxera então uma tranquilização temporária. E isso não apenas porque o filme sonoro levou novamente as massas ao cinema, mas também porque ele mobilizou novos capitais, advindos da indústria elétrica, a favor do capital cinematográfico. Assim, e visto de fora, ele promoveu interesses nacionais; visto de dentro, no entanto, ele internacionalizou ainda mais a produção cinematográfica.

[9] Essa polaridade não pode se estabelecer verdadeiramente na estética do idealismo, cujo conceito de beleza compreende, fundamentalmente, essa polaridade sem diferenciá-la (excluindo, consequentemente, sua diferenciação). Em todo caso, essa polaridade se anuncia em Hegel tão claramente quanto possível no interior dos limites do idealismo. "Imagens", lê-se nas *Preleções sobre a Filosofia da História*, "existiam há muito tempo; a religiosidade necessitava delas desde cedo para a sua devoção, mas ela não precisava de *belas* imagens; antes, estas eram para ela mesmo um incômodo. Na bela imagem está presente também uma exterioridade, mas, na medida em que ela é bela, o seu espírito fala ao ser humano; naquela devoção, no entanto, a relação com uma *coisa* é essencial, pois a própria devoção é apenas um entorpecimento da alma, algo sem espírito [...] A bela arte nasceu [...] na própria igreja, embora [...] a arte já tenha se distanciado do princípio da igreja". (Georg Wilhelm Friedrich Hegel, Werke IX, Berlin 1837, p. 414). E também uma passagem das *Preleções sobre a Estética* indica que Hegel intuía um problema nesse ponto. "[...] além disso, ultrapassamos o estágio de poder reverenciar e idolatrar como divinas as obras da arte, a impressão que elas provocam, é de natureza mais recatada, e o que é provocado em nós por meio delas necessita de um critério mais elevado" (Hegel, l.c. X, I, Berlin 1835, p. 14).

começa com produtos que se encontram a serviço da magia. Desses produtos, o importante é apenas que eles existam, não que eles sejam vistos. O alce que o homem da Idade da Pedra retratava nas paredes de sua caverna é um instrumento de magia, exposto por ele aos outros apenas ocasionalmente; no máximo, o importante é que os espíritos o vejam. O valor de culto como tal praticamente obriga que a obra de arte seja mantida às escondidas; certas estátuas de deuses são acessíveis apenas ao padre na *cella*, certas madonas permanecem encobertas por quase todo o ano, certas esculturas em catedrais medievais não são visíveis ao observador que se encontra no solo. *Com a emancipação dos exercícios artísticos particulares do seio do ritual, crescem as oportunidades de exposição de seus produtos.* A exponibilidade de um busto, que pode ser enviado aqui e acolá, é maior do que a de uma estátua de um deus, que tem o seu lugar fixo no interior do templo. A exponibilidade de um painel é maior do que a de um mosaico ou de um afresco, que o precederam. E se a exponibilidade de uma missa talvez não era originalmente inferior que a de uma sinfonia, esta surgiu, no entanto, na época em que a sua exponibilidade prometia se tornar maior que a da missa.

Com os diferentes métodos de reprodução técnica da obra de arte, sua exponibilidade cresceu tão violentamente que o deslocamento quantitativo entre os seus dois polos converteu-se em uma mudança qualitativa de sua natureza, mudança esta análoga à que ocorreu na pré-história. Assim como na pré-história a obra de arte se tornou, por meio da ênfase absoluta depositada em seu valor de culto, sobretudo um instrumento da magia, reconhecida apenas posteriormente como obra de arte, hoje a obra de arte se transforma, por meio da ênfase absoluta depositada em seu valor de exposição, em um produto com funções inteiramente novas, das quais aquela de que temos consciência, a artística, se destaca como uma função que posteriormente poderá ser reconhecida como acessória. Atualmente, é certo que o cinema oferece maior margem de análise para essa questão. E também é certo que o alcance histórico dessa mudança de função da arte, que aparece da forma mais avançada no cinema, permite sua confrontação com a pré-história da arte não apenas metódica, mas também materialmente.

A serviço da magia, a arte da pré-história fazia certos registros que serviam à práxis: seja, provavelmente, como a realização de procedimentos mágicos (entalhar uma figura ancestral é um exercício mágico), seja como instruções a tais procedimentos (a figura ancestral apresenta uma postura ritual), seja ainda como objetos de contemplação mágica (observar a figura ancestral fortalece o poder mágico do observador). O ser humano e seu meio ambiente ofereciam os objetos desses registros, e eles eram copiados segundo as exigências de uma sociedade cuja técnica apenas existia em fusão com o ritual. Naturalmente, essa técnica é atrasada em comparação à maquinal. Para a análise dialética, no entanto, não é isso o importante. O que importa para ela é a diferença tendencial entre aquela técnica e a nossa, diferença que consiste no fato de que a primeira técnica mobiliza o ser humano tanto quanto possível; a segunda, tão pouco quanto possível. A façanha técnica da primeira técnica é, em certo sentido, o sacrifício humano, ao passo que a da segunda é da ordem dos aviões de controle remoto, que não precisam de tripulação. O "de uma vez por todas" vale para a primeira técnica (trata-se para ela de uma falta que jamais poderá ser restabelecida, ou do eterno sacrifício substituto); o "uma só vez não é nada" vale para a segunda (ela tem a ver com o experimento e a sua variação incansável das condições de experimentação). A origem da segunda técnica deve ser buscada onde o ser humano passou, pela primeira vez e com astúcia inconsciente, a tomar distância da natureza. Dito de outro modo, a origem está no jogo.

Seriedade e jogo, rigidez e descompromisso aparecem cruzados em cada obra de arte, ainda que em proporções cambiantes. Com isso já é dito que a arte está ligada tanto à primeira quanto à segunda técnica. Entretanto, deve-se notar que o "domínio da natureza" designa o objetivo da segunda técnica apenas de maneira altamente contestável; ele o designa do ponto de vista da primeira técnica. A primeira almejava efetivamente o domínio da natureza; a segunda almejava, antes, a cooperação entre a natureza e a humanidade. A função social decisiva da arte atual é a prática nessa combinação. E isso é válido, sobretudo no que concerne ao cinema. *O cinema serve para exercitar os seres humanos naquelas apercepções e reações condicionadas pela lida com a aparelhagem, cujo papel em sua vida aumenta quase diariamente.* A lida com a aparelhagem lhe ensina, ao mesmo tempo, que a servidão em seu serviço só dará espaço à libertação por meio dela quando a disposição da humanidade tiver se adaptado às novas forças produtivas que a segunda técnica conquistou.[10]

## VII

*Na fotografia, o valor de exposição começa a fazer o valor de culto recuar em todas as suas frentes.* Este, no entanto, não cede sem resistência. Ele guarda uma última trincheira, que é a face humana. Não é de modo algum por acaso que o retrato é central para a antiga fotografia. O valor de culto da imagem tem o seu último asilo no culto da recordação das pessoas queridas, distantes ou falecidas. Na expressão fugidia de um rosto humano nas antigas fotografias a aura acena pela última vez. É isso que constitui a sua beleza melancólica e incomparável. No entanto, quando o ser humano se retira da fotografia, o valor de exposição se impõe soberano sobre o valor de culto. Ter dado a esse processo o seu lugar, eis o significado incomparável de Atget, que registrou, por volta de 1900, as ruas parisienses desertadas de seres humanos. Dele foi dito com toda razão que ele as fotografou como o local de um crime. O local de um crime também é deserto. Seu registro se realiza graças aos indícios. Com Atget, os registros fotográficos começam a se tornar provas no

---

[10] O objetivo das revoluções é acelerar essa adaptação. Revoluções são inervações do coletivo; ou, precisamente, tentativas de inervação do novo coletivo, historicamente inédito, que tem o seu órgão na segunda técnica. Essa segunda técnica é um sistema, no qual o domínio das forças elementares da sociedade apresenta a condição para o jogo com as forças elementares da natureza. Como uma criança que acaba de aprender a agarrar, que estende a mão para a lua assim como para uma bola, assim também a humanidade, em suas tentativas de inervação, apreende os objetivos possíveis e ao mesmo tempo os que a princípio são utópicos. Pois não é apenas a segunda técnica que registra suas exigências para a sociedade nas revoluções. Justamente porque essa segunda técnica quer alcançar a crescente libertação do ser humano a partir do trabalho em geral, o indivíduo vê, por outro lado, seu campo de ação se ampliar repentinamente. Nesse campo, o indivíduo ainda não está informado. Mas suas exigências se registram nesse campo. Pois quanto mais o coletivo se apropria de sua segunda técnica, tanto mais sensível ele se torna aos indivíduos a ele pertencentes, por menos que eles, sob o encanto da primeira técnica, tenham consciência disso. Dito de outro modo, é o ser humano singular, emancipado por meio da liquidação da primeira técnica, que faz suas exigências. A segunda técnica não assegurou imediatamente as suas primeiras conquistas revolucionárias enquanto as questões vitais dos indivíduos – amor e morte – vieram à tona abundantemente por meio da primeira técnica, urgindo por soluções. A obra de Fourier é o primeiro documento histórico dessa exigência.

processo histórico. Isso constitui o seu significado político oculto. Eles exigem uma recepção em sentido determinado. A contemplação livre não lhes é mais apropriada. Eles inquietam o observador; ele sente que deve procurar um certo caminho para chegar a eles. Ao mesmo tempo, as revistas ilustradas começam a lhe apresentar indicações de caminhos, sejam elas verdadeiras ou falsas. Nas revistas, a legenda se tornou pela primeira vez obrigatória. É certo, ainda, que esta possui um caráter inteiramente diferente do que o título de uma pintura. As diretivas que o observador de imagens recebe da legenda das revistas ilustradas se tornarão em seguida ainda mais precisas e imperativas no filme, onde a compreensão de cada imagem parece prescrita pela sequência de todas as imagens anteriores.

## VIII

Os gregos conheciam apenas dois métodos de reprodução técnica de obras de arte: a fundição e a cunhagem. Bronzes, terracotas e moedas foram as únicas obras de arte que eles podiam produzir em massa. Todas as outras eram singulares e irreprodutíveis tecnicamente. *Por isso,* elas deviam ser feitas para a eternidade. *Pelo estado de sua técnica, os gregos não podiam prescindir de produzir valores eternos na arte.* Eles devem a essa circunstância o seu lugar distintivo na história da arte, a partir do qual os povos posteriores puderam determinar a sua própria posição. Não há dúvida de que a nossa posição se encontra no polo oposto à dos gregos. Nunca antes as obras de arte foram em tão alta medida e com tão vastas consequências reprodutíveis tecnicamente como hoje. Com o filme temos uma forma cujo caráter artístico é determinado, pela primeira vez, continuamente pela sua reprodutibilidade. Confrontar essa forma em suas peculiaridades com a arte grega seria ocioso. Em um ponto exato, no entanto, esse confronto é instrutivo. Com o cinema, uma qualidade se tornou crucial para a obra de arte, qualidade essa que os gregos teriam concedido à obra de arte em último caso, ou apenas a considerado como sua qualidade mais inessencial. Trata-se de sua perfectibilidade. O filme pronto é tudo menos uma criação feita de *uma* vez; ele é montado a partir de várias imagens e sequências de imagens, entre as quais o montador pode escolher – imagens que, de resto, foram aprimoradas a bel-prazer, desde o começo, na sequência das gravações até o êxito definitivo. Para produzir o seu filme "Opinion publique",[11] de 3000 metros de comprimento, Chaplin gravou 12.500 metros. *O filme é, portanto, a obra de arte mais aperfeiçoável. Tal perfectibilidade se relaciona com uma abdicação radical do valor de eternidade.* Isso deriva da contraprova: para os gregos, cuja arte não podia prescindir da produção de valores de eternidade, a arte menos aperfeiçoável se encontrava no topo das artes – a escultura –, cujas criações são feitas literalmente a partir de *uma* peça. O declínio da escultura na era da obra de arte montável é inevitável.

## IX

Hoje o conflito travado no decorrer do século dezenove entre a pintura e a fotografia acerca do valor artístico de seus produtos parece confuso e despropositado. Mas tal fato não reduz em nada o seu significado, e poderia mesmo sublinhá-lo. De fato, esse conflito foi a expressão de uma transformação histórico-universal, da qual nenhum dos dois adversários estivera consciente como tal. Na medida em que a era de sua reprodutibilidade técnica desatou a arte de seu fundamento no culto, a sua aparência de autonomia se esvaneceu para sempre. A modificação de função da arte, no entanto, que se deu então, saiu do campo de visão do século. Tal modificação passou também em muito despercebida ao século vinte, que vivenciou o desenvolvimento do cinema.

*Da mesma maneira que, anteriormente, muita argúcia vã foi empregada para decidir se a fotografia seria uma arte – sem colocar a questão preliminar se por meio da invenção da fotografia o caráter integral da arte havia se modificado –, os teóricos do cinema assumiram em seguida a questão correspondente de modo igualmente precipitado.* Mas as dificuldades que a fotografia colocara à estética tradicional foram uma brincadeira de criança frente às dificuldades com as quais o cinema a aguardava. Daí a violência cega que caracteriza os primórdios da teoria do cinema. É assim que Abel Gance, por exemplo, compara o cinema com os hieróglifos: "Chegamos, então, em virtude de um regresso altamente curioso ao passado, ao nível de expressão dos egípcios... A linguagem das imagens ainda não chegou à sua maturação, pois nossos olhos ainda não estão à sua altura. Ainda não há apreço suficiente, ainda não há *culto* suficiente para

---

[11] Título original: *A Woman of Paris* (1923); título no Brasil: *Casamento ou Luxo?* (N.R.T.)

aquilo que se expressa nela".[12] Ou, segundo Séverin-Mars: "A qual arte foi concedido um sonho que teria sido ao mesmo tempo mais poético e mais real! Considerado de tal ponto de vista, o cinema apresentaria um meio de expressão inteiramente incomparável, e em sua atmosfera só é permitido que se movimentem pessoas de mais nobre pensamento, nos mais plenos e misteriosos momentos de sua vida".[13] É bastante instrutivo ver como o esforço de elevar o cinema à "arte" compele esses teóricos a introduzir nele, com falta de atenção sem igual, elementos de culto. E, no entanto, à época que tais especulações foram publicadas, já havia obras como "L'opinion publique" e "La ruée vers l'or".[14] Isso não impede Abel Gance de evocar a comparação com os hieróglifos, e Séverin-Mars fala do filme como se poderia falar de imagens de Fra Angelico. Característico é o fato de que ainda hoje autores particularmente reacionários buscam o significado do cinema na mesma direção, se não diretamente no sagrado, então ao menos no sobrenatural. Por ocasião da adaptação cinematográfica de Reinhardt de "Sonho de uma noite de verão", Werfel constata que foi sem dúvida a cópia estéril do mundo exterior, com suas ruas, *interiéurs*, estações de trem, restaurantes, automóveis e praias, o que até hoje atrapalhou a ascensão do cinema ao reino da arte. "O cinema ainda não compreendeu o seu verdadeiro sentido, suas possibilidades reais… Elas consistem em uma capacidade singular de dar voz, com meios naturais e com poder de persuasão incomparável, ao feérico, maravilhoso e sobrenatural".[15]

## X

A reprodução fotográfica de um quadro é diferente da de um evento artificial, realizada em um estúdio cinematográfico. No primeiro caso, o que é reproduzido é uma obra de arte, e sua produção não o é. Pois o desempenho do cinegrafista na objetiva não cria uma obra de arte, assim como o desempenho de um maestro em uma orquestra sinfônica; no melhor dos casos, ele cria um desempenho artístico.

---

[12] Abel Gance, l.c., p. 101.

[13] Séverin-Mars, cit. Abel Gance, l.c., p. 100.

[14] Título original: *The Gold Rush* (1925); título no Brasil: *Em busca do ouro* (N.R.T.)

[15] Franz Werfel, Ein Sommernachtstraum, Ein Film von Shakespeare und Reinhardt, in: Neues Wiener Journal, cit. LU, 15 novembre 1935.

Diferentemente ocorre na gravação em um estúdio cinematográfico. Nesse caso, nem o que é reproduzido é uma obra de arte, e a reprodução não o é tampouco, como no primeiro caso. A obra de arte só surge aqui em virtude da montagem: de uma montagem da qual cada parte singular é a reprodução de um evento que nem é uma obra de arte em si nem gera uma obra de arte na fotografia. O que são esses eventos reproduzidos no filme, uma vez que eles não são obras de arte?

A resposta deve partir do desempenho artístico próprio ao ator de cinema. Ele se distingue do ator de teatro pelo fato de que seu desempenho artístico não se passa, em sua forma original — a qual subjaz à reprodução —, perante um público ocasional, mas perante um grêmio de especialistas — como produtor, diretor, cinegrafista, engenheiro de som, responsável pela iluminação, etc. —, que a todo momento podem intervir em seu desempenho artístico. Trata-se aqui de uma marca social distintiva muito importante. A intervenção de um grêmio de especialistas em um desempenho artístico é típica do desempenho esportivo e, em sentido amplo, da execução de um teste. De fato, tal intervenção determina inteiramente o processo de produção do filme. Como se sabe, várias partes são filmadas em variações. Um grito de socorro, por exemplo, pode ser registrado em diferentes versões. Entre essas, o responsável pela montagem deverá escolher; ele escolhe uma delas, como que estatuindo a versão recorde. Um evento feito em um estúdio de gravação se distingue do evento real correspondente da mesma maneira que o lance de um disco no campo esportivo de um campeonato é diferente do lance do mesmo disco, no mesmo lugar e sobre a mesma distância, se viesse a matar um homem. O primeiro seria a execução de um teste, o segundo não.

No entanto, a execução desse teste pelo ator de cinema é algo completamente singular. Em que ela consiste? Na superação de uma certa barreira que coloca o valor social de testes em limites estreitos. Não se trata aqui do desempenho esportivo, mas do desempenho em um teste mecanizado. Em certo sentido, o esportista conhece apenas o teste natural. Ele se mede pelas tarefas postas pela natureza, e não pelas tarefas de um equipamento — a menos em exceções, como Nurmi, de quem se dizia que ele corria contra o relógio. Entretanto, o processo de trabalho ocasionou, sobretudo desde que ele foi padronizado pela cadeia de montagem, incontáveis provas diárias no teste mecânico. Essas provas ocorrem às escondidas: quem não for aprovado, é excluído do processo de trabalho. Mas elas também ocorrem independentemente, nos institutos que oferecem orientação profissional. Em ambos os casos, nos confrontamos com o limite supramencionado.

Na verdade, e ao contrário das provas esportivas, essas provas não podem ser expostas como seria desejável. E é exatamente aqui que o cinema intervém. *O cinema torna possível que o teste venha a ser exposto, na medida em que ele faz de sua própria exponibilidade um teste.* O ator de cinema não atua perante um público, mas perante uma aparelhagem. O responsável pela gravação se encontra exatamente no mesmo lugar que o responsável pelo teste de habilitação profissional. Atuar sob a luz dos holofotes e sob as exigências do microfone é um teste de primeira ordem. Ser aprovado nesse teste significa conservar a sua própria humanidade face à aparelhagem. O interesse nesse teste é enorme. Pois é frente a uma aparelhagem que a maioria esmagadora dos citadinos, em balcões e fábricas, deve se alienar de sua humanidade durante o dia de trabalho. À noite, são essas mesmas massas que enchem os cinemas, para vivenciar a revanche que o ator de cinema faz em nome delas, na medida em que a humanidade *do ator* (ou o que aparece como tal às massas) se afirma não apenas frente à aparelhagem, mas na medida em que ela coloca a aparelhagem a serviço do seu próprio triunfo.

## XI

Para o cinema, é bem menos importante o ator representar para o público um outro do que ele representar a si mesmo para a aparelhagem. Pirandello foi um dos primeiros a notar essa modificação do ator pela execução do teste. O fato de que ele se limite, em seu romance "Quaderni di Serafino Gubbio operatore" ("Si gira"),[16] a ressaltar o lado negativo da questão, não prejudica as suas observações. E o fato de que elas se refiram ao cinema mudo prejudica ainda menos. Pois o cinema sonoro não mudou nada de essencial nessa questão. Decisivo permanece sendo o fato que o ator atue para uma aparelhagem – ou, no caso do cinema sonoro, para duas. "O ator de cinema", escreve

---

[16] O romance de Luigi Pirandello (1867-1936) foi publicado pela primeira vez em 1915 com o título *Si gira* ("Rodando"), e depois foi reeditado em 1925 com o título *Quaderni di Serafino Gubbio operatore* ("Cadernos do operador de câmera Serafino Gubbio"). (NRT)

Pirandello, "se sente como no exílio. Exilado não apenas do palco, mas de sua própria pessoa. Com um sombrio mal-estar, ele sente o vazio incompreensível que surge quando seu corpo se torna uma aparição sem substância, quando ele se volatiliza e sua realidade, sua vida, sua voz e os ruídos que ele produz ao mover-se lhe são roubados, para se transformarem em uma imagem muda, que treme por um instante na tela e desaparece em silêncio... A pequena aparelhagem vai jogar com a sua sombra diante do público, e ele próprio deve se contentar em interpretar perante ela".[17] Poderíamos caracterizar o mesmo estado de coisas da seguinte maneira: pela primeira vez – e isso é obra do cinema –, o homem está em posição de atuar com a sua individualidade integral e viva, mas somente com a renúncia de sua aura. Pois a aura está ligada ao seu aqui e agora. Não há cópia dela. A aura, presente no palco ao redor de Macbeth, não pode se separar daquilo que, para o público vivo, está ao redor do ator que o interpreta. A peculiaridade da gravação no estúdio cinematográfico, no entanto, consiste no fato de que ela coloca a aparelhagem no lugar do público. Assim, a aura presente ao redor do ator deve desaparecer – e, assim, desaparece ao mesmo tempo a aura ao redor do que é representado.

Não é surpreendente o fato de que justamente um dramaturgo como Pirandello toque involuntariamente o cerne da crise em sua caracterização do ator de cinema – crise na qual o teatro se vê envolvido. De fato, não há contraste mais significativo em relação à obra de arte inteiramente captada pela técnica de reprodução, em relação à obra de arte que emerge da reprodução técnica – como o filme –, que a obra teatral. Qualquer observação mais penetrante o confirma. Observadores competentes reconheceram há muito tempo que, na representação cinematográfica, "os maiores resultados são quase sempre alcançados quando se 'atua' o mínimo possível [...]. O último desenvolvimento", como constata Arnheim em 1932, consiste "em tratar o ator como um adereço escolhido pelas suas características e [...] colocado no lugar certo";[18] Mas há outra coisa que se relaciona intimamente

---

[17] Luigi Pirandello: On tourne, cit. Léon Pierre-Quint: Signification du cinéma, in: L'art cinématographique II, l.c., p. 14-15.

[18] Rudolf Arnheim: Filme als Kunst, Berlin 1931. p. 176-7. – Certas particularidades aparentemente secundárias, com as quais o diretor de cinema se distancia das práticas do palco de teatro, ganham bastante em interesse nesse contexto, como a

com isso. *O ator que atua no palco de teatro se transporta para um papel. Ao ator de cinema, no entanto, isso é muitas vezes negado.* Sua atuação não é de modo algum unitária, mas uma combinação de várias atuações particulares. Além de se ocupar ocasionalmente do aluguel do estúdio, da disponibilidade de parceiros, da decoração, etc., a atuação do ator é decomposta em uma série de episódios montáveis pelas necessidades elementares do maquinário. Trata-se sobretudo da iluminação, cuja instalação exige que a representação de uma cena que aparece na tela como um decurso unitário e rápido seja realizada em gravações separadas, que ocasionalmente se estendem por horas no estúdio, para não mencionar montagens mais palpáveis. Assim, uma cena do ator saltando da janela pode ser filmada, no estúdio, com o ator saltando de uma armação, sendo que a fuga subsequente, no entanto, pode ser filmada semanas mais tarde, no exterior. De resto, é fácil construir casos ainda mais paradoxais. Pode-se exigir do ator que ele recue de medo após uma batida à porta. Se esse recuo não sair como desejado, o diretor pode ocasionalmente fazer com que se dispare um tiro às costas do ator, quando este se encontrar novamente no estúdio, sem que ele tenha conhecimento disso. O susto do ator nesse instante pode ser gravado e ser inserido no filme. Nada mostra mais drasticamente que a arte

---

tentativa de fazer o ator atuar sem maquiagem, como Dreyer – e outros – empregou na "Jeanne d'Arc". Foram necessários meses para selecionar os quarenta atores que compõem o tribunal dos hereges. A procura por esses atores foi comparável à procura por adereços dificilmente produzíveis. Dreyer se esforçou ao máximo para evitar similaridades de idade, estatura e fisionomia entre esses atores. (cf. Maurice Schultz: Le maquillage, in: L'art cinématographique VI, Paris 9'9, p. 65-6). Se o ator se torna um adereço, não é raro que o adereço sirva como ator, por outro lado. Em todo caso, não é nada inabitual que o filme chegue a conceder ao adereço um papel. Ao invés de tomar exemplos quaisquer de uma série infinita, permaneçamos em um de particular valor probatório. Um relógio que se encontra no corredor irá sempre atrapalhar o que ocorre no palco. A sua função, medir o tempo, não pode ser admitida no palco. O tempo astronômico também colidiria, mesmo em uma peça naturalista, com o tempo cênico. Sob essas circunstâncias, é altamente característico para o cinema que ele possa ocasionalmente aproveitar a medida do tempo do relógio. Aqui podemos reconhecer mais claramente do que em outros elementos como cada adereço particular pode assumir funções decisivas. Então, precisamos apenas de um passo para chegar à constatação de Pudowkin, segundo a qual "a atuação do ator, ligada a um objeto e construída a partir dele, [...] é sempre o método mais eficaz de configuração fílmica" (W. Pudowkin: Filmregie und Filmmanuskript, Berlin, 1928, p. 26). Assim, o cinema é o primeiro meio artístico capaz de mostrar como a matéria joga com o ser humano. Com isso, ele pode ser um instrumento extraordinário de representação materialista.

abandonou o reino da "bela aparência", que até então era considerado como o único em que ela podia prosperar.[19]

## XII

*Na representação do homem pela aparelhagem, a sua alienação de si mesmo passou por uma reutilização altamente produtiva.* Essa reutilização pode ser mensurada no fato de que o estranhamento do ator diante da aparelhagem, como Pirandello o descreve, é fundamentalmente da mesma espécie que o estranhamento do homem diante de sua aparição no espelho, da qual os românticos gostavam de se ocupar. Agora, no entanto, o reflexo pode ser separado do espelho, ele se tornou transportável.

---

[19] O significado da "bela aparência" tem o seu fundamento na era da percepção aurática, cujo fim se aproxima. A teoria estética que lhe é própria foi formulada mais expressamente por Hegel, para quem a beleza é "a manifestação do espírito em sua forma imediata e sensível, criada pelo espírito como adequada a ele" (Hegel: Werke X, 2, Berlin 1837, p. 121). Certamente, essa concepção traz consigo elementos epigonais. A formulação de Hegel, segundo a qual a arte extrai "a aparência e o logro deste mundo ruim e passageiro" do "verdadeiro conteúdo dos fenômenos" (Hegel, l.c. X, I, p. 13) já se separou da experiência que servia de base a essa doutrina. Essa experiência é a aura. A bela aparência como realidade aurática ainda preenche inteiramente, por outro lado, a criação de Goethe. Mignon, Otília e Helena participam dessa realidade. "Nem o invólucro nem o objeto velado por ele é o belo; o belo é o objeto *em* seu invólucro" – eis a quintessência da concepção artística tanto de Goethe como da Antiguidade. O seu declínio sugere duplamente que viremos o olhar para a sua origem. Esta repousa na mímesis como o fenômeno originário de toda atividade artística. O imitador faz o que faz apenas aparentemente. E, de fato, a antiga imitação conhece apenas uma única matéria, na qual ela se forma, a saber: o corpo próprio do imitador. Dança e linguagem, linguagem corporal e labial são as mais antigas manifestações da mímesis. – O imitador torna sua coisa aparente. Pode-se também dizer: ele representa a coisa, ele joga com ela. Assim, depara-se-nos a polaridade que impera na mímesis. Na mímesis dormitam, entrelaçadas intimamente como as membranas de uma semente, as duas faces da arte: a aparência e o jogo. Essa polaridade só pode ser de interesse ao pensador dialético se ela possui um papel histórico. E esse é de fato o caso, pois esse papel é determinado pelo confronto histórico-universal entre a primeira e a segunda técnica. A aparência é o esquema mais reduzido, mas simultaneamente mais presente em todos os procedimentos mágicos da primeira técnica, ao passo que o jogo é o reservatório inesgotável de todos os procedimentos experimentais da segunda técnica. Nem o conceito da aparência, nem o do jogo são estranhos à estética tradicional; e, na medida em que o par conceitual de valor de culto e valor de exposição está contido no par conceitual mencionado, ele não diz nada de novo. Isso se transforma subitamente, no entanto, assim que esses conceitos perdem a sua indiferença face à história. Com isso, eles conduzem a uma visão prática. Esta quer dizer: aquilo que acompanha a atrofia da aparência e o declínio da aura nas obras de arte é um enorme ganho para o espaço de jogo. O mais vasto espaço para o jogo se abriu com o cinema. Nele, o momento da aparência recuou inteiramente à

E para onde ele foi transportado? Para diante das massas.[20] É claro que a consciência disso não abandona o ator de cinema por sequer um momento. Ele sabe, diante da aparelhagem, que ele se relaciona, em última instância, com a massa. É a massa que vai controlá-lo. E justamente a massa não é visível, ainda não está presente no momento em que ele realiza o desempenho artístico que ela controlará. A autoridade desse controle cresce por meio daquela invisibilidade. Certamente, não podemos esquecer que a utilização política desse controle terá de esperar até que o filme tenha se libertado dos grilhões de sua exploração capitalista. Pois através do capital cinematográfico transformam-se as chances revolucionárias desse controle em chances contrarrevolucionárias. O culto da estrela de cinema que é promovido por ele não conserva apenas aquela magia da personalidade, que consiste há muito tempo no brilho pútrido de seu caráter de mercadoria; também seu

---

serviço do momento do jogo. As posições que a fotografia conquistou frente ao valor de culto foram assim enormemente fixadas. No cinema, o momento da aparência abre espaço ao momento do jogo, que se alia à segunda técnica. Essa aliança foi captada recentemente por Ramuz em uma formulação que toca a coisa mesma sob a aparência de uma metáfora. Segundo Ramuz, "assistimos atualmente a um evento fascinante. As diferentes ciências que até então trabalharam independentemente em seu próprio campo começam a convergir em um objeto, se unificando em uma única ciência. Química, física e mecânica se cruzam. É como se acompanhássemos hoje, como testemunhas oculares, a rápida montagem de um quebra-cabeças, cuja colocação da primeira peça precisou de vários milênios, enquanto as últimas, em virtude de seus contornos, para o espanto dos espectadores, estão prestes a se encaixar espontaneamente" (Charles Ferdinand Ramuz: Paysan, nature. In: Mesure No 4, octobre 193 S). Nessas palavras, o momento do jogo da segunda técnica, no qual a arte se fortalece, é expresso de maneira insuperável.

[20] A modificação do modo de exposição por meio da técnica de reprodução, que se pode constatar aqui, é visível também na política. *A crise das democracias pode ser compreendida como uma crise das condições de exposição do homem político.* As democracias expõem o político diretamente em sua própria pessoa, e isso perante os representantes. O parlamento é o seu público. Com as inovações da aparelhagem de gravação, que permitem tornar o político audível a muitos de maneira ilimitada durante seu discurso, e pouco depois torná-lo visível a muitos, a exposição do homem político perante essa aparelhagem de gravação assume o primeiro plano. O parlamento se torna deserto ao mesmo tempo que os teatros. Rádio e filme não modificam apenas a função do ator profissional, mas também a função daquilo que o homem político faz ao se apresentar perante os outros. A direção dessa modificação, sem prejuízo de suas diferentes tarefas específicas, é a mesma no caso do ator de cinema e do político. Ela aspira à exposição de realizações verificáveis e mesmo transponíveis a outros sob certas condições sociais, como o esporte as havia submetido anteriormente a certas condições naturais. Isso gera uma nova triagem, uma seleção diante da aparelhagem, da qual o campeão, a *star* e o ditador surgem como vencedores.

complemento, o culto do público, promove simultaneamente a constituição corrupta da massa, a qual o fascismo procura colocar no lugar de sua consciência de classe.[21]

## XIII

Associa-se à técnica do filme, assim como à do esporte, o fato de que cada um assiste aos desempenhos que elas expõem como semiespecialista. É necessário apenas que ouçamos um grupo de entregadores de jornal, apoiados em suas bicicletas, discutindo os resultados de uma competição de ciclismo, para intuirmos algo dessa associação. No que diz respeito ao cinema, o cinejornal atesta claramente que cada um pode vir a ser filmado. No entanto, nada é feito com essa possibilidade. *Cada ser humano atualmente tem o direto de ser filmado.* Esse direito pode ser melhor compreendido se recorrermos à situação histórica da literatura atual.

---

[21] Dito de passagem, a consciência de classe proletária, que é a mais límpida de todas, modifica fundamentalmente a estrutura da massa proletária. O proletariado consciente de sua classe forma uma massa compacta somente a partir de fora, na mente de seu repressor. No instante em que o proletariado assume a sua luta de libertação, a sua massa aparentemente compacta, na verdade, já se dispersou. Ela cessa de estar sob o domínio de meras reações; ela passa à ação. A dispersão das massas proletárias é produto da solidariedade. Na solidariedade da luta de classes proletária, a oposição morta e não-dialética entre indivíduo e massa é abolida; tal oposição não existe para os companheiros de classe. Por isso, por mais que a massa seja decisiva para o líder revolucionário, a sua grande realização não consiste em atrair as massas para si, mas em se deixar integrar às massas, para ser para ela apenas um entre centenas de milhares. – A luta de classes dispersa a massa compacta dos proletários; e exatamente essa mesma luta de classes comprime a massa dos pequeno-burgueses. A massa impenetrável e compacta, tal como Le Bon e outros a tomaram como objeto de sua psicologia de massas, é a pequeno-burguesa. A pequena burguesia não é uma classe: ela é de fato apenas massa, e na verdade uma massa tanto mais compacta, quanto maior é a pressão imposta entre ambas classes inimigas, a burguesia e o proletariado. *Nessa* massa é de fato determinante o momento emocional, do qual se trata na psicologia de massas. Mas é justamente por meio dele que essa massa compacta forma a oposição aos "revolucionários profissionais" (quadros) do proletariado, que obedecem a uma *ratio* coletiva. *Nessa* massa é de fato determinante o momento reativo, do qual se trata na psicologia de massas. Mas é justamente por meio dele que essa massa compacta forma, com suas reações imediatas, a oposição aos "revolucionários profissionais" com suas ações, que são mediados por uma tarefa, seja ela a mais momentânea. Assim, as manifestações da massa compacta carregam geralmente um elemento pânico – mesmo que elas expressem entusiasmo pela guerra, ódio aos judeus ou impulso de autoconservação. – Elucidada a diferença entre a massa compacta, i.e., a pequeno-burguesa, e a massa consciente de sua classe, i.e., a proletária, então

Durante séculos, as coisas eram tais na literatura que, frente a um número reduzido de escritores, havia um número muito maior de leitores. Isso se modificou no século passado. Com a crescente extensão da imprensa, que disponibilizava aos leitores sempre novos órgãos políticos, religiosos, científicos, profissionais e locais, um número cada vez maior de leitores passou a escrever – primeiramente, de maneira ocasional. Isso começou com a abertura, da parte da imprensa diária, de uma seção destinada às "Cartas dos leitores", e hoje quase não há um europeu inserido no processo de trabalho que não tenha a oportunidade de publicar em algum lugar sua experiência de trabalho, uma reclamação, uma reportagem ou algo semelhante. Assim, a diferença entre autor e público está em vias de perder o seu caráter fundamental. Ela se torna funcional, atuando diferentemente em cada caso particular. O leitor está sempre pronto a se tornar um escritor. Como especialista, que ele teve de se tornar, para bem ou para mal, em um processo de trabalho altamente especializado – seja apenas especialista em um campo de atuação menor –, ele ganha acesso à autoria. O próprio trabalho toma a palavra, e sua representação em palavra constitui uma parte do saber exigido para o seu exercício. A competência literária não se baseia mais sobre a formação especializada, mas sobre a politécnica e converte-se, assim, em patrimônio geral.

---

o seu significado operacional também está claro. Dito claramente, essa diferenciação mostra a sua correção da melhor maneira nos casos, de modo algum excepcionais, em que aquilo que originalmente era excesso de uma massa compacta se torna, em virtude de uma situação revolucionária, e talvez após o decurso de segundos, a ação revolucionária de uma classe. O que é peculiar a tais eventos verdadeiramente históricos consiste no fato de que a reação de uma massa compacta evoca em si mesma um abalo, que a dispersa e permite a ela se conscientizar de si mesma como a unificação de "revolucionários profissionais" conscientes de sua classe. O que contém tal evento concreto em seu prazo mais sucinto não é senão aquilo que se chama, no idioma dos comunistas táticos, "a conquista da pequena burguesia". Na elucidação desse evento, os táticos são interessados em outro sentido. Pois não há dúvida de que um conceito de massa ambíguo, a alusão descompromissada ao seu ambiente, tal como ele era comum na imprensa revolucionária alemã, alimentou ilusões que se tornaram fatais ao proletariado alemão. Por outro lado, o fascismo se aproveitou excepcionalmente dessas leis, quer ele as tenha compreendido ou não. Ele sabe que *quanto mais* compactas são as massas, maior é a chance que os instintos contrarrevolucionários da pequena burguesia determinem as suas reações. No entanto, o proletariado prepara uma sociedade em que nem as condições objetivas, nem as condições subjetivas para a formação de massas serão presentes.

Tudo isso pode ser transposto sem mais ao cinema, em que as mudanças que necessitaram de séculos no caso da escrita se efetuam no decorrer de uma década. Pois na prática do cinema – sobretudo do cinema russo –, essa mudança já se efetivou em certos pontos. Uma parte dos atores encontrados no cinema russo não são atores em nosso sentido, mas pessoas que se representam *a si mesmas* – e, na verdade, primariamente em seu processo de trabalho. Na Europa Ocidental, a exploração capitalista do cinema impede que se atenda à reivindicação legítima do ser humano atual no que concerne a seu ser-reproduzido. A propósito, também o desemprego a impede, ao excluir grandes massas da produção, em cujo processo de trabalho elas teriam primariamente a reivindicação de serem reproduzidas. Sob tais circunstâncias, a indústria fílmica tem todo interesse em estimular a participação das massas por meio de ideias ilusórias e especulações ambíguas. Para alcançar esse objetivo, ela pôs um violento aparato publicitário em movimento, colocando a carreira e a vida amorosa das estrelas de cinema a seu serviço, organizando plebiscitos, convocando concursos de beleza. Tudo isso para falsificar e corromper o interesse originário e justificado das massas pelo cinema – um interesse de conhecimento pessoal e, assim, também de classe. Vale, portanto, em particular para o capital fílmico aquilo que em geral vale para o fascismo, a saber: que uma carência indeclinável por novas organizações sociais seja explorada, em segredo, conforme o interesse de uma minoria proprietária. Já por essa razão, a expropriação do capital fílmico é uma exigência urgente do proletariado.

## XIV

A gravação de um filme, e sobretudo a de um filme sonoro, oferece uma perspectiva que jamais fora pensável. Ela apresenta um evento que não pode mais ser ordenado sob um único ponto de observação, a partir do qual a aparelhagem de gravação – que como tal não pertence ao processo de filmagem, tal como o maquinário de iluminação, o corpo de assistentes, etc. – não entre no campo de visão do expectador. (A não ser que a disposição de sua pupila coincida com a do aparato de gravação). Essa circunstância, mais do que qualquer outra, torna superficiais e irrelevantes quaisquer possíveis similaridades existentes entre uma cena no estúdio de filmagem e uma cena no palco de teatro. O teatro conhece por princípio o lugar a partir do qual o acontecimento não pode simplesmente ser vislumbrado como ilusório. No que concerne à cena de gravação no cinema, esse lugar não existe. A sua natureza ilusória é uma natureza de segunda ordem; ela é um resultado da montagem. Ou seja: *no estúdio de gravação, a aparelhagem penetrou tão profundamente na realidade que o seu aspecto puro, livre do corpo estranho da aparelhagem, é o resultado de um procedimento particular, a saber: da gravação por meio do aparato fotográfico especialmente ajustado e de sua montagem com outras gravações da mesma natureza.* O aspecto da realidade que é livre da aparelhagem se tornou aqui o seu aspecto mais artificial, e a visão da realidade imediata se tornou a Flor Azul[22] na terra da técnica.

As mesmas circunstâncias, que tanto se distinguem das do teatro, podem ser confrontadas de forma ainda mais instrutiva com o que acontece na pintura. Nesse caso, devemos colocar a questão: qual é a relação entre o operador de cinema e o pintor? Para responder a essa questão, façamos uma construção acessória que se baseia sobre *o* conceito do operador, que é familiar a partir da cirurgia. O cirurgião se encontra no polo oposto ao do mágico. A postura do feiticeiro, que cura o doente ao pôr as mãos sobre ele, é diferente da postura do cirurgião, que realiza uma intervenção no doente. O feiticeiro conserva a distância natural entre si e o paciente; mais precisamente, ele a diminui apenas um pouco – graças ao seu toque – e a intensifica muito – graças à sua autoridade. O cirurgião procede inversamente: ele diminui bastante a distância ao paciente – na medida em que ele invade seu interior –, e a aumenta apenas um pouco – através da cautela, com a qual sua mão se movimenta entre os seus órgãos. Em uma palavra: à diferença do feiticeiro (ainda latente no médico), o cirurgião renuncia, no instante decisivo, a encarar o seu paciente de homem para homem; antes, ele o invade operativamente. – Feiticeiro e cirurgião estão entre si como pintor e cinegrafista. Em seu trabalho, o pintor observa uma distância natural entre a realidade dada e si mesmo, ao passo que o cinegrafista, ao contrário, penetra profundamente na trama dos acontecimentos. As imagens que ambos produzem são enormemente distintas. A do pintor é uma imagem total, a do cinegrafista é uma imagem amplamente

---

[22] "Flor Azul" é um símbolo poético e filosófico de importância central na obra de Novalis (1772-1801). Veja-se, sobretudo, o romance (inacabado) *Heinrich von Ofterdingen* (1800-1802). (N.R.T.)

fragmentada, cujas partes se organizam segundo uma nova regra. *Por isso, a representação fílmica da realidade é incomparavelmente mais significativa para o ser humano de hoje em dia, pois ela guarda o aspecto da realidade que é livre da aparelhagem justamente em virtude de sua mais intensa interpenetração com a aparelhagem, aspecto esse que o ser humano de hoje tem o direito de exigir da obra de arte.*

## XV

*A reprodutibilidade técnica da obra de arte modifica a relação das massas para com a arte. Da relação mais retrógrada, por exemplo frente a um Picasso, ela se transforma na mais progressista, por exemplo frente a um Chaplin.* O comportamento progressista se caracteriza pelo fato que o prazer em ver e vivenciar entra em ligação imediata e interna com a postura do especialista. Tal ligação é um indício social importante. Pois quanto mais o significado social de uma arte diminui, tanto mais se separam, no público, a postura crítica da fruidora – o que se comprova claramente na pintura. O convencional é fruído acriticamente, e o verdadeiramente novo é criticado com aversão. Porém, isso não ocorre no cinema. O elemento determinante para esse fato é que em nenhum lugar mais do que no cinema as reações do indivíduo – cuja suma constitui a reação em massa do público – se mostram como condicionadas desde o começo pela sua massificação iminente. E, na medida em que elas se manifestam, elas se controlam mutuamente. Aqui também é útil a comparação com a pintura. O quadro sempre teve uma pretensão especial à contemplação por um ou por poucos. A contemplação simultânea de um quadro por um grande público, tal como ela surge no século dezenove, é um primeiro sintoma da crise da pintura, que de modo algum foi ocasionada apenas pela fotografia, mas em relativa independência desta pelo apelo da obra de arte à massa.

De fato, a pintura não é apta a oferecer o objeto a uma recepção coletiva, tal como sempre foi o caso para a arquitetura, como fora outrora o caso da epopeia, e como hoje é o caso do filme. E assim como não devemos tirar conclusões sobre o papel social da pintura a partir desse fato por si mesmo, tampouco tal fato atua como um obstáculo de peso no momento em que a pintura, em situações específicas e em certo sentido contra a sua natureza, é confrontada imediatamente com as massas. Nas igrejas e conventos da Idade Média e nas cortes até mais ou menos o final do século dezoito, a recepção coletiva de quadros não ocorria simultaneamente, mas era classificada e hierarquizada de várias maneiras. Se é verdade que isso se modificou, então aí se expressa o particular conflito em que a pintura foi envolvida por meio da reprodutibilidade técnica da imagem. No entanto, embora se tenha tentado expô-la em galerias e salões para as massas, não havia um meio no qual as massas teriam podido se organizar e controlar a si próprias em uma tal recepção. Assim, o mesmo público que reagia de maneira progressista diante de um filme grotesco deveria se tornar retrógrado diante do surrealismo.

## XVI

*Dentre as funções sociais do cinema, a mais importante consiste em estabelecer o equilíbrio entre o ser humano e a aparelhagem.* O cinema não realiza essa tarefa de modo algum apenas à maneira pela qual o ser humano se representa à aparelhagem de gravação, mas também à maneira pela qual ele representa a si mesmo, graças à aparelhagem, o mundo ao seu redor. Através dos *closes* nos objetos ao nosso redor, da acentuação de detalhes ocultos nos adereços que nos são corriqueiros, da pesquisa de *milieus* banais sob a genial condução da objetiva, o cinema, por um lado, aumenta a compreensão dos condicionamentos que regem a nossa existência e, por outro lado, nos assegura uma gigantesca e inesperada margem de atuação.

Nossos botequins e avenidas, nossos escritórios e quartos mobiliados, nossas estações de trem e fábricas pareciam nos aprisionar sem escapatória. Nisso veio o filme e explodiu esse mundo carcerário com a dinamite dos décimos de segundo, de modo que agora realizamos viagens e aventuras entre seus escombros dispersos. Com a gravação em *close*, o espaço se expande; com a câmera lenta, o movimento é desacelerado. E assim como não se trata, no caso da ampliação, de uma mera explicitação do que se vê, "em todo caso" e implicitamente, mas, antes, de formações estruturais da matéria totalmente novas que vêm à luz, assim tampouco a câmera lenta explicita movimentos já conhecidos; ao contrário, nesses movimentos, ela descobre outros totalmente desconhecidos, "que de modo algum atuam como desacelerações de movimentos rápidos, mas como movimentos singularmente acompanhantes, flutuantes, sobrenaturais".[23] Com isso, torna-se palpável que é uma outra natureza que se abre para a câmera, diferente daquela que se abre para o olho. Diferente sobretudo na medida em que, no lugar de um espaço de atuação em que o ser humano atua conscientemente, entra um espaço de atuação inconsciente. Mesmo que uma pessoa possa ter consciência do caminhar das outras, ainda que apenas de forma geral, ela não sabe absolutamente nada de sua posição na fração de segundos em que uma pessoa levanta o pé para dar um passo. Se de fato já estamos familiarizados com o movimento manual que realizamos ao utilizar um isqueiro ou uma colher, não sabemos praticamente nada do que se passa realmente entre a mão e o metal, para não falar de como isso se modifica segundo as várias disposições em que nos encontramos. É aqui que a câmera intervém com os seus recursos auxiliares, suas imersões e emersões, interrupções e isolamentos, ao distender e comprimir o decurso temporal, ao ampliar e reduzir. Experimentamos algo do inconsciente ótico pela primeira vez por meio dela, assim como experimentamos algo do inconsciente pulsional pela primeira vez pela psicanálise.

Entre os dois tipos de inconsciente existem, de resto, as mais profundas articulações. Pois os aspectos variados que a aparelhagem de gravação é capaz de extrair da realidade encontram-se em grande medida apenas fora do espectro *normal* de percepções sensoriais. Várias deformações e movimentos repetitivos, metamorfoses e catástrofes que podem afetar o mundo da ótica nos filmes, afeta-o efetivamente em psicoses, em alucinações e sonhos. Assim, tais dispositivos da câmera são também procedimentos graças aos quais a percepção coletiva é capaz de se apropriar das formas de percepção individual do psicótico ou do sonho. O cinema abriu uma exceção na antiga verdade heraclítica – segundo a qual os despertos têm um mundo em comum e os adormecidos possuem, cada um, seu mundo particular –, muito menos, na verdade, com representações do mundo dos sonhos do que com a criação de figuras de sonho coletivo, como a do Mickey Mouse, que perpassa todo o globo.

*Se levarmos em conta as perigosas tensões que a tecnicização com suas conseqüências produziram nas grandes massas – tensões que assumem, em*

---

[23] Rudolf Arnheim, l.c., p. 138.

**WALTER BENJAMIN** A OBRA DE ARTE NA ERA DE SUA REPRODUTIBILIDADE TÉCNICA     307 *estágios críticos, um caráter psicótico –, chegaríamos então ao conhecimento de que essa mesma tecnicização criou, contra tais psicoses de massa, a possibilidade de imunização psíquica através de certos filmes, nos quais um desenvolvimento forçado de fantasias sádicas ou de ideias masoquistas e delirantes pode evitar sua maturação natural e perigosa nas massas.* A gargalhada coletiva apresenta a irrupção precoce e sadia de tais psicoses de massa. O violento acúmulo de acontecimentos grotescos consumidos no cinema é uma indicação drástica dos perigos que ameaçam a humanidade a partir dos recalques que a civilização traz consigo. Os filmes grotescos americanos e os filmes de Walt Disney geram uma explosão terapêutica do inconsciente.[24] Seu antecessor foi o excêntrico. No novo espaço de atuação que surgiu com o filme, o excêntrico foi o primeiro a estar em casa. Chaplin, enquanto figura histórica, encaixa-se nesse contexto.

## XVII

Uma das tarefas mais importantes da arte sempre foi a de criar uma demanda que só poderia ser plenamente satisfeita posteriormente.[25]

---

[24] Certamente, uma análise integral desses filmes não poderia ocultar o seu sentido contrário. Ela deveria partir do sentido contrário daquele estado de coisas, que causa um efeito tão cômico como sombrio. Comicidade e horror estão intimamente entrelaçados, como mostram as reações das crianças. E por que se deveria proibir a questão de saber, no que concerne a certos estados de coisas, qual reação é, em um caso dado, a mais humana? Alguns dos mais novos filmes de Mickey Mouse representam um estado de coisas que faz com que essa questão pareça justificada. [O seu mais lúgubre fogo mágico, para o qual o filme a cores criou os pré-requisitos técnicos, sublinha um traço que até então só vigorou de maneira oculta, que mostra o quão confortavelmente o fascismo se apropria, nesse terreno, de novidades "revolucionárias"]. O que se torna patente à luz de novos filmes de Walt Disney já se encontra, de fato, em alguns dos mais antigos: a tendência de aceitar tranquilamente bestialidade e violência como subprodutos da existência. Com isso, incorpora-se uma antiga e, sobretudo, confiável tradição; ela foi encabeçada pelos Hooligans dançantes que encontramos em imagens de *pogroms* medievais, e "A corja", nos contos dos Irmãos Grimm, configura a sua pálida, indistinta defesa.

[25] "A obra de arte", diz André Breton, "só tem valor na medida em que ela for perpassada por reflexos do futuro". De fato, cada forma de arte desenvolvida se encontra no ponto de interseção de três linhas de desenvolvimento. Primeiramente, a técnica tende a uma certa forma artística. Antes de o cinema aparecer, havia livrinhos de fotos, cujas imagens que rapidamente reluziam ao observador por um gesto do polegar apresentavam uma luta de boxe ou uma partida de tênis; havia as máquinas nos bazares, cuja sequência de imagens era posta em movimento à manivela. Em segundo lugar, as formas artísticas tradicionais tendiam com afã, em certos estágios de seu desenvolvimento, a efeitos que, posteriormente, foram alcançados espon-

A história de cada forma artística passa por períodos críticos, nos quais essa forma aspira a efeitos que só podem ser criados espontaneamente com um padrão técnico diferente – ou seja, em uma nova forma artística. As extravagâncias e grosserias da arte que então resultaram, particularmente nos assim chamados períodos de decadência, emergem na verdade de seus mais ricos centros de força históricos. Foi em tais barbarismos que ainda o Dadaísmo aflorou ultimamente. Seu impulso só pode ser reconhecido agora: *o Dadaísmo tentou criar os efeitos que o público de hoje procura no cinema com os meios da pintura (ou da literatura).*

Toda criação radicalmente nova e revolucionária de demandas irá além de seu objetivo. Esse é o caso do dadaísmo, na medida em que ele sacrifica, a favor de intenções mais significativas (das quais ele evidentemente não tem consciência na forma em que são aqui descritas), os valores de mercado que são tão próprios ao cinema. Os dadaístas deram muito menos importância à utilidade mercantil de suas obras de arte do que à sua inutilidade como objetos de imersão contemplativa. Eles procuraram alcançar essa inutilidade, não por último, através de uma degradação fundamental do material de suas obras. Seus poemas são "saladas de palavras", eles contêm expressões obscenas e todo o lixo imaginável da linguagem – tal como seus quadros, montados por eles com botões ou bilhetes de trem. O que eles alcançam com tais meios é um brutal aniquilamento da aura de suas produções, nas quais eles

---

taneamente pela nova forma artística. Antes de o cinema se afirmar, os dadaístas procuravam, com os seus eventos, mobilizar o público de uma maneira acessível a Chaplin de forma mais natural. Em terceiro lugar, certas modificações sociais, em geral discretas, tendem a uma modificação da recepção de que apenas a nova forma artística pôde se beneficiar. Antes de o cinema começar a formar seu público, certas imagens, que já haviam cessado de ser imóveis, eram recebidas no *Kaiserpanorama* por um público agrupado. Esse público se encontra diante de um biombo ao qual se colocava um estereoscópio destinado a cada participante. Diante desses estereoscópios apareciam automaticamente imagens individuais, que ali permaneciam um pouco e davam espaço a outras. Com meios análogos trabalhara ainda Edison, quando ele apresentou as primeiras transparências a um pequeno público – antes que se conhecesse a tela e o dispositivo de projeção –, que fitava no interior do aparelho em que se desenrolava a sequência de imagens. – De resto, manifesta-se, no dispositivo do *Kaiserpanorama*, uma dialética do desenvolvimento de uma maneira que é particularmente clara. Logo antes de o cinema tornar a observação de imagens algo coletivo, ela se afirma outra vez como individual diante dos estereoscópios desses estabelecimentos que caíam rapidamente em desuso, e isso com o mesmo rigor que outrora a contemplação da imagem divina dos sacerdotes na *cella*.

gravam, com os meios da produção, a marca da reprodução. Diante de uma imagem de Arp ou de um poema de August Stramm, é impossível consagrar algum tempo ao recolhimento e à avaliação, como diante de uma imagem de Derain ou de um poema de Rilke.[26] À imersão, que na degeneração da burguesia tornou-se uma escola do comportamento associal, opõe-se a distração como um tipo de comportamento social. De fato, as manifestações dadaístas garantem uma distração veemente ao transformar a obra de arte em centro de um escândalo. Ela deveria, sobretudo, satisfazer *uma* exigência: provocar a indignação pública.

De uma aparência sedutora ou de uma estrutura sonora persuasiva, a obra de arte se transformou, com os dadaístas, em um projétil. Ela se lança ao observador e ganha uma qualidade tátil.[27] Com isso, a obra de arte favoreceu a demanda pelo cinema, cujo elemento de distração também é, em primeira linha, um elemento tátil, baseado na troca dos cenários e das disposições que invadem o espectador massivamente.[28]

---

[26] Hans Arp (1887-1966): pintor e poeta franco-alemão pertencente ao dadaísmo. August Stramm (1874-1915): poeta expressionista. André Derain (1880-1954): pintor francês; um dos fundadores do fauvismo. Rainer Maria Rilke (1875-1926): um dos maiores poetas da modernidade; escreveu em alemão e francês. (N.R.T.)

[27] Na primeira e na terceira versão alemãs do presente ensaio, os organizadores das *Obras reunidas* (Suhrkamp, 1974) optaram por corrigir o que lhes parecia ser um lapso de Benjamin: escrever *taktisch* ("tático") em vez de *taktil* (tátil). Quando da publicação da segunda versão alemã, na mesma edição Suhrkamp, em 1989 (pois o presente texto só foi descoberto em 1988), a opção dos editores foi manter o termo *taktisch*, tal como Benjamin havia escrito. A razão dessa escolha (que os editores declararam valer retroativamente para as duas versões anteriormente publicadas) foi o fato de que *taktisch* e *taktil* são termos de uso intercambiável no vocabulário dos historiadores da arte (ao menos na Áustria). Como esse tipo de questão filológica só apresenta interesse para os especialistas, optou-se aqui por verter *taktisch* por "tátil", seguindo o vocabulário já difundido nos estudos benjaminianos no Brasil (através das traduções da primeira e da terceira versão alemã, que seguiram a versão alemã "corrigida"), e levando em consideração, antes de mais nada, o fato de que os termos "tático" e "tátil" não têm, em português, a mesma proximidade que *taktisch* e *taktil* em alemão. (N.R.T.).

[28] Compare-se a tela em que se desenrola o filme com a tela em que se encontra a pintura. Na primeira, a imagem se modifica; na segunda, não. Esta última convida o observador à contemplação; diante dela, ele pode se deixar à deriva da sua dinâmica de associações. Diante do filme, não. Mal ele captou uma imagem e ela já se modificou. Ela não pode ser fixada. A dinâmica de associações que ele contempla é interrompida imediatamente pela sua modificação. Aí reside o efeito de choque do filme que, como todo efeito de choque, quer ser capturado por meio de maior presença de espírito. *O cinema é a forma artística correspondente ao*

*O cinema libertou o efeito de choque físico da embalagem moral em que o dadaísmo ainda o conservava.*

## XVIII

A massa é uma matriz da qual todo comportamento habitual face a obras de arte emerge hoje renascido. A quantidade se converteu em qualidade: *as massas muito maiores de participantes produziram uma maneira diferente de participação*. O fato de que essa maneira se apresente primeiramente de modo desacreditado não deve confundir o observador. Queixa-se que as massas procurem distração nas obras de arte, ao passo que o conhecedor se aproxime dela com recolhimento. Para as massas, a obra de arte seria uma ocasião para o entretenimento; para o conhecedor, ela seria um objeto de devoção. – Devemos analisar essa crítica mais de perto. Distração e concentração encontram-se em uma oposição que permite a seguinte formulação: quem se recolhe diante da obra de arte imerge nela; ele mergulha nessa obra, tal como a lenda conta de um pintor chinês ao contemplar a sua obra finalizada. Por sua vez, a massa distraída imerge a obra de arte em si mesma; ela a rodeia com suas tormentas, a abrange em seu fluxo. E isso de maneira mais evidente quanto às edificações. A arquitetura sempre ofereceu o protótipo de uma obra de arte cuja recepção ocorre em distração e em coletividade. As leis de sua recepção são as mais instrutivas.

Edificações acompanham a humanidade desde sua pré-história. Várias formas artísticas surgiram e pereceram. A tragédia surge com os gregos para se extinguir com eles, e após séculos renascer. A epopeia, cuja origem se encontra na juventude dos povos, desaparece na Europa com o fim do Renascimento. O quadro é uma criação da Idade Média, e nada garante a ele uma duração perene. A necessidade do ser humano por habitação, no entanto, é perpétua. A arquitetura jamais se tornou improdutiva. Sua história é mais antiga que a de todas as outras artes, e visualizar o seu efeito é significativo para toda tentativa de prestar

---

*risco de vida acentuado em que vivem os seres humanos da atualidade.* Ele corresponde a modificações estruturais do aparato perceptivo – modificações como, na escala da existência privada, a vivenciam todos os transeuntes no tráfego das grandes cidades; ou, em escala da história mundial, a vivenciam todos os opositores à ordem social atual.

contas sobre a relação das massas com a obra de arte. As edificações são recebidas de maneira dupla: através da utilização e da percepção. Ou, melhor dizendo: de forma tátil e ótica. Não compreendemos tal recepção se a concebemos segundo o modo de recepção concentrada, como é corriqueiro, por exemplo, a viajantes diante de construções célebres. Do ponto de vista tátil, não há nenhum equivalente àquilo que é a contemplação do ponto de vista ótico. A recepção tátil não ocorre tanto no sentido da atenção como no do hábito. No que concerne à arquitetura, este último determina largamente até mesmo a recepção ótica. Ele também ocorre naturalmente bem menos em uma atenção tensa do que em uma apercepção incidental. No entanto, essa recepção formada na arquitetura possui, sob certas circunstâncias, um valor canônico. Pois *as tarefas que são postas ao aparato perceptivo humano em tempos de transformação não podem ser resolvidas no sentido da simples ótica, ou seja, da contemplação. Elas são realizadas gradualmente sob orientação da recepção tátil, pela habituação.*

Também o distraído pode se habituar. Ou ainda: poder realizar certas tarefas em distração é o que confirma que resolvê-las tornou-se um hábito. Através da distração, tal como a arte a oferece, avalia-se indiretamente em que medida novas tarefas da apercepção se tornaram solúveis. Uma vez que, de resto, o indivíduo sofre a tentação de se furtar de tais tarefas, a arte irá resolver as mais duras e importantes lá onde ela pode mobilizar as massas. Atualmente, ela o faz no filme. *A recepção distraída, que se torna perceptível crescentemente em todos os campos da arte e é o sintoma de modificações profundas da apercepção, tem no cinema o seu verdadeiro instrumento de treino.* Em seu efeito de choque, o cinema vai de encontro a essa forma de recepção. Assim, ele se mostra desse ponto de vista como o objeto mais importante atualmente daquela doutrina da percepção, que se chamava "Estética" entre os gregos.

## XIX

A crescente proletarização do homem de hoje e a crescente formação de massas são dois lados de um mesmo acontecimento. O fascismo tenta organizar as massas proletarizadas recém-formadas, sem tocar nas relações de propriedade, a cuja abolição elas impelem. Ele vê a sua salvação em deixar as massas (mas não os seus direitos) se expressarem.[29] As massas possuem o *direito* de modificação das relações de propriedade; o fascismo procura dar-lhe *expressão* em sua conservação. *O fascismo converge finalmente para uma estetização da vida política.* Com D'Annunzio, a política foi impregnada pela decadência; com Marinetti, pelo futurismo; com Hitler, pela tradição de Schwabing.[30]

*Todos os esforços pela estetização da política culminam em um ponto. Esse ponto é a guerra.* A guerra, e apenas a guerra, torna possível direcionar movimentos de massa de grande escala sob a conservação das relações de propriedade tradicionais. Assim formula-se o estado de coisas do ponto de vista da política. Do ponto de vista da técnica, ele se formula como se segue: apenas a guerra torna possível mobilizar a totalidade dos meios técnicos do presente sob a conservação das relações de propriedade. É evidente que a apoteose da guerra pelo fascismo não se serve *deste* argumento. Ainda assim, é instrutivo analisá-lo. No manifesto de Marinetti acerca da Guerra Colonial da Etiópia, lê-se: "Há vinte e sete anos, voltamo-nos, nós futuristas, contra a caracterização da guerra como antiestética... Com efeito, nós constatamos: ... a guerra é bela, porque ela fundamenta, graças às máscaras de gás, ao megafone assustador, ao lança-chamas e aos pequenos tanques, a dominação do homem sobre a máquina subjugada. A guerra é bela, pois ela inaugura a sonhada metalização do corpo humano. A guerra é bela, pois ela enriquece um campo em flor com as orquídeas ígneas das metralhadoras. A guerra é bela, porque ela congrega em uma sinfonia os tiros de fuzil, os canhoneios, os cessar-fogo, os perfumes e os odores de decomposição. A guerra é bela, porque ela cria novas arqui-

---

[29] Aqui, sobretudo no que concerne ao cinejornal – cujo significado propagandístico mal pode ser superestimado –, encontra-se um caso técnico de importância. *A reprodução em massa é particularmente beneficiada pela reprodução das massas.* Nos grandes atos festivos, nas gigantescas assembleias, nos eventos de massa de natureza esportiva e na guerra, que são hoje conduzidas com toda a aparelhagem de gravação, as massas se encaram a si mesmas. Esse acontecimento, cujo alcance não carece de ser enfatizado, relaciona-se intimamente com o desenvolvimento da técnica de reprodução e gravação. Em geral, os movimentos de massas se representam a si mesmos de maneira mais clara frente à aparelhagem que ao olhar. Quadros de centenas de milhares podem ser captados melhor em vista aérea. E mesmo se a vista aérea é tão acessível ao olho humano quanto à aparelhagem, a ampliação, à qual a gravação se submete, não é possível na imagem feita pelo olho. Isso quer dizer que os movimentos de massa e, em seu ápice, a guerra, são uma forma do comportamento humano particularmente apropriado à aparelhagem.

[30] Bairro de Munique. Nas primeiras décadas do século XX, torna-se ponto de encontro de intelectuais, artistas, políticos e boêmios. (N.R.T.)

teturas, como a dos grandes tanques, das esquadrilhas aéreas geométricas, das espirais de fumaça de vilarejos em chamas, e muitas outras coisas... Poetas e artistas do futurismo ... lembrem-se desses princípios de uma estética da guerra, de modo que suas lutas por uma nova poesia e por novas artes plásticas sejam iluminadas por eles!"[31]

Esse manifesto possui a vantagem da clareza. Seu questionamento merece ser assumido pelo pensador dialético. Segundo ele, a estética da guerra atual se apresenta da seguinte maneira: se a utilização natural das forças produtivas for retida pelo ordenamento da propriedade, então o crescimento dos paliativos técnicos, dos *tempi*, das fontes de energia compele a uma utilização antinatural das forças produtivas. Ela o encontra na guerra, que prova, com as suas destruições, que a sociedade não era ainda suficientemente madura para fazer da técnica o seu órgão, e que a técnica não era ainda desenvolvida o suficiente para controlar as forças elementares da sociedade. A guerra imperialista é, em seus traços mais sombrios, determinada pela discrepância entre os poderosos meios de produção e a sua utilização inadequada no processo de produção (com outras palavras, pelo desemprego e a falta de mercados). A guerra imperialista é um levante da técnica que cobra, em "material humano", as reivindicações das quais a sociedade extraiu seu material natural. No lugar de indústrias de energia, ela mobiliza a energia humana, sob a forma de exércitos. No lugar do tráfego aéreo, ela mobiliza o tráfego de projéteis, e tem na guerra à gás um meio de suprimir a aura de uma nova maneira.

"Fiat ars – pereat mundus"[32], diz o fascismo, esperando da guerra a satisfação artística da percepção sensorial modificada pela técnica, como Marinetti o reconhece. Eis, claramente, a consumação da *l'art pour l'art*. A humanidade, que outrora era, em Homero, objeto de contemplação dos deuses olímpicos, tornou-se agora objeto de contemplação para si mesma. O seu estranhamento de si mesma alcançou aquele patamar que permite a ela vivenciar o próprio extermínio como uma fruição estética de primeiro nível. *Eis a estetização da política, tal como o fascismo a pratica. O comunismo responde com a politização da arte.*

---

[31] Cit. La Stampa Torino.

[32] "Faça-se arte, mesmo que o mundo pereça". Paródia de um dito célebre do Imperador Ferdinando I (1503-1564): *Fiat iustitia pereat mundus* ("Faça-se justiça, mesmo que o mundo pereça"). (N.R.T.)

**Arthur Danto**

O mundo da arte

# O mundo da arte*

Arthur Danto (1924–2013)

Tradução
*Rodrigo Duarte*

---

Como distinguir a obra de arte quando a produção de obje-tos prosaicos e de objetos artísticos (uma caixa de sabão, por exemplo) não possui nenhuma diferença sensivelmente identificável? A arte elevou o estatuto da cotidianidade ou desceu ao lugar-comum espreitando o seu fim? Reconhecen-do o problema, há quem diga que apenas o museu confere o estatuto de arte aos objetos que o habitam. No texto "O mundo da arte" (1964), originalmente publicado no Brasil pela revista ArteFilosofia (Universidade Federal de Ouro Preto), Arthur Danto (1924–2013) discute a questão da identificação de obras de arte, além de temas clássicos como a *mímesis*.

**Temas:** mímesis, contemporaneidade, teoria institucional da arte, arte pop.

---

\* DANTO, A. "O Mundo da Arte". *Revista ArteFilosofia*. Número 1. Ouro Preto: UFOP, 2006. p. 13-25. Agradecemos a Arthur Danto e à Revista ArteFilosofia por autorizar a utilização do texto.

# O mundo da arte[1]

> Hamlet: –Você não vê nada lá?
> A rainha: – Nada mesmo; mas tudo que é, eu vejo.
> (Shakespeare: *Hamlet*, Ato III, cena IV).

Hamlet e Sócrates, embora de modo – respectivamente – elogioso e depreciativo, falaram de arte como um espelho anteposto à natureza. Como muitas discordâncias em atitude, essa tem uma base factual. Sócrates vê os espelhos como que refletindo o que já podemos ver. Assim, a arte, na medida em que é como o espelho, fornece duplicações pouco acuradas das aparências das coisas e não presta qualquer benefício cognitivo. Hamlet, mais arguto, reconheceu uma notável característica das superfícies refletoras, a saber, que elas nos mostram o que, de outro modo, não poderíamos perceber – nossa própria face e forma – e, do mesmo modo, a arte, na medida em que ela é como espelho, nos revela a nós mesmos e é, mesmo sob os critérios socráticos, de alguma utilidade cognitiva no final de contas. Como filósofo, entretanto, acho que a discussão de Sócrates é defeituosa por outros

---

[1] Trabalho apresentado no Simpósio sobre "A obra de arte" no 61º Encontro da American Philosophical Association, divisão leste, em 28/12/1964. O original, "The Artworld", foi publicado pela primeira vez em The Journal of Philosophy, v. LXI, n. 19: 15 de outubro de 1964. A publicação desta tradução foi autorizada pelo autor e pelo atual editor desse periódico, John Smiley. (N.T.).

motivos, talvez menos profundos do que esse. Se uma imagem espelhada de o é mesmo uma imitação de o, então, se a arte é imitação, imagens espelhadas são arte. Mas, de fato, objetos espelhados não são mais arte do que a devolução das armas a um louco seja justiça; e a referência aos espelhamentos seria exatamente um tipo astucioso de contraexemplo que poderíamos esperar que Sócrates trouxesse à tona, utilizando-se deles para refutar a teoria, e não para ilustrá-la. Se essa teoria requer que os classifiquemos como arte, ela, exatamente por isso, mostra sua inadequação: "é uma imitação" não será uma condição suficiente para "é arte". Mas, talvez porque os artistas estavam empenhados na imitação, nos tempos de Sócrates e depois, a insuficiência da teoria não foi notada até a invenção da fotografia. Uma vez rejeitada como uma condição suficiente, a mímesis foi rapidamente descartada até mesmo como uma condição necessária. E desde as conquistas de Kandinsky, as características miméticas foram relegadas para a periferia da preocupação crítica, a tal ponto que algumas obras sobrevivem apesar de possuírem aquelas virtudes, a excelência das quais foi um dia celebrada como a essência da arte, por pouco escapando de serem rebaixadas a meras ilustrações.

É obviamente indispensável na discussão socrática que todos os participantes dominem o conceito pronto para a análise, já que o propósito é casar uma expressão realmente definidora com um termo ativamente em uso, e o teste para a adequação consiste presumivelmente em mostrar que a precedente analise e se aplique a todas e apenas àquelas coisas em que o consequente é verdadeiro. Então, não obstante a recusa popular, a audiência de Sócrates sabia supostamente tanto o que era arte quanto do que gostavam. E uma teoria da arte, considerada aqui como uma definição real de "Arte", não é, consequentemente, para ser de grande uso em ajudar as pessoas a reconhecer os exemplos de sua aplicação. Sua capacidade anterior para fazer isso é precisamente aquilo contra o que a adequação da teoria deve ser testada, sendo que o problema é apenas tornar explícito o que eles já sabem. É o nosso uso do termo que a teoria supostamente tenta capturar, mas supõe-se que somos capazes de, nas palavras de um escritor recente, "separar aqueles objetos que são obras de arte daqueles que não o são, porque... sabemos como usar corretamente a palavra 'arte' e aplicar a frase 'obra de arte'". Teorias desse tipo são um pouco parecidas com a visão de

Sócrates sobre as imagens espelhadas, continuando a mostrar o que já sabemos, reflexões literais da prática linguística real que dominamos.

Mas distinguir obras de arte de outras coisas não é uma tarefa tão simples, mesmo para falantes nativos, e hoje em dia alguém pode não estar cônscio de estar num terreno artístico sem uma teoria artística para lhe dar conta disso. E parte da razão disso reside no fato de que o terreno é constituído como artístico em virtude de teorias artísticas, de modo que um uso de teorias, além de nos ajudar a discriminar a arte do resto, consiste em tornar a arte possível. Glauco e os outros dificilmente sabiam o que era arte e o que não era: do contrário, eles nunca teriam sido pegos pela história das imagens espelhadas.

## I

Suponha que alguém pense sobre a descoberta de uma classe totalmente nova de obras de arte como algo análogo à descoberta de uma classe totalmente nova de fatos em algum lugar, i.e., como algo para ser explicado pelos teóricos. Na ciência, como alhures, frequentemente acomodamos novos fatos a teorias antigas por meio de hipóteses auxiliares, um conservadorismo suficientemente perdoável quando a teoria em questão é considerada por demais valiosa para ser descartada de uma vez. Mas a Teoria Imitativa da Arte (TI) é, se se pensa detidamente, uma teoria excessivamente poderosa, explicando grande quantidade de fenômenos ligados à causação e à avaliação de obras de arte, trazendo uma surpreendente unidade a um domínio complexo. Além do mais, é simplesmente uma questão de sustentá-la contra muitos pretensos contraexemplos, através de tais hipóteses auxiliares, segundo as quais o artista que se afasta da mimeticidade é perverso, inepto ou louco. Inépcia, chicana ou loucura são, de fato, predicações passíveis de teste. Suponha-se, então, que os testes revelem que essas hipóteses não se comprovam, que a teoria, agora, para além de qualquer possibilidade de reparo, deva ser substituída. E uma nova teoria é elaborada, conservando o que ela pode da competência da antiga teoria, junto com a inclusão dos fatos recalcitrantes. Pode-se representar, pensando através dessas linhas, certos episódios na história da ciência, onde uma revolução conceitual está sendo efetivada e onde a recusa a aceitar certos fatos, mesmo que parcialmente devida ao preconceito, inércia e egoísmo, é também devida ao fato de que uma teoria bem estabelecida, ou, pelo menos, largamente aceita, está sendo ameaçada de tal modo que toda a coerência se perde.

Um episódio desse tipo veio à tona com o advento das pinturas pós-impressionistas. Em termos da teoria artística em vigor (TI), era impossível aceitá-las como arte, salvo como arte inepta. De outro modo, elas poderiam ser dispensadas como imposturas, autopromoção ou a contrapartida visual de delírios de pessoas loucas. Assim, para que elas fossem aceitas *como* arte, numa espécie de *transfiguração* (sem falar num capão de Landseer), requereu-se não tanto uma revolução no gosto quanto uma revisão teórica de proporções muito consideráveis, envolvendo não apenas a adoção artística desses objetos, mas também uma ênfase sobre características recentemente significantes de obras de arte aceitas, de modo que abordagens muito diferentes de seu *status* como obras de arte teriam agora que ser feitas. Como um resultado da aceitação da nova teoria, não apenas as pinturas pós-impressionistas foram aceitas como arte, mas vários objetos (máscaras, armas, etc.) foram transferidos de museus antropológicos (e outros lugares heterogêneos) para *musées des beaux arts*, embora, como poderíamos esperar do fato de que um critério para a aceitação de uma nova teoria é que ela dê conta de qualquer coisa que a antiga dava, nada tenha tido que ser retirado do *musée des beaux arts* — mesmo que tenha havido rearranjos internos como os entre salas de acervo e espaços de exibição. Incontáveis falantes nativos penduraram sobre lareiras suburbanas inumeráveis reproduções de casos paradigmáticos para ensinar a expressão "obra de arte", as quais teriam levado seus precursores edwardianos a uma apoplexia linguística.

Certamente, estou distorcendo ao falar de uma teoria: historicamente havia várias, todas muito interessantes, mais ou menos definidas em termos da TI. As complexidades da história da arte devem prevalecer sobre as exigências de exposição lógica e eu devo falar como se houvesse uma teoria substituinte, compensando parcialmente a falsidade histórica pela escolha de outra que foi realmente enunciada. De acordo com ela, os artistas em questão deveriam ser entendidos não como imitando fracassadamente formas reais, mas como criando de modo bem-sucedido formas novas, tão reais quanto as que a arte mais antiga pensava — nos seus melhores exemplares — estar imitando com credibilidade. A arte, afinal de contas, há muito tinha sido pensada como criativa (Vasari diz que Deus foi o primeiro artista) e os pós-impressionistas deveriam ser explicados como genuinamente criativos, tendo em vista, nas palavras de Roger Fry, "não a ilusão, mas a realidade". Essa teoria (TR) forneceu um modo totalmente novo de olhar para a pintura, velha e nova. Na verdade, alguém poder quase interpretar o desenho cru de Van Gogh e de Cézanne, o deslocamento da forma em relação ao contorno em Rouault e Dufy, o uso arbitrário de planos de cor em Gauguin e nos *Fauves* como variados modos de chamar a atenção para o fato de que essas eram *não-imitações*, especialmente concebidas para não iludir. Em termos lógicos, isso seria aproximadamente como imprimir "dinheiro falso" ao longo de uma nota de um dólar brilhantemente falsificada, com o objeto resultante (falsificação *cum* inscrição) tornado incapaz de enganar qualquer pessoa. Essa não é uma nota de um dólar ilusória, mas então, exatamente porque ela é não-ilusória, nem por isso ela se torna automaticamente uma nota real de um dólar. Ela ocupa, antes, uma área recentemente aberta entre objetos reais e fac-símiles reais de objetos reais: ela é, se se requer uma palavra, um não-fac-símile e uma nova contribuição para o mundo. Desse modo, os *Comedores de batatas* de Van Gogh, como consequência de certas distorções inconfundíveis, passam a ser um não-facsímile dos comedores de batatas da vida real. E, na medida em que esses não são fac-símiles de comedores de batatas, o quadro de Van Gogh, como uma não-imitação, tinha tanto direito de ser chamado de um objeto real como o eram seus objetos putativos. Por meio dessa teoria (TR), as obras de arte reentraram na densidade das coisas, da qual a teoria socrática (TI) procurou lançá-las: se não *mais* reais do que os carpinteiros fizeram, elas eram, pelo menos, não *menos* reais. O Pós-Impressionismo celebrou uma vitória na ontologia.

É em termos de TR que devemos entender as obras de arte que hoje nos rodeiam. Desse modo, Roy Lichtenstein pinta painéis com tiras cômicas, embora com três ou quatro metros de altura. Eles são projeções razoavelmente fiéis, numa escala gigantesca, dos familiares quadrinhos dos tabloides diários, mas é precisamente a escala que conta. Um hábil escultor pode inserir *A Virgem e o Chanceler Rollin* numa cabeça de alfinete e ela seria reconhecível como tal a um olhar acurado, mas uma cópia de Barnett Newman numa escala similar seria uma massa amorfa, desaparecendo na redução. Uma foto de um Lichtenstein é indiscernível de uma foto de um painel de *Steve Canyon*, mas a foto deixa de captar a escala e, então, é uma reprodução tão imprecisa quanto uma cópia em preto e branco de Botticelli, sendo a cor tão essencial nesse caso quanto a escala o é no precedente. Os objetos criados por Lichtenstein não são imitações, mas *novas entidades*, como pústulas gigantes o seriam. Jaspers Johns, por outro lado, pinta objetos em relação aos quais as questões de escala são irrelevantes. Assim mesmo, seus objetos não podem ser imitações, porque eles têm a considerável propriedade de que qualquer cópia pretendida de um membro dessa classe de objetos é automaticamente, ele próprio, um membro da classe, de modo que esses objetos são logicamente inimitáveis. Desse modo, uma cópia de um numeral é exatamente esse numeral: uma pintura de 3 é um 3 feito de tinta. Johns, além disso, pinta alvos, bandeiras e mapas. Finalmente, no que espero que não sejam notas de rodapé involuntárias a Platão, dois de nossos pioneiros – Robert Rauschenberg e Claes Oldenburg – fizeram camas genuínas.

A cama de Rauschenberg está pendurada numa parede e está tracejada por uma pintura rudimentar aleatória. A cama de Oldenburg é assimétrica, mais estreita num lado do que no outro, com o que alguém poderia chamar de perspectiva embutida: ideal para quartos de dormir pequenos. Enquanto camas, elas são vendidas a preços singularmente inflacionados, mas alguém poderia *dormir* em qualquer uma das duas: Rauschenberg expressou o temor de que alguém pudesse subir em sua cama e cair no sono. Imagine-se, agora, um certo Testadura – falante simplório e notório filisteu – que não esteja cônscio de que essas camas são arte e as tome por pura e simples realidade. Ele atribui os traços de tinta na cama de Rauschenberg a uma displicência do seu proprietário e o viés na de Oldenburg a uma inépcia do seu construtor ou talvez a um capricho de quem a fez "por encomenda". Esses seriam erros, mas sobretudo erros de um tipo estranho e não muito diferentes dos cometidos pelos pássaros deslumbrados que picaram as falsas uvas de Zeuxis. Eles tomaram erroneamente a arte pela realidade, assim como o fez Testadura. Mas ela era pretendida como *sendo* realidade, de acordo com a TR. Alguém poderia ter confundido realidade com realidade? Como podemos descrever o erro de Testadura? O que evita que a criação de Oldenburg seja uma cama malformada? Isso é equivalente a perguntar o que a faz arte e com essa questão adentramos um domínio de investigação conceitual, no qual os falantes nativos são maus guias: eles próprios se perdem.

## II

Confundir uma obra de arte com um objeto real não é uma proeza tão grande quando uma obra de arte é o objeto real com o qual alguém se confunde. O problema é como evitar esses erros, ou removê-los uma vez que já foram cometidos. A obra de arte é uma cama e não a ilusão de uma cama; desse modo, não há nada como o traumático esbarrão contra uma superfície plana que mostrou aos pássaros de Zeuxis que eles tinham sido enganados. A não ser pela advertência do vigia de que Testadura não deveria dormir nas obras de arte, ele poderia nunca ter descoberto que isso era uma obra de arte e não uma cama. E desde que, afinal de contas, não se pode descobrir que uma cama não é uma cama, como poderia Testadura saber que ele tinha cometido um erro? Um certo tipo de explicação é requerido, porque o erro aqui é curiosamente filosófico, mais do que – se supormos corretos alguns conhecidos pontos de vista de P.F. Strawson – tomar uma pessoa por um corpo material quando a verdade é que uma pessoa é um corpo material, no sentido de que toda uma classe de predicados sensatamente aplicáveis a corpos materiais é, e sem apelar a nenhum outro critério, sensatamente aplicável a pessoas. De modo que não se pode *descobrir* que uma pessoa não é um corpo material.

Começamos explicando, talvez, que os traços de tinta não devem ser excluídos da explicação, que eles são *parte* do objeto, de modo que o objeto não é uma simples cama com – como acontece – traços de tinta espalhados sobre ela, mas um objeto complexo, fabricado a partir de uma cama e alguns traços de tinta: uma cama-tinta. De modo similar, uma pessoa não é um corpo material com – como acontece – alguns pensamentos adicionados, mas é uma entidade complexa feita de um corpo e alguns estados de consciência: um corpo-consciência. Pessoas, como obras de arte, devem ser tomadas como *partes* irredutíveis de si próprias e são, nesse sentido, primordiais. Ou, mais precisamente, os traços de tinta não são parte do objeto real – a cama – que acontece ser parte da obra de arte, mas são, *como* a cama, partes da obra de arte enquanto tal. E isso pode ser generalizado numa caracterização preliminar de obras de arte que por acaso contêm objetos reais como partes de si próprias: nem toda parte de uma obra de arte A é parte de um objeto real R, quando R é parte de A e pode, além do mais, ser destacado de A e aparecer apenas *como* R. O erro, então, certamente terá sido confundir A com uma *parte* de si próprio, a saber, R, mesmo que não fosse incorreto dizer que A é R, que a obra de arte é uma cama. Esse é o "é" que requer clarificação aqui.

Há um é que figura principalmente nas afirmações concernentes às obras de arte que não é o é da identidade ou da predicação; nem é o é da existência, da identificação ou algum é especial inventado para servir a um fim filosófico. Entretanto, ele se encontra no uso comum e é prontamente dominado pelas crianças. É o sentido de é, de acordo com o qual uma criança, a quem é mostrado um círculo e um triângulo e perguntado qual é ela e qual é sua irmã, apontará para o triângulo dizendo: "esse sou eu"; ou, em resposta à minha pergunta, a pessoa próxima a mim aponta para o homem de vermelho e diz: "esse é o Lear"; ou na galeria eu aponto – para alívio de minha companhia – para uma mancha na pintura diante de nós e digo: "o borrão branco é Ícaro". Não queremos dizer, nesses exemplos, que qualquer coisa é apontada como substituindo ou representando o que se diz que é, porque a *palavra* "Ícaro" substitui ou representa Ícaro: mas eu não apontaria palavra no mesmo sentido de é e diria: "esse é o Ícaro". A sentença "esse a é b" é perfeitamente compatível com "esse a não é b", quando a primeira emprega esse sentido de é e a segunda algum outro, embora a e b sejam normalmente usados de modo não ambíguo. Na realidade, frequentemente a verdade da primeira requer a verdade da segunda. De fato, a primeira é incompatível com "esse a não é b" somente quando o é é usado normalmente de modo não ambíguo. Na falta de outra palavra, designarei aquele de *o é da identificação artística*; em cada caso em que ele é usado, o a responde por alguma propriedade física específica – ou parte física – de um objeto. E, finalmente, é uma condição necessária para algo ser uma obra de arte que alguma parte ou propriedade dele seja designada pelo sujeito de uma sentença que emprega esse é especial. Esse é um é, incidentalmente, que possui parentes próximos nos pronunciamentos marginais e míticos (desse modo, um é Quetzalcoatl; aqueles são os pilares de Hércules).

Deixe-me ilustrar. Dois pintores são convidados a decorar as paredes leste e oeste de uma biblioteca científica com afrescos que serão chamados, respectivamente, *A primeira lei de Newton e A terceira lei de*

*Newton*. Essas pinturas, quando finalmente inauguradas, parecem com o que se segue (desprezando-se a escala):

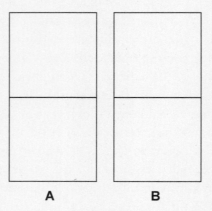

Como objetos, deverei supor que as obras são indiscerníveis: uma linha preta, horizontal, num campo branco, igualmente grande em cada dimensão e elemento. B explica sua obra da seguinte maneira: uma massa, pressionando para baixo, é atingida por uma massa pressionando para cima: a massa de baixo reage de modo igual e oposto à de cima. A explica sua obra da seguinte maneira: a linha através do espaço é a trajetória de uma partícula isolada. Ela vai de uma ponta a outra para dar a sensação de seu *ir além*. Se ela terminou ou começou dentro do espaço, a linha seria curva: e ela é paralela às extremidades de cima e de baixo, porque, se ela estivesse mais perto de uma do que da outra, teria que haver uma força que ocasionasse isso, o que é inconsistente com o fato de ser a trajetória de uma partícula *isolada*.

Muita coisa se segue dessas identificações artísticas. Ver a linha do meio como uma extremidade (massa encontrando massa) impõe a necessidade de identificar a metade de cima e a metade de baixo do quadro como retângulos e como duas partes distintas (não necessariamente como duas massas, porque a linha poderia ser a extremidade de uma massa se estendendo para cima – ou para baixo – no espaço vazio). Se ela é uma extremidade, não podemos, desse modo, tomar toda a área da pintura como um espaço simples: ele é, antes, composto de duas formas, ou de uma forma e uma não-forma. Poderíamos tomar toda a área como um espaço simples apenas se tomássemos a horizontal do meio como uma *linha* que não é uma extremidade. Mas isso quase requer uma identificação tridimensional de todo o quadro: a área pode ser uma superfície plana acima da qual (*voo do jato*), ou abaixo da qual (*trajetória do submarino*), ou sobre a qual (*linha*), ou na qual (*fissura*), ou *através* da qual (*Primeira lei de Newton*) está a linha, sendo que, nesse último caso, a área não é uma superfície plana, mas uma seção transversal e transparente do espaço absoluto. Poderíamos tornar todas essas qualificações preposicionais claras, imaginando seções transversais perpendiculares ao plano do quadro. Então, dependendo da oração preposicional aplicável, a área é (artisticamente) interrompida ou não pelo elemento horizontal. Se tomarmos a linha como estando através do espaço, as extremidades do quadro não são realmente as extremidades do espaço: ele vai além do quadro, se a própria linha também for e nós estamos no mesmo espaço que a linha. Como B, as extremidades do quadro podem ser parte do quadro no caso de as massas irem diretamente para as extremidades, de modo que as extremidades do quadro são as suas extremidades. Nesse caso, os vértices do quadro seriam os vértices das massas, a não ser que as massas tenham mais quatro vértices do que o próprio quadro tem: aqui, quatro vértices seriam parte da obra de arte que não seria parte do objeto real. Mais uma vez, as faces das massas poderiam ser a face do quadro e, olhando para ele, estamos olhando para essas faces: mas o espaço não tem qualquer face e, na leitura de A, a obra deve ser lida como sem qualquer face e a face do objeto físico não seria parte da obra de arte. Observe-se aqui como uma identificação artística engendra outra identificação artística e como, de modo consistente com uma dada identificação, somos *levados* a dar outras e *impedidos* de dar ainda outras: realmente, uma dada identificação determina quantos elementos a obra deve conter. Essas identificações diferentes são incompatíveis entre si, ou geralmente o são, e cada uma pode ser dita como fazendo uma obra de arte diferente, mesmo que cada obra de arte contenha idêntico objeto real como parte de si mesma. Obviamente, há identificações sem sentido: ninguém poderia, penso eu, ler sensatamente a horizontal do meio como *O perdido do trabalho amoroso* ou *A Ascensão de Sto. Erasmo*. Finalmente, observe-se como a aceitação de uma identificação mais do que outra é, com efeito, trocar um *mundo* por outro. Poderíamos, na realidade, adentrar um mundo poético ao identificar a área superior com um céu limpo e sem nuvens, refletido da superfície calma da água abaixo, com a brancura mantida pela brancura apenas pelo limite irreal do horizonte.

E agora Testadura, tendo flutuado em asas através da discussão, protesta que *tudo que ele vê é tinta*: um retângulo pintado de branco com uma linha preta pintada através dele. E quão certo ele realmente está: isso é tudo que ele vê ou que qualquer pessoa pode ver, inclusive nós, estetas. Assim, se ele nos pede para lhe mostrar o que há para ver, além disso, para lhe demonstrar cabalmente que essa é uma obra de arte (*Mar e Céu*), não podemos nos queixar, porque ele não deixou de ver nada (e seria absurdo supor que tivesse deixado: que havia algo diminuto para o qual poderíamos apontar e ele, olhando de perto, dizer: "Então é isso! Finalmente uma obra de arte!"). Não podemos ajudá-lo até que ele domine o é da *identificação artística* e então *constitua* o objeto como obra de arte. Se ele não conseguir isso, ele nunca olhará para obras de arte: ele será como uma criança que vê bastões como bastões.

Mas o que dizer de puras abstrações, como algo que se parece exatamente com um A, mas é intitulado Nº 7? O abstracionista da Rua 10 insiste em vão que não há nada aqui a não ser tinta branca e preta e que nenhuma de nossas identificações literárias têm que se aplicar. O que, então, distingue-o de Testadura, cujas imprecações filistinas são indiscerníveis das daquele? E como isso pode ser uma obra de arte para ele e não para Testadura, se eles concordam que nada há que não seja visto pelos olhos? A resposta, tão impopular quanto possa ser para puristas de todas as variedades, reside no fato de que esse artista retornou para a fisicalidade da pintura por meio de uma atmosfera composta de teorias artísticas e pela história da pintura recente e da mais remota, cujos elementos ele está tentando purificar para seu próprio trabalho. E, como uma consequência disso, seu trabalho pertence a essa atmosfera e é parte dessa história. Ele chegou à abstração por meio da rejeição das identificações artísticas, retornando ao mundo real, do qual essas identificações – ele pensa – nos removem, mais ou menos ao modo de Ching Yuan, que escreveu:

> Antes de estudar o Zen por trinta anos, eu via montanhas como montanhas e águas como águas. Quando eu atingi um conhecimento mais íntimo, cheguei ao ponto em que via que as montanhas não são montanhas e que águas não são águas. Mas agora que adquiri mais substância, cheguei ao repouso. Porque é exatamente que eu vejo que as montanhas são novamente montanhas e as águas novamente águas.

Sua identificação do que ele fez é logicamente dependente das teorias e da história que ele rejeita. A diferença entre suas afirmações e a de Testadura, de que "isso é tinta preta e essa, tinta branca e nada mais", reside no fato de que ele ainda está usando o é da identificação artística, de modo que seu uso de "essa tinta preta é tinta preta" não é uma tautologia. Testadura não está nesse estágio. Ver algo como arte requer algo que o olho não pode repudiar – uma atmosfera de teoria artística, um conhecimento da história da arte: um mundo da arte.

## III

O Sr. Andy Warhol, o artista pop, exibe fac-símiles de caixas de Brillo, em pilhas altas, em limpas prateleiras como no estoque do super-mercado. Elas são, casualmente, de madeira, pintadas de modo a parecer cartonado; e por que não? Parafraseando a crítica do *Times*, se alguém pode fazer o fac-símile de um ser humano a partir do bronze, por que não o fac-símile da caixa de Brillo a partir do compensado? O custo dessas caixas chega a ser de $2 \times 10^3$ o das congêneres na vida real – um diferencial dificilmente atribuível a sua maior durabilidade. Na verdade, o pessoal da Brillo, pode, mediante algum custo extra, fazer suas caixas de compensado, sem que elas se tornem obras de arte, e Warhol pode fazer as suas a partir do papel-cartão, sem que elas deixem de ser arte. Desse modo, podemos esquecer as questões relativas ao valor intrínse-co e indagar por que o pessoal da Brillo não pode manufaturar arte e por que Andy Warhol não pode fazer nada senão obras de arte. Bem, é claro que as suas caixas são feitas à mão, o que é um insano reverso da estratégia de Picasso de colar o rótulo de uma garrafa de Suze num desenho, dizendo que era como se o artista acadêmico, preocupado com uma imitação exata, sempre ficasse aquém da coisa real: então, por que não usar a coisa real? O artista pop reproduz laboriosamente à mão objetos feitos à máquina, pintando, por exemplo, os rótulos em latas de café (pode-se ouvir a conhecida advertência: "feito inteiramente à mão" descuidadamente jogada do vocabulário dos guias quando confrontada com esses objetos). Mas a diferença não consiste no artesanato: um ho-mem que extraiu gemas a partir de rochas e construiu cuidadosamente uma obra chamada *Pilha de cascalho* (*Gravel Pile*) pode invocar a teoria do valor-trabalho para justificar o preço que ele pede; mas a questão é:

o que torna isso arte? E por que Warhol precisa fazer isso de qualquer modo? Por que não apenas tacar sua assinatura ao longo de uma delas? Ou amassar totalmente uma e exibir como *Caixa de Brillo Amassada* ("um protesto contra a mecanização...") ou simplesmente exibir um cartonado de Brillo como *Caixa de Brillo Desamassada* ("uma afirmação categórica da autenticidade plástica dos objetos industriais...")? Esse homem é uma espécie de Midas, transformando tudo em que ele toca no ouro da pura arte? E o mundo todo, consistente de obras de arte latentes, esperando, como o pão e o vinho da realidade, para ser trans-figurado, por meio de algum mistério obscuro, na carne e no sangue do sacramento? Não importa que a caixa de Brillo possa não ser boa – menos ainda grande – arte. O que chama a atenção é que ela seja arte de algum modo. Mas, se ela é, por que não o são as indiscerníveis caixas de Brillo que estão no depósito?

Ou toda a distinção entre arte e realidade *caiu* por terra?

Suponha que um homem colecione objetos (em estado natural), incluindo uma caixa de Brillo; elogiamos a exibição pela variedade, engenhosidade, ou o que for. Em seguida, ele não exibe nada a não ser caixas de Brillo, e nós criticamos isso como insosso, repetitivo, au-toplágio – ou (mais profundamente) asseveramos que ele é obcecado por regularidade e repetição como em *Marienbad*. Ou ele as empilha bem alto, deixando uma trilha estreita; nós abrimos nosso caminho através das prateleiras regularmente opacas e achamos que essa é uma experiência perturbadora e a anotamos como a clausura dos produtos de consumo, que nos confina como prisioneiros: ou dizemos que ele é um moderno construtor de pirâmides. Na verdade, não dizemos essas coisas sobre o estoquista. Mas, então, um depósito não é uma galeria de arte e não podemos prontamente separar as caixas de Brillo da galeria em que elas estão, mais do que podemos separar a cama de Rauschenberg da pintura sobre ela. Fora da galeria, aquelas são caixas de papelão. Mas, então, removida a tinta, a cama de Rauschenberg é uma cama, exatamente como ela era antes de ser transformada em arte. Mas, então, se pensamos totalmente sobre essa matéria, descobrimos que o artista falhou, de modo real e necessário, em produzir um mero objeto real. Ele produziu uma obra de arte, seu uso das caixas de Brillo reais não sendo senão uma expansão dos recursos disponíveis aos artistas, uma contribuição aos *materiais dos artistas*, como tinta a óleo ou *tuche*.

O que, afinal de contas, faz a diferença entre uma caixa de Brillo e uma obra de arte consistente de uma caixa de Brillo é uma certa teoria da arte. É a teoria que a recebe no mundo da arte e a impede de recair na condição do objeto real que ela é (num sentido de é diferente do da identificação artística). É claro que, sem a teoria, é improvável que alguém veja isso como arte e, a fim de vê-lo como parte do mundo da arte, a pessoa deve dominar uma boa dose de teoria artística, assim como uma quantia considerável da história da recente pintura nova-iorquina. Isso poderia não ter sido arte cinquenta anos atrás. Mas, então, não poderia ter havido, se tudo permanece igual, seguro de voos na Idade Média ou borrachas para máquinas de escrever etruscas. O mundo tem que estar pronto para certas coisas – o mundo da arte não menos do que o real. É o papel das teorias artísticas, hoje como sempre, tornar o mundo da arte e a própria arte possíveis. Nunca ocorreria, devo pensar, aos pintores de Lascaux que eles estavam produzindo arte naquelas paredes. Assim como não havia estetas no Neolítico.

## IV

O mundo da arte se encontra diante do mundo real aproximadamente como a relação na qual a Cidade de Deus se encontra diante da Cidade Terrena. Alguns objetos, como alguns indivíduos, desfrutam de uma dupla cidadania, mas permanece, apesar da TR, um contraste fundamental entre obras de arte e objetos reais. Talvez isso já fosse fracamente sentido pelos primeiros forjadores da TI, que, descobrindo de modo incipiente a não-realidade da arte, eram limitados apenas em supor que o único meio de os objetos serem outra coisa que real é serem falsos, de modo que as obras de arte necessariamente teriam que ser imitações dos objetos reais. Isso era muito estreito. Assim Yeats viu ao escrever que: "Uma vez fora da natureza, nunca tomarei/ Minha forma corporal de qualquer coisa natural". Isso não é matéria de escolha: e a caixa de Brillo do mundo da arte pode ser exatamente a caixa de Brillo do mundo real, separada e unida pelo é da identificação artística. Mas eu deveria dizer algumas palavras finais sobre as teorias que tornam o mundo da arte possível e suas relações entre si. Procedendo assim, evitarei uma das mais difíceis questões filosóficas que conheço.

Pensarei agora em pares de predicados relacionados entre si como "opostos", concedendo de antemão a imprecisão desse termo *démodé*.

Predicados contraditórios não são opostos, já que um de cada um deles deve se aplicar a qualquer objeto no universo e nenhum de um par de opostos precisa se aplicar a alguns objetos no universo. Um objeto deve, primeiramente, ser de um certo tipo antes que um par de opostos se aplique a ele e então no máximo e no mínimo um dos opostos deve se aplicar a ele. Então, opostos não são contrários, porque contrários podem ser ambos falsos para alguns objetos no universo, mas opostos não podem ser ambos falsos; porque para alguns objetos nenhum de um par de opostos se aplica sensatamente, a menos que o objeto seja do tipo certo. Então, se o objeto é do tipo requerido, os opostos se comportam como contraditórios. Se F e não–F são opostos, um objeto o deve ser de um tipo K, antes que um deles se aplique sensatamente; mas se o é um membro de K, então o ou é F ou não–F, um excluindo o outro. A classe de pares de opostos que se aplica sensatamente ao (ô) Ko deve-se designar como a dos *predicados relevantes*-K. E uma condição necessária para que um objeto seja de tipo K é que pelo menos um par dos opostos relevantes-K seja sensatamente aplicável a ele. Mas, de fato, se um objeto é do tipo K, pelo menos e no máximo um de cada par de opostos relevantes-K se aplica a ele.

Estou interessado agora nos predicados relevantes-K para a classe K de obras de arte. Suponha-se que F e não–F são um par de opostos de predicados desse tipo. Pode acontecer que, através de todo um período de tempo, toda obra de arte é não–F. Mas, uma vez que nada até então é obra de arte e F, pode nunca ocorrer a qualquer uma que não–F seja um predicado artisticamente relevante. A não–F-dade das obras de arte prossegue sem qualquer registro. Diferentemente, todas as obras até um dado tempo podem ser G, sendo que isso nunca ocorreu a nenhuma delas até aquele tempo em que algo pode ser tanto uma obra de arte quanto não–G. Na verdade, poder-se-ia pensar que G é um *traço definitório* de obras de arte, quando, na realidade, algo pode primeiramente ter que ser uma obra de arte antes que G lhe seja sensatamente predicável, caso em que não–G também é predicável de obras de arte e o próprio G poderia, então, não ter sido um traço definitório dessa classe.

Suponha-se que G seja "é representacional" e que F seja "é expressionista". Num certo tempo, esses e seus opostos são talvez os únicos predicados artisticamente relevantes com uso crítico. Agora, supondo-se que "+" represente um dado predicado P e "–" seu oposto não–P, podemos construir uma matriz de estilo mais ou menos como a seguinte:

| F | G |
|---|---|
| + | + |
| + | - |
| - | + |
| - | - |

As linhas determinam os estilos disponíveis, dado o vocabulário crítico ativo: expressionista representacional (p.ex., Fauvismo); não-expressionista representacional (Ingres); expressionista não-representacional (Expressionismo Abstrato); não-expressionista não representacional (abstração geométrica). Obviamente, na medida em que adicionamos predicados artisticamente relevantes, aumentamos o número de estilos disponíveis na proporção de 2n. Naturalmente, não é fácil prever que predicados serão adicionados ou substituídos pelos seus opostos, podendo-se supor que um artista determine que H deverá ser a partir de agora artisticamente relevante para suas pinturas. Então, na realidade, tanto H quanto não-H tornam-se artisticamente relevantes para toda pintura e se a sua é a primeira e única pintura que é H, toda outra pintura existente torna-se não-H e a comunidade inteira das pinturas é enriquecida, juntamente com uma duplicação das oportunidades disponíveis de estilo. É esse enriquecimento retroativo das entidades no mundo da arte que torna possível discutir, juntos, Rafael e De Kooning, ou Lichtenstein e Miguelangelo. Quanto maior a variedade de predicados artisticamente relevantes, mais complexos se tornam os membros individuais do mundo da arte. E quanto mais se sabe da população inteira do mundo da arte, mais rica se torna a experiência de alguém com qualquer um dos seus membros.

Sob esse ponto de vista, observe-se que, se há m predicados artisticamente relevantes, há sempre uma linha de baixo com m sinais de menos. Essa linha é destinada a ser ocupada pelos puristas. Havendo purificado suas telas daquilo que consideram inessencial, eles se atribuem o crédito de ter destilado a arte até sua essência. Mas está mesmo aí a sua falácia: exatamente como muitos predicados artisticamente relevantes representam bem seus quadriláteros monocromáticos, representam bem qualquer membro do mundo da arte e eles podem *existir* como obras de arte na medida em que existam pinturas "impuras". Falando estritamente, um quadrado negro de Reinhardt é artisticamente tão rico quanto *O amor sagrado e profano* de Ticiano. Isso explica como menos é mais.

A moda, como acontece, favorece certas linhas da matriz estilística: museus, *connaisseurs* e outros são fatores de peso no mundo da arte. Insistir – ou tentar insistir – que todos os artistas se tornem representacionais, talvez para adquirir acesso numa mostra especialmente prestigiosa, corta pela metade a matriz estilística disponível: há então $2^n / 2$ modos de satisfazer o que é requerido e os museus podem, então, exibir todas as "abordagens" do tópico que eles estabeleceram. Mas essa é uma questão de um interesse quase puramente sociológico: uma linha na matriz é tão legítima quanto outra. Uma conquista artística consiste, suponho eu, em adicionar a possibilidade de uma coluna na matriz. Então os artistas, com maior ou menor rapidez, ocupam as posições recém-abertas: essa é uma característica observável da arte contemporânea e, para aqueles não familiarizados com a matriz, é difícil – talvez impossível – reconhecer certas posições como ocupadas por obras de arte. Essas coisas nem mesmo seriam obras de arte sem as teorias e as histórias do mundo da arte.

As caixas de Brillo adentram o mundo da arte com aquela mesma incongruência acentuada que os personagens da *commedia dell'arte* trazem para *Ariadne auf Naxos*. Qualquer que seja o predicado artisticamente relevante em virtude do qual elas ganham seu acesso, o resto do mundo da arte se torna proporcionalmente rico ao ter o predicado oposto disponível e aplicável a seus membros. E, para retornar às visões de Hamlet com as quais começamos a discussão, as caixas de Brillo podem nos revelar a nós mesmos tão bem quanto nenhuma outra coisa: como um espelho dirigido à natureza, elas podem servir para capturar a consciência de nossos reis.

**Benedito Nunes**

Da arte como poesia

# Da arte como poesia*

Benedito Nunes (1929–2011)

---

Qual é o significado artístico de reproduzir objetos prosaicos? Por que suporíamos haver alguma particularidade estética nos sapatos da camponesa representados por Van Gogh frente aos sapatos da camponesa? Em seu famoso texto *A origem da obra de arte*, Martin Heidegger levanta tais questões. Gostaríamos de tê-lo colocado ao lado do trecho da obra *Passagem para o poético* (1968) de Benedito Nunes (1929–2011), apresentado agora ao leitor. No entanto, restrições testamentárias e referentes aos direitos autorais das obras de Heidegger impossibilitaram a publicação. Além de um convite à leitura de *A origem*, o texto apresentado aqui é um fragmento da obra de um célebre filósofo brasileiro, responsável pela propagação do debate estético em nosso país.

**Temas:** estética no Brasil, Heidegger, Van Gogh, pintura, arquitetura, mímesis.

---

\* NUNES, B. *Passagem para o Poético*. São Paulo: Loyola, 2012. p. 237-249. Agradecemos à Editora Loyola por autorizar a utilização do texto.

*... ist die Kunst eine Weihe und ein Hort, worin das Wirkliche seinen bislang verborgenen Glanz jedesmal neu dem Menschen verschenkt, damit er in solcher Helle reine schaue und klarer höre, was sich seinem Wesen zuspricht.*
HEIDEGGER, *Wissenschaft und Besinnung.*[1]

## 1. A Estética Moderna

Ao admitir que a obra de arte tem origem na verdade como *alétheia*, Heidegger separa-se tanto da tradição humanística quanto da Estética moderna. De fato, para aquela tradição, que firmou uma exegese instrumentalista da *Poética* e da *Retórica* de Aristóteles, a arte, hábito de produzir de acordo com a reta razão (*recta ratio faciendi*), que se consuma na obra produzida, origina-se da determinação da matéria por uma forma ou idéia nascida na mente do artista.[2] As artes "que representam o mais alto grau de concretude das obras, são as *téchnai poietikaí*, as artes

---

[1] "... a arte é uma consagração e um abrigo, por onde o real dispensa no homem o seu brilho até então escondido, para que, numa tal claridade, possa ver de maneira mais pura, e ouvir, mais distintamente, o que fala à essência". HEIDEGGER, *Ciência e meditação*.

[2] O hábito acompanhado de razão verdadeira e a arte se confundem. A coisa produzida ou criada pertence à categoria dos possíveis, e seu princípio reside na pessoa que executa (cf. ARISTÓTELES. *Ética a Nicômaco*. Livro VI, cap. 5). Na *Metafísica*, Aristóteles coloca paralelo *arte* (téchne) e *Natureza* (phýsis): "Das coisas que existem, umas nascem por Natureza (phýsei), outras por arte (téchne) e outras por casualidade" (Livro VII, cap. 7).

poéticas ou criadoras".[3] Dissociada, porém, do alcance ontológico que Aristóteles ainda lhe emprestou, a *téchne* significa, nesse contexto, apenas um conjunto de meios adequados à realização da *poíésis*, idêntica à *mímesis*, e que, traduzida por *imitatio* (imitação), passaria a responder pela atividade individual criadora, enquanto princípio originativo da arte.

Subordinando ao belo a obra produzida, a Estética moderna, sem tocar no instrumentalismo da tradição humanística, transportou essa origem para a subjetividade. A concepção heideggeriana, em muitos pontos de acordo com certas proposições de Hegel e de Nietzsche, conforme se verá neste texto, denuncia o conteúdo metafísico do subjetivismo estético, fundamentado pela *crítica do juízo* de Kant numa experiência *sui generis* de caráter contemplativo: a experiência não-conceitual, também denominada *estética*, correspondente a juízos reflexivos, e que, em vez de conhecimento, proporciona-nos, com base no balanço das faculdades de conhecer, a sensibilidade e o entendimento, uma satisfação universal e desinteressada.[4]

> Na medida em que a consideração estética – pondera Heidegger – determina a obra de arte do ponto de vista do belo que produz a arte, a obra é representada como aquilo que traz e que suscita o belo relativamente ao estado afetivo. A obra de arte é colocada como "objeto" para um "sujeito". Essa consideração baseia-se na relação – objeto, fundamentalmente a relação sensível. A obra torna-se objeto sob o aspecto da experiência vivida (Erleben) de quem a contempla (*N*, v. 1, p. 93).

Condicionada por essa relação, em que a conduta afetiva fica em primeiro plano, a Estética torna-se complementar à Metafísica moderna. Entretanto a indagação pertinente vinculou-se à *aísthesis* (sensibilidade) desde a Antiguidade.[5] E, muito embora só a partir do século XVIII,

---

[3] As *téchnai poietikaí* (artes in effectu positae) são também artes miméticas.

[4] O objeto dessa satisfação universal, desinteressada e ainda necessária, reconhecido sem conceito, por um nexo da representação como sentimento, é o *belo*. A fundamentação do juízo reflexivo, e consequentemente da experiência estética, decorre do livre jogo das faculdades. Cf. KANT, E. *Werke; Kritik der Urteilskraft*, Berlin, Georg Reimer, 1913. v. 5, § 35.

[5] "O termo 'estética' é formado em correlação com 'lógica' e 'ética'. Temos sempre que acrescentar-lhe *epistéme*, ciência. Lógica: *logiké epistéme*: ciência do *logos*, isto é, doutrina da enunciação do juízo enquanto forma fundamental do pensamento. Lógica: ciência

quando já se configurara historicamente o domínio das Belas-Artes, o termo "estética" tenha vindo a ter curso consagrado, para qualificar essa nova disciplina de estatuto ambíguo, no conjunto do saber moderno – que, ora reflexiva, ora normativa, ou adicta à Psicologia, à Sociologia e à História, oscilará entre a Filosofia e as ciências humanas –, "foi já como Estética que a Filosofia começou a refletir sobre a essência da arte e do belo" (*N*, v.1, p. 93-94). Mas, se a Filosofia, nativa da Grécia, adere, desde o começo, ao ser do ente, essa reflexão, que ocupou, depois de Sócrates, um lugar proeminente na doutrina platônica, participará, em larga escala, da História da Metafísica. Tampouco estranha à formação do saber filosófico, a consideração estética interfere, de modo variável, na História da arte.

O seis fatos específicos arrolados num dos estudos de Heidegger sobre Nietzsche – *Der Wille zur Macht als Kunst* (A vontade de potência como arte) –, que acompanharemos a seguir, mostram-nos que essa interferência, reveladora da essência da Estética, "de seu papel no pensamento ocidental" (*N*, v. 1, p. 94), constitui o indício da situação histórica da arte nas diversas épocas.

Testemunhando tanto quanto o segundo a particular visão heideggeriana da cultura grega, que bastante deve a Nietzsche, o primeiro fato arrolado diz respeito à ausência de reflexão estética na fase da *grande arte* helênica. Leve-se em conta o recurso adjetivo à "grandeza", também utilizado alhures para designar a fecundidade do começo da Filosofia – desse começo principiativo que, tal como a vida duradoura de uma semente, guardada ao longo dos séculos, germina de novo, em cada volta da história. *Grandioso*, para Heidegger, é o esplendor da arte helênica, e o seu esplendor, a força germinativa que exerceu sobre o todo da vida e da cultura gregas, de que foi o acontecimento historial. Um pensamento precoce, ainda não propriamente filosófico, o "saber claro" dos gregos, que prescindiam da Estética, certamente alusivo à posição dos pré-socráticos, acompanhou, concordante, a *grande arte* em sua fase de esplendor. Somente quando, cessado o esplendor da arte grega, ela se torna problemática, e já então apenas provedora de vivências, é que a reflexão estética paralela começa.

---

do pensamento, das formas e das regras do pensamento. Etica: *éthike epistéme*: ciência *éthos*, da atitude anterior do homem e da maneira como determina sua conduta. [...] De maneira análoga formou-se o termo 'estética': *aisthétike epistéme*, ciência do comportamento sensível e afetivo do homem e do que o determina" (*N*. v. 1, p. 92).

Nessa época, que foi a de Platão e a de Aristóteles – e eis o segundo fato –, elaboraram-se, em função do desenvolvimento da Filosofia, os conceitos fundamentais, que delimitarão, no futuro, a esfera de toda interrogação concernente à arte (*N*, v. 1, p. 95).

Dentre esses conceitos, o par *matéria-forma*, derivado do *eidos* platônico, desde então aplicado aos entes naturais, estende-se também, por intermédio da ideia do belo, àqueles que o esforço da arte produz.

O terceiro fato consigna o ajustamento da Estética à direção do saber moderno, segundo a perspectiva da "consciência de si". Levantado o problema da realidade exterior, que pressupõe a natural precedência dos estados interiores em relação ao mundo, essa perspectiva justificaria a apreciação das coisas de acordo com a maneira pela qual nos afetam, condicionando a admissão de uma faculdade de gosto estético. Cumulando as funções de ciência teórica do belo e de ciência prática do gosto artístico, a Estética é, daí por diante, no "plano da sensibilidade e do sentimento, o mesmo que a Lógica no plano do pensamento..." (*N*, v. 1, p. 99). Mas a sua preponderância, desde os fins do século XVIII, não deixa de estar relacionada com o declínio de outra grande arte. Esse declínio situa-se entre o primeiro romantismo, que Nietzsche interpretou como hipérbole de uma grande paixão consumida",[6] e a Filosofia hegeliana da arte, que foi a maior e "derradeira Estética do Ocidente" (*N*, v. 1, p. 100).

Caberia a Hegel anunciar, em suas *Lições de Estética*, que a arte é para nós, quanto à sua suprema destinação, uma realidade passada. Perdido o seu vigor, esgotada como potência da vida do *espírito*, convertida, conforme diria Nietzsche, num luxo,[7] a obra de arte passa à categoria de objeto estético, perdurando o seu cultivo "dentro da esfera do gosto artístico de algumas camadas sociais" (*N*, v. 1, p. 101).

A quarta ocorrência, registrada por Heidegger, é a recepção do projeto da obra artística integral: o drama wagneriano. A possibilidade dessa tentativa recaiu na órbita da Estética de Hegel. A obra de arte integral é uma defesa do ideal contra o avanço do mundo prosaico da sociedade burguesa, uma proteção contra o envolvimento da alma na

---

[6] *Werke*. München, Carl Hanser, 1954. v.3, p.492.

[7] "Na economia espiritual dos nossos homens cultos, a arte tornou-se uma necessidade inteiramente mentirosa, desprezível, aviltante..." Id. Richard Wagner in Bayreuth. In: – *Werke*; Untzeitgemässe Betrachtungen. München, Carl Hanser, 1954. v. 1, p. 392.

"noite imensa do sentimento", que o romantismo resolveu. Daí por diante, a Estética e a História da arte oferecerão mais para o cultivo do *espírito* do que o próprio exercício da arte, concorrendo, na qualidade de produções da cultura, com a criação artística, que se torna cada vez mais consciente e reflexiva. Surgiria, então, o *homem estético*, "que se crê abrigado e justificado no seio de uma cultura" (*N*, v. 1, p. 108).

Em sexto e último lugar, Heidegger aponta a significativa convergência da "morte da arte", proclamada por Hegel, com o niilismo da época – a "desvalorização dos mais altos valores", inclusive estéticos, reconhecida pela crítica de Nietzsche. Enquanto para Hegel a atividade artística, perdendo a sua efetiva força histórica, é superada, dialeticamente, na religião e na Filosofia, formas superiores do *espírito* absoluto, para Nietzsche, a mesma atividade, religada à vontade de potência, enquanto fora do controle da experiência, desinteressada e contemplativa, constitui o único meio capaz de curar a enfermidade da cultura ocidental.

"A civilização", afirmou Nietzsche, "não pode provir senão do significado de uma arte ou de uma grande obra de arte".[8] Esse ensinamento do pensador de *A origem da tragédia*, tanto quanto a lição hegeliana sobre o caráter histórico do *espírito*, foram, a nosso ver, decisivos para a compreensão heideggeriana, quer acerca da relevância do artístico na cultura grega, quer a respeito da natureza e do destino da arte. O "saber claro", correlato ao tempo de esplendor da arte helênica, é o pensamento "artístico" dos pré-socráticos – a Filosofia da época trágica, durante a qual, segundo o primeiro famoso escrito de Nietzsche, os gregos sustentaram um permanente embate metafísico com a aparência das coisas.[9] Esse mesmo embate, que se exprimindo na

---

[8] *Le Livre du philosophe*; études théoriques / *Das Philosophenbuch*; theoretische Studien. Traducion, introduction et notes par Angèle K. Marietti. s.1, Aubier/Flammarion, 1969. v. 2, p. 168-169. Ed. bilíngue.

[9] Esse embate principia com o surgimento dos deuses olímpicos, obra da cultura apolínea. "Para poderem viver, os gregos, levados pela mais profunda das necessidades, criaram esses deuses..." (id., *Werke*; Die Geburt der Tragödie. München, Carl Hanser, 1954. v. 1, p. 30). "Apolo aparece-nos com a divinização do princípio de individuação, pelo qual se cumprem os eternos desígnios do Uno primordial, sua libertação, pela luz, pela aparência, pela visão" (id., ibid., p. 33). O elemento de força ou de violência desse embate sobressai na expressão *waltende Aufgehen* para a *phýsis*. Acompanhamos a tradução de *waltende* dada por Emmanuel Carneiro Leão, como *vigor dominante* (HEIDEGGER, Martin. *Introdução à Metafísica*. Introdução, tradução e notas por Emmanuel Carneiro Leão. Rio de Janeiro, Tempo Brasileiro, 1969. p.78).

tragédia ajudou a criá-la e a preservá-la, teria presidido o desvelamento do ser na perspectiva da *phýsis*. Os gregos, escreve Heidegger, tiveram, sempre de novo, "que arrancar o ser da aparência e protegê-lo contra ela" (*EM*, p. 80).

Nenhuma obra em particular concretiza tanto o recontro com a aparência, travado no espaço da *polis*, que modelou a vida helênica – espaço conflitivo da existência política, onde deuses e homens coabitaram –, do que o *templo*, e nenhuma outra exprime melhor a concepção do todo, o pensamento artístico que prescindiu da Estética, do que a *tragédia*. "Para os primeiros pensadores gregos, a unidade e o conflito do ser e da aparência foram originariamente poderosos. Todavia é na tragédia que tudo isso vai receber a sua mais pura representação" (*EM*, p. 81). Na tragédia, em que a tensão dionisíaca é disciplinada pela contenção apolínea, a unidade e o conflito dos homens e do destino alcançam o equilíbrio polêmico da harmonia dos contrários, pensada por Heráclito, no qual, transfundido pela *polis* o ímpeto do jovem deus da Trácia, o ser do ente manifestou-se como Fado, pela palavra encarnando a ação. "O ser de todo ente é o que mais *aparece* (das Scheinendste), isto é, o mais belo (das Schönste), o que é em si mesmo consistente" (*EM*, p. 100).

Entre a noção grega do belo, que corresponderia ao ente manifesto na forma concreta, e o conceito hegeliano ("aparição sensível da ideia"), está toda a distância historial entre a *alétheia* e a verdade como certeza para o pensamento. Fazendo aparecer o ser como ente, a *téchne* põe a verdade (*alétheia*) em obra.

> A obra de arte não é obra por ser, em primeiro lugar, confeccionada ou feita, mas porque realiza o ser num ente. Realizar (er-wirken) significa aqui pôr em obra, na qual o vigor imperante que surge, a *phýsis*, chega a aparecer no que aparece (*EM,* p. 122).

Nesse sentido, a origem da obra é a arte, enquanto acontecimento da verdade, e a criação artística o âmbito de um desvelamento, de um *deixar-se*. "O artista é um *téchnites* não porque também seja um artesão, mas ele o é pelo fato de que fazer obra e produzir utensílios é uma ruptura (Aufbruch) do homem no meio da *phýsis* e sob o fundo desta" (*N*, v. 1, p. 97).

Portanto nem a noção de *coisa*, enquanto matéria sujeita à forma ou como suporte de propriedades, nem a noção de *produto*, "acrescido de um valor estético", podem aplicar-se à obra de arte. Não se enquadrando na categoria do ente-à-vista, e muito menos na do ente-à-mão, ela é antes um fulcro da abertura pensada sob o enfoque da essencialização do ser. Desse ponto de vista, o que a arte ensina, a sua mensagem, que absorve a sua aparência de coisa ou de produto, só podemos captá-lo voltando-nos para o domínio (Bareich), "que é aberto através dela mesma" (*HW*, p.30).

Sem abertura não há Hermenêutica. Dependente da essência da verdade, o princípio de toda interpretação é a essência do ser, que sempre acontece (West) no velamento, no claro-escuro de suas manifestações. Esse jogo originário atribuído à arte, e graças ao qual a obra é obra, é o mesmo de que a interpretação heideggeriana participa. Sirva-nos isso para assinalar a continuidade do círculo hermenêutico, que mantém sempre um centro ontológico. Dentro desse círculo incidem as descrições fenomenológicas das obras de arte, que Heidegger nos apresenta, e que pressupõem a prévia neutralização da experiência estética, a historialidade da arte, a sua correlação com o mundo e o seu produzir-se não-instrumental, num processo de conversão do relacionamento cotidiano entre nós e os utensílios. Pressupõem, mais ainda, além da admissão do papel privilegiado da experiência grega do ser na historialidade em geral e na criação artística em particular, o resgate da arte como modo de pensamento original, como lugar (*tópos*), a partir do qual se efetua uma nova leitura das coisas e do mundo.

Tudo isso considerado, vê-se que a Hermenêutica distancia-se de uma Filosofia da arte. O que ela nos traz é, a bem dizer, a interpretação arte como Filosofia e da Filosofia como arte, ambas poéticas pela raiz comum de que se originam, e ambas, tal como puderam ter sido antes da ascensão da Metafísica, e tal como poderão ser após a sua superação. Para mostrá-lo, acompanharemos o traçado expositivo do ensaio *A origem da obra de arte* (*Der Ursprung des Kunstwerkes*), que tem seu complemento em *Hölderlin e a essência da poesia* (*Hölderlin und das Wesen der Dichtung*).

## 2. A "destruição" da Estética

Em *A origem da obra de arte,* um dos famosos quadros de Van Gogh, da série inspirada no motivo do par de sapatos rústicos, e o templo grego de Paestum são objeto de duas primorosas descrições fenomenológicas, que focalizam distintos âmbitos de desvelamento.

O que podemos perceber nesse espaço vago, de cores empastadas, do quadro de Van Gogh, como que se desprendendo da escura e sombria intimidade do calçado, é o peso do couro, a fadiga de longas caminhadas, a impregnação da terra, a solidão do campo, a lida com a semeadura e a silenciosa expectativa na sucessão dos dias. "Esse utensílio (Zeug) pertence à terra e está abrigado no mundo da camponesa. No seio desse pertencer abrigado, o utensílio permanece repousando em si mesmo" (*HW,* p. 23). A camponesa simplesmente usa o sapato, convivendo com ele. O mudo saber dum gesto de cansaço ou de resignação da usuária talvez pudesse resumir tudo isso que o quadro revela. Somente a obra cria para nós, o espaço de abertura onde o ser do utensílio – a sua serventia, o seu caráter de produto – aparece ou se manifesta, congregando a multiplicidade de relações do mundo de que foi extraído e do qual nos aproxima. "A tela de Van Gogh é a abertura do que é, em verdade, o utensílio, o par de sapatos camponês" (*HW*, p. 25).

Assim também o templo grego, erguido no vale rochoso, e que encerrou a estátua de um deus, congregou em torno dessa presença o espaço do sagrado: habitação da divindade circunscrita pela dureza da pedra, pelo variável brilho do mármore, pelo rígido assentamento do edifício na rocha. Recinto do deus, "lugar de reunião dos homens", o templo faz aparecer, contrastando a sua presença com a da terra que toma por base e que nele se retrai, as coisas circundantes com as quais se delimita, articulando, em torno de si, as potencialidades da lida humana, os fastos, a figura de um destino.

Nesse ponto, a descrição se aproxima da Fenomenologia do utensílio e do espaço familiar do cotidiano em *Ser e Tempo*, destacados, porém, os traços de *aproximação* e *distanciação*, que formam uma paragem. Entretanto a paragem do templo não mais procede do caráter utensiliar das coisas. Como *sítio*, o templo "dá às coisas a sua fisionomia e aos homens a visão de si mesmo" (*HM*, p. 32). Em torno dele se articulam as paragens, e o mundo que elas formam, em vez do complexo referencial dos utensílios, é o mundo historial de um povo, "esse círculo continuamente mutável de decisão e de empreendimento, de ação e de responsabilidade, e também de arbitrário e de tumultuoso, de falência e de desnorteamento" (*EHD*, p. 38).

No quadro de Van Gogh, a *permanência repousada* (Insichruhen) dos sapatos revela-nos "o que é em verdade o produto" (*HW*, p. 24), para além de sua serventia; no templo grego, o que a presença (*Dastahend*), a construção do edifício produz é o advento do deus instalado em sua verdade. É nessa instalação que a obra consiste a partir de sua origem. Só quando o mundo aparece numa forma tangível, que dá à obra o seu caráter de obra, existe criação artística, como atividade individual mediadora.

Desde a sua técnica nascente no trabalho artesanal, que elabora materiais diversos, tratados de certa maneira, a obra surge ao mesmo tempo que a verdade operante nela instaurada. Exercida sobre materiais não propriamente usados como meios nem consumidos para um fim, a arte produz e mantém, na obscura materialidade que também os liga à terra, as cores como cores, os sons como sons, a pedra como pedra e a palavra como palavra. Daí dizer Heidegger que a arte produz e mantém "a própria terra no aberto de um mundo" (*HW*, p. 35). O quadro de Van Gogh e o templo de Paestum são descritos, em sua verdade, como o *embate* (Streit) entre mundo e terra, que tem o caráter de velamento iluminador, segundo o jogo de luz e sombra. Em ambos, a verdade

> Se essencializa somente como a luta entre clareira e ocultamento, na oposição do mundo e da terra. A verdade quer instaurar-se na obra enquanto embate do mundo e da terra (*Gegenwendigkeit Von Welt und Erde*) (*HW*, p.51).

Ela se instaura na "intimidade (*Innigkeit*) ou na recíproca pertença dos contendores" (*HW*, p. 50). O artista é aquele que desce ao foco desse mútuo enfrentamento, à unidade da diferença, que reúne os contendores no traçado (*Grundriss*) tenso da matéria.

Todas essas figurações, todos esses *tópoi*, para não chamá-los de conceitos, aí empregados numa função hermenêutica amplificadora, também já são "destrutivos" da Estética. O desvelamento funda a criação individual, e a categoria reflexiva do belo, a *contemplação desinteressada*, cede lugar ao jogo conflitivo do aberto.

Interrompendo o envolvimento do cotidiano, forçando-nos a ver o mundo através do que ela abre, a obra não é objeto de contemplação desinteressada. Há entre nós e a arte um *inter-esse* como relação de ser. A experiência estética é só um efeito derivado da verdade da obra de que participamos. Heidegger diz que nós temos o resguardo dessa verdade. Podemos fruí-la esteticamente enquanto subsistir a sua tranquila revelação de que temos a *guarda* (Bewahrung). De época para época, essa revelação se atualiza pela "comunidade dos criadores e dos guardiões". O perdurar da verdade é também a perduração da obra como obra. Assim como o aberto assinala a criação, é a pertinência à verdade que constitui a sua salvaguarda – a reserva de vida latente, o poder de apelo, que ela mesma "cria e indica antecipadamente" (*HW*, p. 53).

Tanto a criação quanto a salvaguarda repousariam no desvelamento, que, origem da obra, como essencialização do ser, e consequentemente como modo do Dasein humano, faz da arte uma origem historial. Diante disso, forçoso é concluir que a História da arte só logra a "transmissão escrupulosa das obras através dos séculos", sem alcançar o essencial, já decidido por força da História do ser, que forma o seu profundo lençol subjacente. Entretanto essa transmissão atende, ainda que remotamente, à lembrança da origem, que subsiste como ela entre *criadores* e *guardiões*.

Tal como a "destruição" da Ontologia, a destruição da Estética, que a acompanha, é a suspensão da vigência das categorias estéticas, pela explicitação dos seus fundamentos. O juízo estético, reflexivo, que elas enquadram, sempre condicionado por uma disposição de ânimo, é o signo exterior de uma coparticipação efetivada por essa "comunidade dos criadores e dos guardiões" que a obra torna possível. Mas o que, por sua vez, possibilita a obra é o acontecimento historial, "que se projeta para os que irão guardá-la no futuro, quer dizer, para uma humanidade historial" (*HW*, p. 62). Essa projeção do ser, que marca a historialidade autêntica, traz consigo a *diferença* em que nos situamos e que podemos discernir no embate entre a terra e o mundo. É a *diferença*, resguardada na obra, com a verdade que nela acontece, o que nos permite captá-la, em cada época, através de uma interpretação com base em diferentes situações culturais. "A salvaguarda acontece em graus diferentes de saber, tendo, de cada vez, um alcance, uma constância e uma diversa iluminação" (*HW*, p. 56).

Esses graus diferentes de saber correspondem ao que foi criado; e a criação se denuncia pelo traço que o ser revelado, em sua diferença, deixa no "renitente peso da pedra, na dureza da madeira, no brilho sombrio das cores" (*HW*, p. 35). Uma outra interpretação da *forma* artística deriva daí.

Heidegger entende que a forma assinala o afloramento da terra no embate que opõe ao mundo, sendo a terra o elemento irredutível, o mistério velado que sobressai da matéria, em que também se retrai – dessa mesma matéria que, elaborada, mas não propriamente usada, transparece no ente produzido. Essa aparência significativa é a verdade aberta, e o produto, indistinto da coisa criada, tem a impositiva presença de um ente configurado numa forma sensível. A obra como obra de arte assinalaria, pois, a sua própria existência em função da presença que nela se produz. Mas nenhuma instância externa decide de seu direito a existir; ela conquista sua efetividade somente através do que pode abrir. Longe de firmar-se nas vivências isoladas de um sujeito receptor, tal efetividade é o que também a ela nos abre, pela disponibilidade do estado de ânimo, da disposição da conduta que nos coloca em seu âmbito. Mais uma vez se contesta, desse ponto de vista, a primazia dos juízos estéticos.

Somente quando nos conduzimos nesse âmbito, são possíveis os juízos estéticos, revelando daquela universalidade "sem a intervenção dos conceitos", e como objeto de uma satisfação necessária, apontada por Kant. Empregando a terminologia tradicional, diríamos que essa satisfação retira a sua necessidade da contingência dos eventos ou situações propriamente *históricos*. Estamos de novo próximos de Hegel.

Em última análise, para Heidegger, a essência da arte depende da essencialização do ser, que constitui o historial; para Hegel, a arte não possui nenhuma natureza independentemente do movimento de exteriorização ou de concreção do *espírito*, historicamente realizado nas concepções de cada período, em cada arte particular. Em ambos, o gozo estético é a vivência tardia do apelo ou da revelação que a arte encerra – apelo, para ambos, como o que parte de uma totalidade viva, com a força de "um olhar que nos olha". A visão exterior de quem contempla cede à visão interna do *espírito* encarnado que nos olha na obra. "Nós diremos da arte", afirma Hegel, "que ela tem por fim fazer com que, em todos os pontos de sua superfície, o fenomênico se torne olhar, sede da alma que torna visível o *espírito*".[10] Tornar visível o *espírito* é fazê-lo aparecer, iluminando-o. Do conceito hegeliano do belo – o aparecer (*erscheinen*) sensível da ideia – ressalta esse elemento de luminosidade, ínsito à palavra *clareira*, como forma da existência do Dasein e da arte grega em seu

---

[10] *Werke;* Vorlesungen über die Ästhetik; Theorie Werkausgabe. Frankfurt am Main, Surkamp, 1970. v. 1, p. 203.

embate com a aparência. "Ser implica: apresentar-se, surgir, aparecendo, propor-se, expor alguma coisa. Não ser, ao invés, significa: afastar-se da aparição, da presença (*Anweseinheit*)" (*EM*, p.129). Surgimento e aparição designam o processo mediante o qual as coisas que permaneciam na sombra são postas ou trazidas à luz. Fazer poesia significa "pôr à luz" (*EM*, p. 130), diz Heidegger, traduzindo um verso de Píndaro.

Criada ao mesmo tempo que se dá o velamento iluminador numa projeção, a obra é algo que se produz; mas a instrumentalidade técnica do produzir só chega a criar quando abrigada na origem da obra, o acontecer historial da verdade. Como produção, o fazer artístico é um *producere* (*Herkunft*), um fazer emergir algo que não se mostraria senão através da obra e que constitui a essência poética (*dichtend*) da arte. "A verdade como clareira e ocultamento do ente acontece na medida em que é *poética* (*gedichtet wird*)" (*HW*, p. 59).

## 3. Poesia e linguagem

Transportada para o plano da história, a efetividade da arte, que "nada tem de um efeito causal", é também transportada para o plano poético, que se identifica ao da linguagem. Em torno do poético, a relação de Heidegger com a Estética de Hegel, para a qual a poesia, como "verdadeira arte do *espírito*" (*wahrhaft Kunst der Geist*), realiza uma arte geral e o princípio geral da arte, marca também o ponto de máxima proximidade no maior afastamento entre os dois pensadores.

Em Hegel podemos encontrar, por um lado, a forma de concepção poética oposta à consciência prosaica, como o *princípio geral da arte*, e, por outro, a poesia, em que aquela se realiza, como *arte geral*, sintetizando o modo de representação das outras artes. Depois da pintura e da música, nos diz Hegel, vem a arte da palavra (*Kunst der Rede*), a poesia em geral, a verdadeira arte absoluta do *espírito* manifestando-se enquanto *espírito*[11]. Ela reproduz, em sua esfera própria, o modo de representação das demais artes, porque elabora todo e qualquer conteúdo na forma da imaginação, que é comum a todas; contém o essencial da *idealidade* artística, e assim também a oposição forma/conteúdo, que nela culmina. Nesse limite da *representação* (*Darstellung*), começa a efetuar-se a superação da própria arte.

---

[11] "Die Poesie, die Kunst der Rede... die allgemeine Kunst". Id., ibid., v. 3, p. 16.

A passagem da *arte da palavra* ao pensamento racional, à Filosofia, por meio da religião, está predelineada na forma da poesia – na palavra mesma, que suspende o que de sensível existe na criação artística. Antes de tudo obra do pensamento, é a linguagem que faz passar à generalidade tudo quanto pode ser dito.[12] Nessa obra interna do pensamento, "o *espírito* se objetifica por si mesmo, em seu próprio terreno, e apenas serve-se do elemento verbal como de um meio, seja da comunicação, seja de exteriorização direta".[13] O conteúdo já se acha formado internamente, e "os discursos, as palavras e as combinações artísticas dessas últimas"[14] apenas objetificam-no numa forma externa. Se o caráter poético da arte ainda acompanha, em Heidegger, a ideia de que a poesia é a realização geral da arte, a preeminência que ele empresta à palavra afasta a admissão desse caráter poético, que pertence à verdade, de toda concepção da poesia como arte geral do pensamento, firmada em conteúdos expressivos particulares.

Considerar que, pela sua origem, toda arte é poética não significa que a música, a pintura e a escultura estejam ordenadas à poesia ou que se reduzam à poesia no sistema constituído das artes. Deve-se o lugar eminente que a poesia *stricto sensu* ocupa no conjunto das formas ao alcance da *poíesis* na linguagem e a partir da linguagem, como limiar de toda experiência artística, principalmente na arte da palavra propriamente dita, que está condicionada à instituição cultural dos gêneros e às convenções literárias, à literatura na acepção de estilo ou modalidade de expressão da vida civilizada.[15]

> O valor da Literatura – diz Heidegger – é apreciado à medida da "atualidade do momento". Por seu lado, a atualidade é feita e dirigida pelos órgãos que formam a opinião pública civilizada. O movimento literário é um de seu agentes, e por agente é preciso entender aqueles que impulsionam os outros e são também impulsionados. Assim a poesia não pode aparecer senão como Literatura. Pelo fato de ser considerada meio de cultura

---

[12] Id., ibid., v. 3, p. 231.

[13] Id., ibid., v. 2, p. 221-262.

[14] Id., ibid., v. 3, p. 229.

[15] Sob esse aspecto, a concepção heideggeriana de Literatura tem notável parentesco com o ponto de vista de Croce acerca do caráter "não-literário" da poesia.

(*Bildung*) e de um modo científico, ela é objeto de história literária. A poesia do Ocidente tem curso sob a denominação geral de "literatura europeia" (*VA*, v.2, p.61-2).

Do ponto de vista heideggeriano, porém, a poesia do Ocidente está dentro e fora da Literatura, e a sua posição eminente no conjunto das artes vem de que antecede à cultura do *espírito*, à *Paidéia*. Mais diretamente do que qualquer outra arte, a poesia participa, pela palavra, que constitui a sua matéria, do trabalho preliminar e mais primitivo do pensamento, como obra de linguagem. A *poesia* é o limiar da experiência artística em geral por ser, antes de tudo, o limiar da experiência artística em geral por ser, antes de tudo, ponto de irrupção do ser na linguagem, que acede à palavra, e, portanto, também de interseção da linguagem com o pensamento.

É desse ângulo que Heidegger afirma a precedência da poesia sobre qualquer outra arte. A despeito de que todas sejam originariamente poéticas, arquitetura, escultura, música e pintura só se produzem quando já se produziu a *clareira* pela "poesia primordial" (Urpoesie) da linguagem. Os poemas autênticos extrapolam a Literatura, porque estão em correspondência com a poesia primeva que as línguas articulam. Em muitas passagens dos escritos da segunda fase, Heidegger enuncia a ideia, aspecto essencial de sua topologia, de que a língua "é poesia (*Dichtung*) no sentido essencial" (*HW*, p. 61), o peso do adjetivo *essencial* recaindo sobre o acontecimento gerador de história. "A língua é a poesia originária em que um povo *poetiza* (*dichten*) o ser. Inversamente vale: a grande poesia pela qual um povo entra na história inicia a configuração de sua língua" (*EM*, p. 193). Ou então, como registra *Hölderlin e a essência da poesia*, a poesia é a língua primitiva de um povo historial (*EHD*, p. 43). Como doação do ser, arrancado da experiência originária, que o ser mesmo funda, a obra, em que a verdade opera, ou na qual se põe em obra, é a projeção de um destino aberto para os que terão a sua guarda. O originário e o inaugural coincidem na imediatidade do *acontecimento*, isto é, no caráter não-mediatizável da *diferença*, que torna o homem sujeito da história.

Podemos compreender, nesse limite, a afirmativa de Heidegger segundo a qual a arte assinala um advento ou um ressalto da história, cada vez que um novo começo se produz, isto é, em cada *época*, em cada momento de retração desvelante do ser – entre os gregos, na Idade Média e na Idade Moderna. "Cada vez abriu-se um mundo novo com a sua própria essência, cada vez a abertura do ente demandou a sua instauração pela constituição da verdade na *forma* (*Gestalt*), no próprio ente" (*HW*, p. 64). Essa instauração daria a medida, preliminarmente poética, da história, em virtude da precedência da linguagem como poesia originária.

Do mesmo modo que nos fala da *grande arte*, pela função instauradora que desempenha, Heidegger falará sempre da poesia como da *grandeza do inaugural*, do começo irruptivo. Assim a poesia é sempre rara, e os seus momentos verdadeiros não se manifestam em todas as épocas.

> Mais a obra de um poeta é poética, mais seu dizer é livre; mais aberto ao imprevisto, mais pronto a aceitá-lo. E, mais puramente também libera o que diz à atenção sempre mais assídua em escutá-lo, maior é a distância entre o que é dito (*Gesagte*) e a simples enunciação (*Aussge*)... (*VA*, v. 2, p. 64).

Das mesmas palavras, que são a matéria da criação poética, procede essa distância irrecobrível entre o *dito* e a *enunciação*. Na obra poética a linguagem é liberada como linguagem, que fala por si mesma, propondo à escuta dos que sabem ouvi-la, no espaço de abertura franqueado pela obra, o diálogo com o ser, em que o pensamento se encontra desde sempre engajado. Seriam verdadeiros poetas aqueles que, como Hölderlin, Trakl, Stephan George e Rilke, conduziram os diferentes temas literários ao tema único da essência da poesia. Verdadeiros poetas, porque poetas da poesia, experimentaram esse diálogo na atividade agonal com as palavras – "a mais inocente" (e inconsequente) das ocupações, a mais inócua e ineficaz, e a mais arriscada, porquanto exposta, na sua lida não-preocupante, em seu discreto exercício lúdico, ao outro jogo perigoso do dizer da linguagem. O poético extrai a sua capacidade reveladora inesgotável do ser que solicita o pensamento, apelando para o dizer da linguagem.

Como Nietzsche, Heidegger reconhece essa fonte comum que aproxima poesia e pensamento. De certa maneira, ambos, poesia e pensamento, dizem o mesmo. Um só *pensamento poético* (*dichten Denken*) constituiria a única instância do dizer essencial.

O pensamento do ser é o modo original do dizer poético. Nele a linguagem acontece como linguagem em sua própria essência. O pensamento diz o *ditado* (*Diktat*) da verdade do ser. O pensamento é o *dictare* original. O pensamento é a poesia original (*Urdichtung*), que precede toda a poesia (na acepção estrita[16]) e assim o poético da arte, na medida em que esta se torna obra no círculo da linguagem (*HW*, p. 303).

Os poetas da poesia caem, então, para usarmos a mesma expressão de Heidegger, conservando-lhe o tom sibilino, que é uma constante de sua segunda fase, sob o *ditado*, que submete os pensadores – sobretudo os pré-socráticos – ao jogo das palavras essenciais. Mas o que significa então o *canto*, que parece distinguir o pensador do poeta? E por que os poetas da poesia oferecem à Hermenêutica o relevo específico de uma topologia que se ombreia com a que pode ser encontrada nos pensadores essenciais? Por que, enfim, a obra de Hölderlin, poeta da poesia por excelência, foi, para Heidegger, a principal trilha da viragem – de um novo começo do pensamento –, o retorno à origem e o início de uma transformação da humanidade, que cumpriria preparar no recolhimento da meditação?

---

[16] A observação é nossa.

**Theodor Adorno**

Teoria estética

# Teoria estética*

Theodor Adorno (1903–1969)

Tradução
*Artur Morão*

> Por que a expansão do campo de possibilidades expressivas da arte a partir das vanguardas não significou também a sua emancipação e autonomia? Por que, após o que se pensou ser a sua libertação, a arte parece ter ido justamente rumo à direção inversa, ou seja, à crise (em seu aspecto criativo, mas também acerca da compreensão do seu significado)? Nos presentes trechos de *Teoria Estética* (1970), Theodor Adorno (1903–1969) disserta sobre a arte na modernidade (e seu lugar dentro da cultura) e compara a condição da arte a significados elaborados em outros momentos históricos, como em Kant e Hegel.
>
> **Temas:** arte, cultura, história, crítica.

---

* ADORNO, T. W. *Teoria Estética*. Lisboa: Edições 70, 1982, p. 11-24. Agradecemos às Edições 70 por autorizar a utilização do texto.

Tornou-se manifesto que tudo o que diz respeito à arte deixou de ser evidente, tanto em si mesma como na sua relação ao todo, e até mesmo o seu direito à existência. A perda do que se poderia fazer de modo não refletido ou sem problemas não é compensada pela infinidade manifesta do que se tornou possível e que se propõe à reflexão. O alargamento das possibilidades revela-se em muitas dimensões como estreitamento. A extensão imensa do que nunca foi pressentido, a que se arrojaram os movimentos artísticos revolucionários cerca de 1910, não proporcionou a felicidade prometida pela aventura. Pelo contrário, o processo então desencadeado começou a minar as categorias em nome das quais se tinha iniciado. Entrou-se cada vez mais no turbilhão dos novos tabus; por toda a parte os artistas se alegravam menos do reino de liberdade recentemente adquirido do que aspiravam de novo a uma pretensa ordem, dificilmente mais sólida. Com efeito, a liberdade absoluta na arte, que é sempre a liberdade num domínio particular, entra em contradição com o estado perene de não-liberdade no todo. O lugar da arte tornou-se nele incerto. A autonomia que ela adquiriu, após se ter desembaraçado da função cultual e dos seus duplicados, vivia da ideia de humanidade. Foi abalada à medida que a sociedade se tornava menos humana. Na arte, as constituintes que dimanaram do ideal de humanidade estiolaram-se em virtude da lei do próprio movimento. Sem dúvida, a sua autonomia permanece irrevogável. Fracassaram todas as tentativas para, através de uma função social, lhe restituírem aquilo de que ela duvida ou a cujo respeito exprime uma dúvida. Mas, a sua autonomia começa a ostentar um momento de cegueira, desde sempre peculiar à arte. Na época da sua emancipação, este momento eclipsa todos os outros, apesar ou se é que não por causa da não-ingenuidade a que já, segundo Hegel, não mais se pode esquivar. Ela conjuga-se com a ingenuidade à segunda potência, a incerteza do 'para quê' estético. Não se sabe se a arte pode ainda ser possível; se ela, após a sua completa emancipação, não eliminou e perdeu os seus pressupostos. A questão brota a partir do que ela foi outrora. As obras de arte destacam-se do mundo empírico e suscitam um outro com uma essência própria, oposto ao primeiro como se ele fosse igualmente uma realidade. Tendem, portanto, *a priori* para a afirmação, mesmo que se comportem ainda de uma maneira trágica. Os clichês do esplendor conciliante, que se estendia da arte à realidade, não são apenas repulsivos porque parodiam o conceito enfático da arte pelo seu equipamento burguês e a classificam entre as reconfortantes organizações dominicais. Tocam igualmente nas feridas da própria arte. Pela sua ruptura inevitável com a teologia, com a pretensão absoluta à verdade da redenção, secularização sem a qual ela jamais se teria desenvolvido, a arte condena-se a outorgar ao ente e ao existente uma promessa, que, privada da esperança num Outro, reforça o sortilégio de que se quis libertar a autonomia da arte. De uma tal promessa é já suspeito o próprio princípio de autonomia: ao pretender pôr uma totalidade exterior, uma esfera, fechada em si mesma, essa imagem é transferida para o mundo em que a arte se encontra e que a produz. Em virtude da sua recusa da empiria – recusa contida no seu conceito, não simples esquiva, que é uma das suas leis imanentes – sanciona a sua superioridade. Num tratado sobre a glória da arte, Helmut Kuhn atestou que cada uma das suas obras é celebração.[1] A sua tese seria verdadeira se fosse crítica. Perante aquilo em que se torna a realidade, a essência afirmativa da arte, essa essência inelutável, tornou-se insuportável. Deve voltar-se contra o que constitui o seu próprio conceito e torna-se, por conseguinte, incerta até ao mais íntimo da sua textura. Não deve, porém, pôr-se de lado por uma negação abstrata. Ao atacar o que, ao longo de toda a tradição, parecia garantir o seu fundamento, ela transforma-se qualitativamente e torna-se um Outro. Pode fazer isso porque, ao longo dos tempos, se voltou, graças

---

[1]  Helmut Kuhn, *Schriften zur Ästhetik,* Munique, 1966. p. 236 ss.

à sua forma, tanto contra o simples existente, contra o estado de coisas persistente, como veio em sua ajuda enquanto modelação dos elementos do existente. E é igualmente impossível reduzi-la a uma fórmula universal da consolação ou ao seu contrário.

A arte tem o seu conceito na constelação de momentos que se transformam historicamente; fecha-se assim à definição. A sua essência não é dedutível da sua origem, como se o primeiro fosse um fundamento, sobre o qual todos os seguintes se erigem e desmoronam logo que são abalados. A crença segundo a qual as primeiras obras de arte são as mais elevadas e as mais puras é romantismo tardio; com não menor direito poder-se-ia sustentar que as primeiras obras com caráter artístico, inseparáveis das práticas mágicas, da documentação histórica, de fins pragmáticos, tais como fazer-se ouvir por apelos ou toques de trompa a grandes distâncias, são confusas e impuras. A concepção classicista gostava de utilizar tais argumentos. No plano estritamente histórico, não há datas precisas.[2] A tentativa de subsumir ontologicamente a gênese histórica da arte num motivo supremo extraviar-se-ia necessariamente em algo tão discordante que à teoria apenas restaria o ponto de vista, sem dúvida importante, segundo o qual as artes não podem classificar-se em nenhuma identidade ininterrupta da arte.[3] Nas considerações consagradas às origens (αρχαι) estéticas, proliferam selvaticamente, ao lado uma da outra, a acumulação positivista de materiais e a especulação habitualmente detestada pelas ciências; Bachofen seria disso o exemplo mais destacado. Se, em compensação, se quisesse categoricamente distinguir, segundo o uso filosófico, a chamada questão da origem, como a do ser, do problema genético segundo a história original, adquirir-se-ia a convicção da arbitrariedade por uma utilização do conceito de origem oposta ao seu sentido literal. A definição do que é a arte é sempre dada previamente pelo que ela foi outrora, mas apenas é legitimada por aquilo em que se tornou, aberta ao que pretende ser e àquilo em que poderá talvez tornar-se. Enquanto é preciso manter a sua diferença em relação à simples empiria, ela modifica-se em si qualitativamente.

---

[2] Cf. o excurso "*Teorias sobre a origem da Arte*", na edição completa da *Teoria Estética* mencionada no início deste capítulo.

[3] Cf. Theodor W. Adorno, Ohne Leitbild. *Parva Aesthetica,* 2. ed., Francoforte, 1968, p. 168 ss.

Muitas obras, por exemplo, representações cultuais, metamorfoseiam-se em arte ao longo da história, quando o não tinham sido; e muitas obras de arte deixaram de o ser. A questão, posta antes, de saber se um fenômeno como o filme é ainda arte ou não, não leva a nenhum lado. O ter-estado-em-devir da arte remete o seu conceito para aquilo que ela não contém. A tensão entre o que animava a arte e o seu passado circunscreve as chamadas questões estéticas de constituição. A arte só é interpretável pela lei do seu movimento, não por invariantes. Determina-se na relação com o que ela não é. O caráter artístico específico que nela existe deve deduzir-se, quanto ao conteúdo, do seu Outro; apenas isso bastaria para qualquer exigência de uma estética materialista dialética. Ela especifica-se ao separar-se daquilo por que tomou forma; a sua lei de movimento constitui a sua própria lei formal. Ela unicamente existe na relação ao seu Outro e é o processo que a acompanha. Para uma estética que se orienta diferentemente vale como axioma a tese desenvolvida por Nietzsche, no fim da sua vida, contra a filosofia tradicional, segundo a qual também pode ser verdadeiro mesmo o que foi sujeito de devir. Dever-se-ia inverter a concepção tradicional por ele demolida: a verdade só existe como o que esteve em devir. O que se apresenta na arte como a sua própria legalidade é tanto um produto tardio da evolução intratécnica como da posição da arte no seio de uma secularização progressiva; incontestavelmente, as obras de arte só se tornaram tais negando a sua origem. Não há que censurar-lhes como pecado original a ignomínia da sua antiga dependência a respeito da magia indolente, do serviço dos senhores e do divertimento – uma vez que elas renegaram retrospectivamente aquilo de onde brotaram. Nem a música de mesa é inevitável para a música libertada, nem a música de mesa constituiu para o homem uma função honrosa a que a arte autônoma se teria subtraído sacrilegamente. O seu barulho miserável não se torna melhor pelo fato de a maior parte de tudo o que hoje atinge os homens como arte fazer ressoar o eco daquele matracar.

A perspectiva hegeliana de uma possível morte da arte é conforme ao seu ter-estado-em-devir. Que ele pensasse a arte como transitória e a atribuísse, no entanto, ao Espírito absoluto harmoniza-se com o caráter ambíguo do seu sistema, mas induz a uma conseqüência que ele nunca teria tirado: o conteúdo da arte que, segundo a sua concepção, constitui o seu absoluto, não é absorvido na dimensão da sua vida e da sua morte. A arte poderia ter o seu conteúdo na sua própria efemeridade. É concebível e de nenhum modo apenas uma possibilidade abstrata que a grande música – algo de tardio – só foi possível num período limitado da humanidade. A revolta da arte, teleologicamente posta na sua 'posição relativamente à objetividade' do mundo histórico, transformou-se na sua revolta contra a arte; é inútil profetizar se ela lhe sobreviverá. A crítica da cultura não tem que abafar aquilo contra que vociferava outrora um pessimismo cultural reacionário: a saber, como já Hegel pensava há cento e cinquenta anos, que a arte poderia ter entrado na era do seu declínio. Como também há uma centena de anos a palavra terrível de Rimbaud realizava em si, numa antecipação extrema, a história da nova arte, assim o seu silêncio, a sua integração como empregado, antecipavam também esta tendência. Atualmente, a estética não tem nenhum poder sobre se virá a ser ou não o necrológio da arte, mas também não deve brincar às orações fúnebres; não tem em geral que constatar o fim, reconfortar-se com o passado e, independentemente de seja a que título for, transitar para a barbárie, que não é melhor que a cultura, a qual mereceu a barbárie como represália pelos seus excessos bárbaros. O conteúdo da arte passada, mesmo que a arte possa agora estar suprimida, suprimir-se, desaparecer ou prosseguir no desespero, não deve necessariamente caminhar para o seu declínio. Poderia sobreviver à arte numa sociedade que teria sido libertada da barbárie da sua cultura. Nos nossos dias, não estão mortas apenas as formas, mas inumeráveis temas: a literatura sobre o adultério, que enche o período vitoriano do século XIX e o princípio do século XX, já não é imediatamente reutilizável após a dissolução da célula familiar da burguesia no seu apogeu e o afrouxamento da monogamia. Apenas continua a viver medíocre e perversamente na literatura vulgar das revistas ilustradas. De igual modo, o que há de autêntico em *Madame Bovary*, outrora inserido no seu tema, sobrepujou há muito o declínio que é também o seu. Claro está, isto não deve induzir ao otimismo filosófico-histórico da fé no espírito invencível. O conteúdo temático pode igualmente, o que é mais, tudo arrastar na sua queda. Mas a arte e as obras de arte estão votadas ao declínio, porque são não só heteronomamente dependentes, mas porque na própria constituição da sua autonomia, que ratifica a posição social do espírito cindido segundo as regras da divisão do trabalho, não são apenas arte; surgem também como algo que lhe é estranho e se lhe opõe. Ao seu próprio conceito está mesclado o fermento que a suprime.

Permanece inalterável para a refração estética o que é alterado; para a imaginação o que ela concebe. Isto vale sobretudo para a finalidade imanente. Na relação com a realidade empírica, a arte sublima o princípio, ali atuante do *sese conservare*, em ideal do ser-para-si dos seus testemunhos; segundo as palavras de Schönberg, pinta-se um quadro, e não o que ele representa. Toda a obra de arte aspira por si mesma à identidade consigo, que, na realidade empírica, se impõe à força a todos os objetos, enquanto identidade com o sujeito e, deste modo, se perde. A identidade estética deve defender o não-idêntico que a compulsão à identidade oprime na realidade. Só em virtude da separação da realidade empírica, que permite à arte modelar, segundo as suas necessidades, a relação do Todo às partes é que a obra de arte se torna Ser à segunda potência. As obras de arte são cópias do vivente empírico, na medida em que a este fornecem o que lhes é recusado no exterior e assim libertam daquilo para que as orienta a experiência externa coisificante. Enquanto que a linha de demarcação entre a arte e a empiria não deve ser ofuscada de nenhum modo, nem sequer pela heroicização do artista, as obras de arte possuem no entanto uma vida *sui generis*, que não se reduz simplesmente ao seu destino exterior. As obras importantes fazem surgir constantemente novos estratos, envelhecem, resfriam, morrem. Afirmar que enquanto artefatos, produtos humanos, elas não vivem diretamente como homens, é uma tautologia. Mas o acento posto sobre o momento do artefato na arte concerne menos ao seu ser produzido do que à sua própria natureza, indiferentemente da maneira como ela se faz. As obras são vivas enquanto falam de uma maneira que é recusada aos objetos naturais e aos sujeitos que as produzem. Falam em virtude da comunicação nelas de todo o particular. Entram assim em contraste com a dispersão do simples ente. Mas precisamente enquanto artefatos, produtos do trabalho social, comunicam igualmente com a empiria, que renegam, e da qual tiram o seu conteúdo. A arte nega as determinações categorialmente impressas na empiria e, no entanto, encerra na sua própria substância um ente empírico. Embora se oponha à empiria através do momento da forma – e a mediação da forma e do conteúdo não deve conceber-se sem a sua distinção – importa, porém, em certa medida e geralmente, buscar a mediação no fato de a forma estética ser conteúdo sedimentado. As formas aparentemente mais puras, as formas musicais segundo a tradição remontam, inclusive em todos os seus pormenores idiomáticos, a algo que diz respeito ao conteúdo, como a dança. Os ornamentos eram outrora, com frequência, símbolos cultuais. Deveria efetuar-se uma referência mais vincada das formas estéticas aos conteúdos, tal como a realizou a Escola de Warburg para o objeto específico da sobrevivência da Antigüidade. Contudo, a comunicação das obras de arte com o exterior, com o mundo perante o qual elas se fecham, feliz ou infelizmente, leva-se a cabo através da não-comunicação; eis precisamente porque elas se revelam como refratadas. Podia facilmente pensar-se que o seu domínio autônomo só tem de comum com o mundo exterior elementos emprestados, que entram num contexto totalmente modificado. Apesar de tudo, a trivialidade da história das ideias é incontestável, de maneira que a evolução dos procedimentos artísticos, tais como eles são quase sempre englobados no conceito de estilo, corresponde à trivialidade social. Mesmo a obra de arte mais sublime adota uma posição determinada em relação à realidade empírica, ao mesmo tempo que se subtrai ao seu sortilégio, não de uma vez por todas, mas sempre concretamente e de modo inconscientemente polêmico contra a sua situação a respeito do momento histórico. Que as obras de arte, como mônadas sem janelas, "representem" o que elas próprias não são, só se pode compreender pelo fato de que a sua dinâmica própria, a sua historicidade imanente enquanto dialética da natureza e do domínio da natureza não é da mesma essência que a dialética exterior, mas se lhe assemelha em si, sem a imitar. A força produtiva estética é a mesma que a do trabalho útil e possui em si a mesma teleologia; e o que se deve chamar a relação de produção estética, tudo aquilo em que a força produtiva se encontra inserida e em que se exerce, são sedimentos ou moldagens da força social. O caráter ambíguo da arte enquanto autônoma e como *fait social* faz-se sentir sem cessar na esfera da sua autonomia. Nesta relação à empiria, as forças produtivas salvaguardam, neutralizado, o que outrora os homens experimentaram literal e inseparavelmente no existente e o que o espírito dele bania. Participam na *Aufklärung* porque não mentem: não simulam a literalidade do que elas exprimem. Mas são reais enquanto respostas à forma interrogativa do que lhes vem ao encontro a partir do exterior. A sua própria tensão é significativa na relação com a tensão externa. Os estratos fundamentais da experiência, que motivam a arte, aparentam-se com o mundo objetivo, perante o qual retrocedem. Os antagonismos não resolvidos da realidade retornam às obras de arte como os problemas imanentes da sua forma. É isso, e não a trama dos momentos objetivos, que define relação da arte à sociedade. As relações de tensão nas obras de arte cristalizam-se unicamente nestas e através da sua emancipação a respeito da fachada fática do exterior atingem a essência real. A arte, χωρίς do existente empírico, relaciona-se assim, segundo a posição, ao argumento hegeliano contra Kant: a partir do momento em que se estabelece uma barreira, ela é já transposta por meio desta posição, integrando-se aquilo contra que ela se erigiu. Apenas isso e não o fato de moralizar constitui a crítica do princípio de *l'art pour l'art*, que, numa negação abstrata, constitui o χωρισμός da arte com o seu Uno e Todo. A liberdade das obras de arte, cuja autoconsciência é celebrada e sem a qual elas não existiriam, é a mentira da sua própria razão. Todos os seus elementos as acorrentam ao que elas têm a dita de sobrevoar e em que ameaçam a todo o momento mergulhar de novo. Na relação com a realidade empírica, evocam o teologúmeno segundo o qual, no estado de redenção, tudo é como é e, ao mesmo tempo, inteiramente outro. É óbvia a analogia com a tendência da profanidade para secularizar o domínio sagrado, até quando este se mantém ainda mesmo secularizado; a esfera do sagrado é, por assim dizer, objetivada, murada, porque o seu momento de falsidade aguarda tanto a secularização como dela se defende mediante o exorcismo. Assim, o puro conceito de arte não constituiria o círculo de um domínio garantido de uma vez por todas, mas só se produziria de cada vez, em equilíbrio momentâneo e frágil, muito comparável ao equilíbrio psicológico do Ego e do Id. O processo de repulsa deve continuamente renovar-se. Cada obra de arte é um instante; cada obra conseguida é um equilíbrio, uma pausa momentânea do processo, tal como ele se manifesta ao olhar atento. Se as obras de arte são respostas à sua própria pergunta, com maior razão elas próprias se tornam questões. A tendência, até hoje porém ainda não afetada por uma cultura também ela abortiva, para captar a arte de modo extra- ou pré-estético, não é apenas um recuo à barbárie ou à miséria da consciência dos que regridem. Algo na arte se presta a isso. Se é percebida de modo estritamente estético, não o é portanto de uma maneira correta. Só quando se sente ao mesmo tempo o Outro da arte como um dos primeiros estratos da experiência é que esta pode sublimar-se e resolver a implicação na matéria, sem que o ser-para-si da arte se transforme em alguma coisa de indiferente. A arte é para si e não o é; subtrai-se-lhe a sua autonomia, mas não o que lhe é heterogêneo. As grandes epopeias, que sobrevivem ainda ao seu esquecimento, confundiam-se no seu tempo com a narrativa histórica e geográfica; o artista Valéry deplorou que muitas coisas, que nas epopeias homéricas, pagano-germânicas e cristãs, não estavam refundidas na legalidade formal, se afirmem sem que isso diminua a sua qualidade relativamente a obras sem imperfeições. De igual modo a tragédia, da qual seria possível tirar a ideia de autonomia estética, era a cópia de práticas cultuais concebidas como possuindo efeitos reais. A história da arte enquanto história do progresso da sua autonomia não conseguiu extirpar esse momento, e de nenhum modo é apenas devido aos seus entraves. No século XIX, o romance realista no seu apogeu enquanto forma, tinha algo daquilo a que o reduziu deliberadamente a teoria do chamado realismo socialista; tinha reportagem, antecipação do que posteriormente deveria ser descoberto pela ciência social. O fanatismo da perfeição linguística em *Madame Bovary* constitui provavelmente uma função do momento que lhe é contrário; a unidade dos dois aspectos forma a sua atualidade intacta. O critério das obras de arte é equívoco: se lhes acontece integrar na sua lei formal imanente os estratos temáticos e os pormenores e conservar em semelhante integração, mesmo com lacunas, o elemento que lhes é contrário. A integração enquanto tal não garante qualidade: na história das obras de arte, os dois momentos encontram-se com frequência separados. De fato, nenhuma categoria privilegiada particular, nem sequer a categoria estética central da lei formal, define a essência da arte e é suficiente para o juízo acerca dos seus produtos. A arte possui determinações essenciais que contradizem o caráter definitivo do seu conceito estabelecido pela filosofia da arte. A estética do conteúdo de Hegel reconheceu o momento de alteridade imanente à arte e sobrevoou a estética formal, que opera aparentemente com um conceito de arte muito mais puro, libertando no entanto desenvolvimentos históricos bloqueados pela estética do conteúdo de Hegel e de Kierkegaard, como os da pintura não-figurativa. Contudo, a dialética idealista de Hegel, que concebe a forma como conteúdo, regride até ao ponto de desembocar numa dialética grosseira e pré-estética. Confunde o tratamento imitativo ou discursivo dos materiais com a alteridade constitutiva da arte. Hegel viola, por assim dizer, a sua própria concepção dialética de estética, com consequências imprevisíveis para ele; favoreceu a transição trivial da arte para a ideologia dominante. Inversamente, o momento de irrealidade, do não-ente na arte, não se encontra liberto do ente. Não é posto arbitrariamente, não é inventado, como desejariam as convenções, mas estrutura-se a partir de proporções entre o ente, também elas requeridas por ele, pela sua imperfeição, pela sua insuficiência, pelo seu caráter contraditório e pelas suas potencialidades, e mesmo em tais proporções vibram relações com a realidade. A arte comporta-se em relação ao seu Outro como um ímã num campo de limalha de ferro. Não apenas os seus elementos, mas também a sua constelação, o especificamente estético que se atribui comumente ao seu espírito, remete para este Outro. A identidade da obra de arte com a realidade existente é também a identidade da sua força de atração, que reúne em torno de si os seus *membra disiecta*, vestígios do ente; a obra aparenta-se com o mundo mediante o princípio que a ele a contrapõe e pelo qual o espírito modelou o próprio mundo. A síntese operada pela obra de arte não é apenas imposta aos seus elementos; repete, por seu turno, onde os elementos comunicam entre si, um fragmento de alteridade. Também a síntese tem o seu fundamento no aspecto não-espiritual e material das obras, naquilo em que ele se exerce, não apenas em si. O momento estético da forma encontra-se assim ligado à ausência de violência. Na sua diferença com o ente, a obra de arte constitui-se necessariamente em relação ao que ela não é enquanto obra de arte e ao que unicamente faz dela uma obra. A insistência no caráter não-intencional da arte, que, enquanto simpatia pelas suas manifestações menores, se deve observar a partir de um momento da história – em Wedekind, que escarnecia dos "artistas de arte", em Apollinaire, e mesmo na origem do cubismo –, trai uma autoconsciência inconsciente da arte da sua participação no que lhe é contrário; semelhante autoconsciência motivou a viragem crítico-cultural da arte, que se desembaraçou da ilusão do seu ser puramente espiritual.

A arte é a antítese social da sociedade, e não deve imediatamente deduzir-se desta. A constituição da sua esfera corresponde à constituição de um meio interior aos homens enquanto espaço da sua representação: ela toma previamente parte na sublimação. É, portanto, plausível extrair a definição do que é a arte a partir de uma teoria do psiquismo. O cepticismo a respeito das doutrinas dos invariantes antropológicos recomenda o emprego da teoria psicanalítica. Mas ela é mais proveitosa no campo psicológico do que na estética. Considera as obras de arte essencialmente como projeções do inconsciente daqueles que as produziram, esquece as categorias formais da hermenêutica dos materiais, transpõe de algum modo o pedantismo de médicos subtis para o objeto mais inadequado: Leonardo ou Baudelaire. Não obstante a acentuação do sexo, deve ali desmascarar-se o filistinismo pelo fato de, nas obras referentes a estas questões, de muitos modos rebentos da moda biográfica, os artistas, cuja obra objetiva sem censura a negatividade da existência, serem rebaixados à categoria de neuróticos. O livro de Laforgue resume toda a seriedade de Baudelaire ao fato de ele sofrer de um complexo maternal. Nem sequer uma vez surge no horizonte a pergunta de se ele, como psiquicamente são, poderia ter escrito *Les Fleurs du Mal* e, com maior razão, se os poemas foram mais medíocres em virtude da neurose. Erige-se abusivamente em critério um psiquismo normal, mesmo quando a qualidade estética se revela ser, de modo tão pronunciado como em Baudelaire, condicionada pela ausência da *mens sana*. Segundo o teor das monografias psicanalíticas, a arte deveria acabar afirmativamente com a negatividade da experiência. O momento negativo já não é para elas o processo daquele recalcamento, que se inscreve na obra de arte. As obras de arte são, para a psicanálise, sonhos diurnos; ela confunde-os com documentos, transfere-os para os que sonham enquanto que, por outro lado, os reduz, em compensação da esfera extramental salvaguardada, a elementos materiais brutos, de um modo aliás curiosamente regressivo em relação à teoria freudiana do "trabalho do sonho". O momento de ficção nas obras de arte é, como em todos os positivistas, excessivamente valorizado pela sua suposta analogia com os sonhos. O elemento projetivo no processo de produção dos artistas é, na relação à obra, apenas um momento e dificilmente o decisivo; o idioma, o material e sobretudo o próprio produto têm um peso específico, que surpreende sempre os analistas. A tese psicanalítica de que, por exemplo, a música seria o meio de defesa de uma paranoia ameaçadora, é talvez muito válida no plano clínico, mas nada diz sobre a categoria e o conteúdo de uma única composição estruturada. A teoria psicanalítica da arte tem, sobre a teoria idealista, a vantagem de trazer à luz o que, no interior da arte, não é em si mesmo artístico. Permite subtrair a arte ao sortilégio do Espírito absoluto. No espírito da *Aufklärung*, levanta-se contra o idealismo vulgar que, por rancor contra o conhecimento da arte, especialmente do seu entrelaçamento com o instinto, a desejaria pôr de quarentena numa pretensa esfera superior. Ao decifrar o caráter social que se exprime pela obra de arte e no qual se manifesta muitas vezes o do seu autor, fornece as articulações de uma mediação concreta entre a estrutura das obras e a estrutura social. Mas difunde igualmente um constrangimento afim ao do idealismo, o de um sistema de signos absolutamente subjetivo para moções pulsionais também subjetivas. Decifra fenômenos, mas não alcança o fenômeno arte. As obras de arte surgem-lhe apenas como fatos, e escapa-lhe a sua objetividade própria, a sua coerência, o seu nível formal, os seus impulsos críticos e, finalmente, a sua ideia de verdade. À pintora, que, sob o pacto da total sinceridade existente entre o analisando e o analista, escarnecia das más gravuras vienenses com que ele desfigurava as suas paredes, explicava-lhe este que tudo se reduzia à agressão da sua parte. As obras de arte são incomparavelmente muito menos reflexo e propriedade do artista do que o pensa um médico, que apenas conhece o artista no seu divã. Só os diletantes referem tudo o que se encontra na arte ao inconsciente. A pureza da sua sensibilidade repete clichês decadentes. No processo de produção artístico, as moções inconscientes são impulso e material entre muitos outros. Inserem-se na obra de arte através da mediação da lei formal; o sujeito literal, que compõe a obra, não passaria de um cavalo pintado. As obras de arte não constituem *thematic apperception tests* do seu autor. Em tal amusia é responsável também o culto que a psicanálise rende ao princípio de realidade: o que não lhe obedece é sempre "fuga" apenas, a adaptação à realidade surge como o *"summum bonun"*. A realidade oferece muitos outros motivos reais para dela se fugir e mais do que o admite a indignação a respeito da fuga, que é veiculada pela ideologia da harmonia; até mesmo psicologicamente seria mais fácil legitimar a arte do que o reconhece a psicologia. Sem dúvida, a imaginação é também fuga, mas não completamente: o que o princípio de realidade transcende para algo de superior encontra-se também sempre em baixo. É maldoso pôr ali o dedo. Destrói-se a *imago* do artista como aquele que é tolerado: neurótico incorporado na sociedade da divisão do trabalho. Nos artistas de altíssima classe, como Beethoven ou Rembrandt, aliava-se a mais aguda consciência da realidade à alienação da realidade; só por si isso já constituiria um objeto digno da psicologia da arte, que não teria de decifrar a obra de arte apenas como algo de semelhante ao artista, mas como alguma coisa de diferente, como trabalho em algo que resiste. Se a arte tem raízes psicanalíticas, são as da fantasia na fantasia da onipotência. Na arte, porém, atua também o desejo de construir um mundo melhor, libertando assim a dialética total, ao passo que a concepção da obra de arte como linguagem puramente subjetiva do inconsciente não consegue apreendê-la.

A teoria kantiana é a antítese da teoria freudiana da arte enquanto teoria da realização do desejo. O primeiro momento do juízo de gosto na Analítica do Belo seria a satisfação desinteressada.[4] O interesse é aí chamado "a satisfação", o que nós associamos com a "representação da existência de um objeto".[5] Não é evidente se pela "representação da existência de um objeto" se entende o objeto tratado numa obra de arte como sua matéria, ou a própria obra de arte; o modelo nu bonito ou a harmonia suave dos sons musicais podem ser *kitsch*, mas também um momento integral de qualidade artística. O acento posto na "representação" deriva do ponto de partida subjetivista de Kant, no sentido pregnante do termo, que busca implicitamente a qualidade estética, em consonância com a tradição racionalista, sobretudo de Moisés Mendelssohn, no efeito da obra de arte sobre o seu admirador. Revolucionário, na *Crítica do Juízo*, é o fato de que, sem abandonar o âmbito da antiga estética do efeito, ela a restringe ao mesmo tempo por uma crítica imanente, da mesma maneira que o subjetivismo kantiano tem o seu peso específico na sua intenção objetiva, na tentativa de salvar a objetividade graças à análise dos momentos subjetivos. A ausência de interesse afasta-se do efeito imediato, que a satisfação quer

---

[4] Cf. Kant, *Sämtliche Werke*, Bd. 6: Ästhetische und religionsphilosophische Schriften, hg. Von F. Gioss, Leipzig, p. 54 (*Kritik der Urteilskraft* 2).

[5] E. Kant, *id.*, p. 54.

conservar, e prepara assim a ruptura com a sua supremacia. A satisfação, desprovida deste modo do que em Kant se chama o interesse, torna-se satisfação de algo tão indefinido que já não serve para nenhuma definição do Belo. A doutrina da satisfação desinteressada é pobre perante o fenômeno estético. Redu-lo ao belo formal, sobremaneira problemático no seu isolamento, ou a objetos naturais ditos sublimes. A sublimação numa forma absoluta deixaria de lado nas obras de arte o espírito em nome do qual se opera essa sublimação. A nota excessiva de Kant,[6] segundo a qual um juízo sobre um objeto de satisfação poderia sem dúvida ser desinteressado, e no entanto, ser interessante, isto é, suscitar um interesse, mesmo se em nada se funda, atesta sincera e involuntariamente esse fato. Kant separa o sentimento estético – e assim, segundo a sua concepção, virtualmente a própria arte – da faculdade de desejar, visada pela "representação da existência de um objeto"; a satisfação numa tal representação teria "sempre ao mesmo tempo uma relação com a faculdade de desejar".[7] Kant foi o primeiro a adquirir o conhecimento, ulteriormente admitido, segundo o qual o comportamento estético está isento de desejos imediatos; arrancou a arte ao filistinismo voraz, que continua de novo a tocá-la e a saboreá-la. No entanto, motivo kantiano não é totalmente estranho à teoria psicológica da arte: também para Freud as obras de arte não são imediatamente realizações de desejos, mas transformam a libido primeiramente insatisfeita em realização socialmente produtiva, em que o valor social da arte persiste às claras incontestado no respeito acrítico da sua validade pública. Kant, porém, realçou muito mais energicamente que Freud a diferença entre a arte e a faculdade de desejar e, portanto, a diferença entre a arte e a realidade empírica, mas não a idealizou sem mais: a separação da esfera estética em relação à empiria constitui a arte. No entanto, Kant fixou transcendentalmente esta constituição, em si mesma algo de histórico, e, mediante uma lógica simplista, equiparou-a à essência artística, sem se preocupar com o fato de que as componentes da arte subjetivamente pulsionais retornam metamorfoseadas na sua forma mais pura, que as nega. A teoria freudiana da sublimação penetrou muito mais imparcialmente no caráter dinâmico do artístico.

---

[6] Cf. *Ibid.*, p. 55.

[7] Cf. *Ibid.*, p. 54.

Naturalmente, Freud não deve pagar um prêmio menor que Kant. Se neste sobressai a essência espiritual da obra de arte, apesar de toda a preferência pela intuição sensível, a partir da distinção entre o comportamento estético e o comportamento prático e o desiderativo, a adaptação freudiana da estética à doutrina da pulsão parece encerrar-se nela; as obras de arte, mesmo sublimadas, pouco diferem de representantes das emoções sensíveis que, quando muito, as tornam irreconhecíveis por uma espécie de trabalho do sonho. O confronto dos dois pensadores heterogêneos – Kant não rejeitou apenas o psicologismo filosófico, mas, na sua velhice, também toda a psicologia – é no entanto permitida graças a um elemento comum, que pesa mais do que a diferença entre a construção do sujeito transcendental, no primeiro, e o recurso a um sujeito psicológico empírico, no segundo. Ambos em princípio se orientam subjetivamente entre uma avaliação negativa ou positiva da faculdade de desejar. Para ambos, a obra de arte encontra-se apenas em relação com aquele que a contempla ou que a produz. Mesmo Kant é obrigado, por um mecanismo a que também a sua filosofia moral se sujeita, a considerar o indivíduo existente, o elemento ôntico, mais do que é compatível com a ideia do sujeito transcendental. Não há satisfação sem seres vivos, aos quais agrade o objeto; o teatro de toda a *Crítica do Juízo* são, sem que deles se trate, os constituintes e é por isso que o que fora planeado como ponte entre a razão pura teórica e prática é um ʻἄλλο γένος em relação às duas. Sem dúvida, o tabu da arte – e na medida em que é definida obedece a um tabu, as definições são tabus – proíbe que nos contraponhamos ao objeto de um modo animal, que dele nos apossemos corporalmente. Mas ao poder do tabu corresponde o do conteúdo a que ele se reporta. Não há nenhuma arte que não contenha em si, negado como momento, aquilo de que ela se desvia. Ao que é desprovido de interesse deve juntar-se a sombra do interesse mais feroz, se pretende ser mais do que simples indiferença; muitas coisas provam que a dignidade das obras de arte depende da grandeza do interesse a que são arrancadas. Kant nega isso por causa de um conceito de liberdade, que pune com a heteronomia o que nem sempre é próprio do sujeito. A sua teoria da arte é desfigurada pela insuficiência da doutrina da razão prática. A ideia de um Belo que, a respeito do Eu soberano, possuiria ou teria adquirido uma parcela de autonomia, surge, segundo o teor da sua filosofia, como dissipação nos mundos inteligíveis. Por conseguinte, em conjunto com aquilo de que ela brotou antiteticamente, a arte fica amputada de todo o conteúdo e supõe-se no seu lugar um elemento tão formal como a satisfação. Bastante paradoxalmente, a estética torna-se para Kant um hedonismo castrado, prazer sem prazer, com igual injustiça para com a experiência artística, na qual a satisfação atua casualmente e de nenhum modo é a totalidade, e para com o interesse sensual, as necessidades reprimidas e insatisfeitas, que viram na sua negação estética e fazem que as obras sejam mais do que modelos vazios. O desinteresse estético ampliou o interesse para além da sua particularidade. O interesse pela totalidade estética queria objetivamente ser o interesse por uma organização adequada da totalidade. Não visava a realização particular, mas a possibilidade sem entraves, que não existiria sem esta realização particular. Correlativamente à fraqueza da teoria kantiana, a teoria freudiana da arte é muito mais idealista do que parece. Ao transferir simplesmente as obras de arte para a imanência psíquica, despoja-as da antítese ao não-eu. Este permanece intacto às picadas das obras de arte, que se esgotam na realização psíquica do domínio da renúncia pulsional, e, no fim das contas, na adaptação. O psicologismo da interpretação estética não se dá mal com a concepção filistina da obra de arte enquanto pacifica harmoniosamente os contrários, enquanto visão de uma vida melhor, sem consideração pela mediocridade, da qual brota. À aceitação conformista da concepção corrente da obra de arte como bem cultural agradável, levada a cabo pela psicanálise, corresponde um hedonismo estético que expulsa da arte toda a negatividade para os conflitos pulsionais da sua gênese, silenciando os resultados. Se da sublimação e da integração conseguidas se fizer o Uno e o Todo da obra de arte, esta perde a força pela qual ultrapassa o existente, do qual ela se des-solidariza pelo simples fato da sua existência. Mas, logo que o comportamento da obra de arte mantém a negatividade da realidade e toma a seu respeito posição, modifica-se também o conceito de desinteresse. As obras de arte implicam em si mesmas uma relação entre o interesse e a sua recusa, contrariamente à interpretação kantiana e freudiana. Mesmo o comportamento contemplativo perante as obras de arte, extirpado dos objetos da ação, se experimenta como denúncia de uma práxis imediata e, por conseguinte, como algo também prático, como resistência a envolver-se. Apenas as obras de arte, que é possível interpretar como modos de conduta, têm a sua *raison d'être*. A arte não é unicamente o substituto de uma práxis melhor do que a até agora dominante, mas também crítica da práxis enquanto dominação da autoconservação brutal no interior do estado de coisas vigente e por amor dele. Censura as mentiras da produção por ela mesma, opta por um estado da práxis situado para além do anátema do trabalho. *Promesse de bonheur* significa mais do que o fato de que, até agora, a práxis dissimula a felicidade: a felicidade estaria acima da práxis. A força da negatividade na obra de arte mede o abismo entre a práxis e a felicidade. Sem dúvida, Kafka não desperta a faculdade de desejar. Mas, a angústia do real, que responde aos escritores em prosa como a *Metamorfose* ou a *Colônia penal*, o choque da náusea, da aversão, que sacudindo a *physis*, tem mais a ver, enquanto defesa, com o desejo do que com o antigo desinteresse que a ele e aos seus sucessores se atribuía. O desinteresse seria grosseiramente inadequado para os seus escritos. Reduziria a arte àquilo de que Hegel escarnecia, ao carrilhão agradável ou útil da *Ars poetica* de Horácio. Dele se libertou a estética da época idealista, ao mesmo tempo que a própria arte. A experiência artística só é autônoma quando se desembaraça do gosto da fruição. A via que aí conduz passa pelo desinteresse; a emancipação da arte a respeito dos produtos da cozinha ou da pornografia é irrevogável. Mas, não se fixa no desinteresse. O desinteresse reproduz de modo imanente, modificado, o interesse. No mundo falso, toda a ηδονη é falsa. Por conseguinte, o desejo sobrevive na arte.

**Vilém Flusser**

Nossa embriaguez

# Nossa embriaguez*

Vilém Flusser (1920–1991)

Não só obras de arte produzem outros modos de experimentação da realidade, mas também as drogas, há séculos, têm servido para explorar outros modos de sensibilidade. E como a arte, a droga assumiu diferentes lugares na cultura. Mas "há, na arte, um aspecto que falta nas demais drogas. A arte, depois de ter mediado entre o homem e a experiência imediata, inverte tal mediação e faz com que o imediato seja 'articulado', isto é, mediatizado em direção da cultura. A arte torna dizível o inefável e audível o inaudito. Nela o recuo da cultura vira avanço rumo à cultura. Artista é inebriado que emigra da cultura para re-invadi-la". No texto "Nossa Embriaguez" (1983), Vilém Flusser (1920–1991) discorre sobre a relação da arte com as drogas assim como a função desempenhada por ela no interior da cultura.

**Temas:** drogas, poder, crítica da cultura, percepção.

---

\* FLUSSER, V. Nossa Embriaguez. *Pós-História: Vinte Instantâneos e um modo de usar.* São Paulo: Annablume, 2011. p 153-161. A primeira publicação do livro *Pós-História* ocorreu em 1983, pela editora Duas Cidades. A edição mais recente (prefaciada por Rodrigo Duarte) foi realizada pela editora Annablume, a qual agradecemos a autorização de uso do texto.

Em lugar e tempo nenhum tem sido fácil a vida humana, porque tem sido, em toda parte e sempre, vida em cultura. Pois cultura é simultaneamente des-alienação e alienação, mediação e encobertura, emancipadora e condicionante. Tal ambivalência do ambiente cultural no qual o homem se encontra cria tensões externas, entre o homem e seu ambiente, e internas, no interior da sua consciência, dificilmente suportáveis. Por isso, procuravam os homens, em toda parte e sempre, escapar a tal tensão e embriagar-se. Inventavam *meios entorpecentes*. Tais meios são característicos da existência humana: o homem não é apenas ente que produz instrumentos, mas também ente que produz instrumentos para escapar à tensão produzida nele pelos seus instrumentos. A ambivalência característica da relação "homem-cultura" caracteriza também os entorpecentes que dela resultam. Do ponto de vista da cultura são eles "venenos", do ponto de vista de quem os usa são "salva-vidas". O termo *droga* exprime tal ambivalência: significa veneno e medicina.

As drogas, resultado que são da tensão entre o homem e sua cultura, *espelham* a cultura específica da qual visam escapar. Os opiatos do Oriente Extremo espelham a experiência religiosa de tais culturas: visam proporcionar "iluminação" negativa. O álcool espelha, de alguma forma, a nossa cultura, e o *hachich* a islâmica, e isso explicaria por que o Islã proíbe álcool e tolera *hachich*, ao contrário do que acontece conosco. Caso-limite é exemplificado pela cultura mexicana. Trata-se aparentemente de cultura que tem o entorpecente, portanto o escape de si própria, por meta. Cultura que procura negar-se a si própria pelos cogumelos. Na nossa situação atual, na qual a tensão entre nós e a nossa cultura vai se tornando insuportável, isso explicaria o fascínio exercido pela cultura mexicana.

Dada sua ambivalência, a posição *ontológica* da droga é escorregadiça. É ela meio para superar a mediação cultural, e alcançar a vivência imediata. A droga é *mediação do imediato*. O inebriado alcança, graças ao álcool, ao *hachich*, ao LSD, a experiência imediata do concreto, vedada ao sóbrio pela barreira da cultura. Alcança, graças a tais meios, a "unio mystica", pela qual se dissolve no concreto. Mergulha, graças a tais artifícios, no inefável. Devido a tal viscosidade ontológica da droga o espetáculo do inebriado é nauseabundo aos olhos do sóbrio, e seu êxtase provoca, no sóbrio, repulsa. Porque o sóbrio reconhece, no inebriado, a contorção de mediação que visa superar todas as mediações, e destarte reconhece no inebriado as contorções de toda existência humana, inclusive a sua. O espetáculo do inebriado é nauseabundo, porque todos nos reconhecemos nele.

Por certo: toda consideração da embriaguez evoca a questão da loucura e da arte. A primeira será aqui recalcada, e vibrará *sotto voce*. Quanto à segunda, será considerada um pouco mais tarde. O que urge considerar, antes de mais nada, é *posição central* que o problema da droga vai ocupando na cena da atualidade. Posição essa jamais ocupada anteriormente. Aparentemente o uso da droga é sintoma da modificação profunda pela qual estamos passando.

É sintoma em dois sentidos: enquanto problema, e enquanto discussão em torno do problema. Enquanto discussão, eis como a droga se apresenta: Todos formaram opinião a respeito, embora poucos disponham de informação suficiente para tanto. Os "bem pensantes" condenam o uso da droga, por ser ele nocivo a "saúde" (entenda-se: integração na ordem estabelecida). Os "progressistas" desprezam tal atitude reacionária, e admitem que a droga pode proporcionar vivências novas e incentivar a fantasia. Os "bem informados", os que leram publicações de divulgação paracientífica a respeito, discutem a diferença entre drogas "duras" e "moles". Os "homens políticos" procuram tirar proveito da discussão para as suas finalidades. Os "especialistas" condescendem a iluminar a massa ignara. Os institutos de publimetria publicam estatísticas periódicas sobre o consumo da droga e sobre as oscilações da opinião pública a respeito. Os media personalizam o problema de maneira sensacionalista. E, com total desprezo a tudo isso, as drogas vão sendo produzidas, distribuídas e consumidas conforme programa implícito na nossa cultura. A discussão fornece, pois, exemplo da atual *superação da política*: o programa torna redundante a "conscientização" do problema, como o faz em outros campos, haja vista o problema da energia atômica ou o ecológico.

Enquanto *problema em si*, a questão é esta: até que ponto está a embriaguez no programa atual dos aparelhos, e como está ela programada? O que é o método mais funcional: que os aparelhos nos programem em estado sóbrio, ou em estado embriagado? Os aparelhos dispõem, desde já, de drogas que superam de longe em eficiência as atualmente em uso, e as discutidas. Com efeito: embora tais drogas supereficientes sejam conhecidas de muitos, não são publicamente discutidas. Trata-se, por exemplo, de produtos químicos a serem injetados no sistema da distribuição da água, e que garantem comportamento específico da sociedade. Ou de métodos técnicos que permitem aos *mediai* de programarem os receptores subliminarmente. Ou de pílulas que acentuam ou atenuam as tendências dos superdotados, dos criminosos, dos rebeldes ou dos esportistas. Perspectivas inimagináveis para a programação da sociedade estão, desde já, abertas.

A vantagem de tal programação em estado embriagado é o funcionamento sem atritos. A vantagem de programação em estado sóbrio, por manipulações ideológicas ou outras, é o funcionamento menos mecânico e mais maleável. Na fase atual os aparelhos passam por estágio de aprendizado, graças ao qual aprendem *automaticamente* qual dos dois métodos de programação é preferível em determinados casos. A aprendizagem se dá pelo *feedback* que nosso comportamento fornece aos aparelhos. O problema da droga vai sendo *incorporado ao programa automaticamente*.

Em todo caso os aparelhos funcionam em sentido da despolitização da sociedade. Despolitizam *objetivamente*, ao conscientizarem a sociedade da futilidade de toda ação política; e despolitizam *subjetivameme*, ao entorpecerem a faculdade crítica da sociedade. Tais funções da despolitização agem como tenazes alicates que esmagam a dimensão política da existência humana. O problema da droga se situa do lado subjetivo da função dos aparelhos. Trata-se de mais um método para entorpecer a consciência política.

Os aparelhos despolitizam ao ocuparem o espaço público todo. Privatizam a república, ao deformarem toda ação em funcionamento. As drogas, no entanto, despolitizam de forma diferente. As pessoas drogadas se recusam a participar do espaço público e retiram-se para o espaço privado. Tomar droga é gesto que afasta de si a república, que a rejeita. Não gesto a-político, como o é o do funcionamento, é gesto *antipolítico*. O drogado não apenas não participa das eleições, vota contra. O gesto do drogado não é gesto de jogador que não mais brinca: é gesto de jogador que perfura o jogo. Por isso, a droga é problema para os a parelhos. Os drogados *emigram* da praça pública, não para funcionarem nos aparelhos, mas para se retirarem. O problema é como recuperá-los pelos aparelhos.

Há mais grave ainda. O gesto do drogado, embora negador da república, é publicamente observável. É gesto de *protesto*. Nisso se assemelha ao gesto suicida: aponta publicamente o "além", não apenas o "além" da república, mas igualmente o "além" dos aparelhos. É *escândalo* público: demonstra a possibilidade de os aparelhos serem transcendidos. Urge portanto, do ponto de vista aparelhístico, que a droga seja programada, e transformada em função dos aparelhos. Como se trata de problema técnico, os aparelhos são aptos a resolvê-lo.

O problema se torna mais complexo, no entanto, quando se trata da droga específica chamada "arte". Não há dúvida de que se trata de droga. De meio para proporcionar experiência imediata. De instrumento para escapar à ambivalência insuportável da mediação cultural, e de emigrar para um "reino melhor", conforme diz Schubert no Lied "An die Musik" que canta a arte. A viscosidade ontológica que caracteriza toda droga, caracteriza a arte. Isso se torna patente se considerarmos os termos "artificial-artístico" e "artimanha-obra de arte". Mas há, na arte, aspecto que falta nas demais drogas. A arte, depois de ter mediado entre o homem e a experiência imediata, inverte tal mediação, e faz com que o imediato seja "articulado", isto é: mediatizado em direção da cultura. A arte torna dizível o inefável, e audível o inaudito. Nela o recuo da cultura vira avanço rumo à cultura. Artista é inebriado que emigra da cultura para re-invadi-Ia. Recuperar tal gesto não é tarefa fácil para os aparelhos. Porque tal gesto é indispensável aos aparelhos.

**VILÉM FLUSSER** NOSSA EMBRIAGUEZ

Trata-se nele de movimento que se dirige para o "além" do espaço público rumo ao privado, e que agarra um pedaço do espaço privado, uma "experiência imediata", para lançá-lo sobre o espaço público em forma codificada. Tal gesto é *interpretável* de várias maneiras. Como gesto que apanha "ruído" e o transforma em "informação" (interpretação aparelhística esta). Ou como gesto que transforma "experiência" em "modelo": Ou como gesto de sonhador que transforma "fantasma" em "símbolo". Mas, não importa como queiramos interpretar o gesto, trata-se sempre de gesto graças ao qual a cultura entra em contato com a experiência imediata. A arte é o órgão sensorial da cultura, por intermédio do qual ela sorve o concreto imediato. A viscosidade ambivalente da arte está na raiz da viscosidade ambivalente da cultura toda.

Pois tal análise ontológica (apressada), da arte não justifica, por certo, deificação nenhuma do "artista". Não se trata de "criação e*x nihilo*". A arte não é gesto que mergulha no nada para de lá voltar carregado de algo. Mergulha no privado, e publica o privado. E o próprio privado é um "algo", a saber: o público recalcado. Não obstante: a arte é espécie de magia. Ao publicar o privado, ao "tornar consciente o inconsciente", é ela mediação do imediato, feito de magia. Pois tal viscosidade ontológica não é vivenciada, pelo observador do gesto, como espetáculo repugnante, como o é nas demais drogas, mas como "beleza". E: a cultura não pode dispensar de tal magia: porque sem tal fonte de informação nova, embora ontologicamente suspeita, a cultura cairia em entropia.

Os aparelhos não podem, na situação atual, simplesmente recuperar o gesto da arte, e transformá-lo em funcionamento. Se entorpecerem tal gesto, cairiam em redundância por falta de informação nova. Se recuperas sem a arte, os aparelhos se condenariam a si próprios: funcionariam em ponto morto. E os aparelhos estão atualmente aprendendo tal fato, e o fazem automaticamente. Na medida em que de fato recuperam o gesto artístico, estão eles *caindo em entropia*. Acresce-se que o gesto artístico não se limita ao terreno rotulado como "arte" pelos aparelhos. Pelo contrário: tal gesto mágico ocorre em todos os terrenos: na ciência, na técnica, na economia, na filosofia. Em todos tais terrenos há os inebriados pela "arte", isto é: os que publicam experiência privada e criam informação nova. Não bastaria, do ponto de vista aparelhístico, simplesmente recuperar a "arte" assim rotulada se quisessem reprogramar tal gesto. Deveriam fazê-lo em todos os terrenos do funcionamento. O que implicaria em esvaziamento de todo funcionamento. Por outro lado os aparelhos não podem tolerar que o gesto mágico continue se processando como se processa. O gesto problematiza os aparelhos.

A razão disso é que o gesto *re-politiza*. Embora sua primeira fase seja antipolítica, a sua segunda é eminentemente política. Com efeito: a rigor trata-se do único gesto político eficiente. Publicar o privado é o único engajamento na república que efetivamente implica transformação da república, porque é o único que a informa. Na medida em que, pois, os aparelhos permitem tal gesto, põem eles em perigo sua função des-politizadora.

Não se vê, atualmente, como os aparelhos vão resolver o problema. Se optarão pela sua própria redundância, ou pela possibilidade sempre presente de serem eles próprios recuperados pela abertura do homem rumo ao imediatamente concreto. E nessa indecisão da situação atual reside a tênue esperança de podermos, em futuro imprevisível, e por catástrofe imprevisível, retomar em mãos os aparelhos.

# Gilles Deleuze

## O que é o ato de criação?

# O que é o ato de criação?*

Gilles Deleuze (1925–1995)

Tradução
*João Gabriel Alves Domingos*

A ciência e a filosofia não são menos criativas do que a arte, porém certamente as suas criações não são análogas. Além disso, elas podem se comunicar entre si apenas a partir do seu próprio ato criativo. Ou seja, não cabe à filosofia tirar o seu objeto do exterior e, ao modo de um julgamento, pensar *sobre* a arte (afinal, se artistas já pensam por si, por que precisariam de um filósofo?). A filosofia só teria algo a dizer à arte mediante seus próprios conceitos, produzidos de forma autônoma. Trata-se não somente de problematizar a relação vertical entre os diferentes domínios do pensamento, assim como entre quaisquer procedimentos criativos. Como conceitos filosóficos encontram blocos de sensação? E como o cinema encontra a literatura? Como é possível o encontro entre Kurosawa e Dostoiévski? Até então inédito em português em sua versão integral, o presente texto é uma transcrição da apresentação oral feita por Gilles Deleuze (1925–1995) em 1987, poucos anos antes da publicação de seu livro *O que é a Filosofia?*, escrito em colaboração com Félix Guattari. A preocupação no livro e na conferência era marcar a especificidade de cada domínio do pensamento (filosofia, ciência e arte) e as suas possibilidades de encontro.

**Temas:** transdisciplinaridade, política, cinema.

---

\* Domingos. DELEUZE, G. "Qu'est-ce que l'acte de création?". *Deux* Régimes de *Fous: Textes et Entretiens (1975-1995)*. Org. David Lapoujade. Paris: Éditions de Minuit, 2003. p. 291-302. ["Qu'est-ce que l'acte de création?" in *Deux régimes de fou*, 2003 © Les Editions de Minuit].

# O que é o ato de criação?[1]

Gostaria também de colocar questões. Colocá-las a vocês e colocá-las a mim. Seria do gênero: o que vocês fazem exatamente, vocês que fazem cinema? E eu: o que faço exatamente quando faço ou espero fazer filosofia?

Poderia colocar a questão de outro modo: o que é ter uma ideia em cinema? Se fazemos ou queremos fazer cinema, o que significa ter uma ideia? O que ocorre quando dizemos: "Pronto! Eu tenho uma ideia"? Porque, por um lado, todo mundo sabe bem que ter uma ideia é um acontecimento que ocorre raramente, é uma espécie de festa, pouco comum. E, por outro lado, ter uma ideia não é uma coisa geral. Não se tem uma ideia em geral. Uma ideia, assim como quem tem a ideia, já é voltada para um domínio específico. Ou uma ideia em pintura, ou uma ideia em romance, ou uma ideia em filosofia, ou uma ideia em ciência. E, evidentemente, não é o mesmo que pode ter tudo isso. É necessário tratar as ideias como potenciais, já engajados em um

---

[1] O presente texto é a retranscrição da conferência filmada, pronunciada na FEMIS em 17 de março de 1987, sob o convite de Jean Narboni e exibida em FR3/ Océaniques em 18 de maio de 1989. Charles Tesson, em acordo com Deleuze, efetuou a transcrição parcial do texto, publicado sob o título "Ter uma ideia em cinema", na ocasião de homenagem ao cinema de Jean-Marie Straub e Danièle Huillet (Jean-Marie Straub, Danièle Huillet, Aigremont, Éditions Antigone, 1989. p. 63-77). A versão integral da conferência foi publicada pela primeira vez em *Trafic*, n.27, outono de 1998.

modo de expressão peculiar e inseparável desse modo de expressão, ainda que não possa dizer: eu tenho uma ideia em geral. Em função das técnicas que conheço, posso ter uma ideia em tal domínio, uma ideia em cinema, ou talvez em outro, uma ideia em filosofia.

Portanto, eu parto do princípio segundo o qual faço filosofia e vocês fazem cinema. Dito isso, seria muito fácil dizer que a filosofia estando pronta para refletir sobre qualquer coisa, por que não refletiria sobre o cinema? É estúpido. A filosofia não é feita para refletir sobre qualquer coisa. Tratando a filosofia como uma potência de "refletir sobre", tem-se o ar de lhe dar muito quando, na verdade, tira-lhe tudo. Pois ninguém tem necessidade da filosofia para refletir. As únicas pessoas capazes de refletir efetivamente sobre o cinema são os cineastas, os críticos de cinema ou aqueles que amam cinema. Eles não têm absolutamente necessidade da filosofia para refletir sobre o cinema. A ideia segundo a qual os matemáticos teriam necessidade da filosofia para refletir sobre as matemáticas é uma ideia cômica. Se a filosofia deveria servir para refletir sobre algo, ela não teria nenhuma razão de existir. Se a filosofia existe, é porque ela tem seu próprio conteúdo.

É muito simples: a filosofia é uma disciplina criativa, tão inventiva quanto qualquer outra disciplina e consiste em criar ou em inventar conceitos. E os conceitos não existem em uma espécie de céu onde eles aguardariam que um filósofo os apreendesse. Os conceitos, é necessário fabricá-los. É claro, isso não se fabrica assim. Não se diz um dia: "Pronto, eu vou inventar tal conceito", do mesmo modo como um pintor não diz um dia: "Certo, vou fazer um quadro assim"; ou um cineasta, "Eu vou fazer um filme de tal modo!". É necessário que haja uma necessidade, tanto em filosofia quanto em outros domínios, do contrário, não há absolutamente nada. Resta que essa necessidade – que, quando existe, é uma coisa muito complexa – faz com que um filósofo (aqui, eu sei ao menos do que ele se ocupa) se comprometa a inventar, a criar conceitos e não se ocupar em refletir, mesmo se for sobre o cinema.

Digo que faço filosofia, ou seja, tento inventar conceitos. Se digo, vocês que fazem cinema, o que vocês fazem? Vocês, o que vocês inventam não são conceitos (não é o seu negócio), mas blocos de movimento-duração. Se alguém fabrica um bloco de movimento-duração, talvez faça cinema. Não se trata de invocar uma história ou de a recusar.

**GILLES DELEUZE** O QUE É O ATO DE CRIAÇÃO?                              389

Tudo tem uma história. A filosofia também conta histórias. Ela conta histórias com conceitos. O cinema conta histórias com blocos de movimento-duração. A pintura inventa um outro tipo de blocos. Não são nem blocos de conceitos, nem blocos de movimento-duração, mas blocos de linhas-cores. A música inventa outro tipo particular de blocos. Ao lado de todas elas, a ciência não é menos criativa. Não vejo uma oposição entre as ciências e as artes.

Se pergunto a um cientista o que ele faz, ele também inventa. Ele não descobre – a descoberta existe, mas não é o que define a atividade científica enquanto tal, ao contrário, ele cria tanto quanto um artista. Um cientista, não é complicado, é alguém que inventa ou que cria funções. E não há outro como ele. Um cientista enquanto tal não tem nada a fazer com conceitos. Por isso mesmo, felizmente, é que há a filosofia. Em contrapartida, há algo que só um cientista sabe fazer: inventar e criar funções. O que é uma função? Há função desde que se estabeleça uma lei de correspondência entre dois conjuntos pelo menos. A noção de base da ciência – e não desde ontem, mas desde muitíssimo tempo – é a de conjuntos. Um conjunto não tem nada a ver com um conceito. Desde que vocês coloquem conjuntos sob correlação ordenada, vocês obtêm funções e podem dizer: "eu faço ciência".

Se qualquer um pode falar a qualquer um, se um cineasta pode falar para um homem de ciência, se um homem de ciência pode ter algo a dizer para um filósofo e vice-versa, é em função da atividade criativa própria a cada um. Não que seja possível falar da criação (pois ela é muito mais algo extremamente solitário), mas é em nome de minha criação que tenho algo a dizer para alguém. Se alinho todas as disciplinas que se definem por sua atividade criativa, diria que há um limite que lhes é comum. O limite que é comum a todas essas séries de invenções (invenções de funções, invenções de blocos duração-movimento, invenções de conceitos, etc.) é o espaço-tempo. Se todas as disciplinas comunicam em conjunto, é no nível de algo que não decorre jamais por si mesma, mas é *inerente* em toda disciplina criativa, a saber, a constituição de espaços-tempo.

Em Bresson – sabe-se muito bem –, há raramente espaços inteiros. São espaços, diríamos, desconectados. Por exemplo, há um canto, o canto de um quarto. Depois veremos outro canto ou um local da parede. Tudo se passa como se o espaço bressoniano se apresentasse como uma série de pequenos pedaços cuja conexão não é predeterminada. Há grandes cineastas que, ao contrário, empregam espaços de conjunto. Não digo que seja mais fácil manejar um espaço de conjunto. Mas Bresson foi um dos primeiros a fazer o espaço com pequenos pedaços desconectados, ou seja, pequenos pedaços cuja conexão não é predeterminada. E eu diria: no limite de todas as tentativas de criação, há espaços-tempo. Há isso apenas. Os blocos de duração-movimentos de Bresson vão tender ao tipo de espaço, entre outros.

Então, a questão é: esses pequenos pedaços de espaços visuais, cuja conexão não é dada de antemão, pelo que são conectados? Pela mão. Não é teoria, nem filosofia. Não se deduz assim. Ou seja, o tipo de espaços de Bresson é a valorização cinematográfica da mão na imagem. O acordo de pequenos pedaços de espaço bressoniano – pelo fato mesmo de serem pedaços, fragmentos desconectados de espaço – pode ser apenas um acordo manual. Por isso, a exaustão da mão em todo o cinema de Bresson. Por isso, o bloco de extensão-movimento de Bresson recebe, portanto, como caráter próprio a esse criador, a esse espaço, o papel da mão que sai diretamente de lá. Não há mais que a mão que possa efetivamente operar conexões de uma parte à outra do espaço. E Bresson é, sem dúvida, o maior cineasta a ter reintroduzido no cinema os valores táteis. Não apenas porque ele sabia tomar em imagem, admiravelmente, as mãos. Se ele sabia tomar admiravelmente as mãos na imagem, é porque tinha necessidade delas. Um criador não é um ser que trabalha por prazer. Um criador faz apenas o que ele tem absoluta necessidade de fazer.

Novamente, ter uma ideia em cinema não é a mesma coisa que ter uma ideia alhures. Entretanto, há ideias em cinema que poderiam valer também em outras disciplinas, que poderiam ser excelentes ideias em romance. Mas elas não teriam inteiramente o mesmo aspecto. E, depois, há ideias em cinema que só podem ser cinematográficas. Isso não impede, ainda quando se trata de ideias em cinema que poderiam valer no romance, que elas já estejam engajadas em um processo cine-matográfico que faz com que elas estejam de antemão direcionadas. É uma maneira de colocar uma questão que me interessa: o que faz um cineasta desejar verdadeiramente adaptar, por exemplo, um romance? Parece-me evidente que é porque ele tem ideias em cinema que resso-am com o que o romance apresenta como ideias em romance. E aí se

**GILLES DELEUZE** O QUE É O ATO DE CRIAÇÃO?

391

fazem frequentemente grandes encontros. Eu não coloco o problema do cineasta que adapta um romance notoriamente medíocre. Ele pode ter necessidade do romance medíocre, e isso não impede que o filme seja genial; seria um problema interessante de tratar. Porém, coloco uma questão um pouco diferente: o que se passa quando o romance é um grande romance e que se revela essa afinidade pela qual alguém tem *em cinema* uma ideia que corresponde ao que era ideia *em romance*?

Um dos mais belos casos é o caso Kurosawa. Por que Kurosawa se encontra em familiaridade com Shakespeare e com Dostoiéviski? Por que é necessário um japonês para estar em familiaridade com um Shakespeare ou Dostoiéviski? Proponho uma resposta que diz respeito também um pouco à filosofia, eu creio. De onde os personagens de Dostoiévski, isso pode ser um pequeno detalhe. Com os personagens de Dostoiévski se passa frequentemente uma coisa bastante curiosa, que pode estar contida em um pequeno detalhe. Geralmente eles são muito agitados. Um personagem sai, desce a rua e diz "Tânia, a mulher que amo, pediu-me ajuda. Eu vou, Tânia vai morrer se eu não for até lá". Ele desce sua escada e encontra um amigo ou ele vê um cachorro esmagado, quase morrendo, então ele esquece, esquece completamente que Tânia o espera. Ele se põe a falar, cruza outro camarada, vai tomar um chá com ele e, de súbito, ele diz de novo: "Tânia me espera, preciso ir". O que isso quer dizer? Em Dostoiévski, os personagens são perpetuamente pegos em urgência. Mas ao mesmo tempo que são pegos nessas urgências que são questões de vida e de morte, eles sabem que há uma questão ainda mais urgente — e eles não sabem qual. Isso os paralisa. Tudo se passa como na pior urgência — "há o fogo, é necessário que eu vá" — eles se dizem: "não, há algo mais urgente. Não me moverei enquanto não souber o quê". É o Idiota. É a fórmula do Idiota: "Vocês sabem, há um problema mais profundo. Qual problema, eu não vejo bem. Mas me deixe. Tudo pode queimar... É necessário encontrar o problema mais profundo". Não é por Dostoiévski que Kurosawa o aprende. Todos os personagens de Kurosawa são assim. Um encontro: um belo encontro! Se Kurosawa pode adaptar Dostoiévski, é ao menos porque ele pode dizer: "eu tenho algo em comum com ele, um problema em comum, aquele problema". Os personagens de Kurosawa são pegos em situações impossíveis, mas, atenção, há algo mais urgente. É preciso que eles saibam qual é o problema. *Viver* é talvez um dos filmes de Kurosawa que vai mais longe nesse sentido. Mas todos os seus filmes vão nessa direção. *Os sete samurais*, por exemplo: todo o espaço de Kurosawa depende dele, forçosamente um espaço oval, coberto pela chuva. Em *Os sete samurais*, os personagens são pegos em uma situação de urgência – eles aceitaram defender a vila – e, de um extremo ao outro do filme, eles trabalham uma questão mais profunda, que será dita no fim, pelo chefe dos samurais, quando eles se vão: "O que um samurai? O que é um samurai, não em geral, mas o que é um samurai naquela época?". Alguém que já não é bom para nada. Os senhores não tem mais necessidade deles e os camponeses vão em breve defender-se sozinhos. Durante todo o filme, a despeito da urgência da situação, os samurais são assombrados por esta questão, digna de *O Idiota*: nós, os samurais, o que nós somos?

Uma ideia em cinema é desse tipo, uma vez que ela já está engajada em um processo cinematográfico. Portanto, vocês me dirão: "Eu tenho uma ideia", mesmo se vocês a tomassem de Dostoiévski.

Uma ideia, é muito simples. Não é um conceito, não é da filosofia. Ainda que de toda ideia, pode-se talvez tirar um conceito. Penso em Minnelli, que tem uma ideia extraordinária sobre o sonho. Ela é muito simples, pode-se dizer, e ela está engajada em todo um processo cinematográfico que é a obra de Minnelli. A grande ideia de Minnelli sobre o sonho é que ele diz respeito sobretudo àqueles que não sonham. O sonho daqueles que sonham concerne àqueles que não sonham. Por que isso os concerne? Porque, desde que há sonho do outro, há perigo. O sonho é uma terrível vontade de potência. Cada um de nós é mais ou menos vítima do sonho dos outros. Mesmo quando é a mais graciosa jovem, é uma terrível devoradora, não pela sua alma, mas pelos seus sonhos. Desconfiem do sonho do outro, porque se vocês são pegos no sonho do outro, vocês estão perdidos.

Uma ideia cinematográfica é a famosa dissociação ver/falar em um cinema relativamente recente, seja – tomo os casos mais comuns – Syberberg, os Straub, ou Marguerite Duras. O que há de comum e como a dissociação entre ver e falar é uma ideia propriamente cinematográfica? Por que isso não pode se fazer no teatro? Isso pode se fazer, mas aplicado aí, salvo exceção, a menos que o teatro tenha os meios de o fazer, poderá dizer que o teatro tomou a ideia do cinema. O que não é necessariamente ruim, mas é uma ideia de tal modo cinematográfica assumir a disjunção do ver e do falar, do visual e sonoro, que isso responderia à questão de saber o que é, por exemplo, uma ideia em cinema.

Uma voz fala de algo. Falam-nos de algo. Ao mesmo tempo, fazem-nos ver outra coisa. E, enfim, isso sobre o que nos falam se passa *sob* o que nos fazem ver. É muito importante isso, esse terceiro ponto. Vocês percebem bem como é nesse instante que o teatro não poderia sobreviver. O teatro poderia assumir as duas primeiras proposições: falam-nos de algo e fazem-nos ver outra coisa. Mas do que nos falam simultaneamente se coloca *sob* o que nos fazem ver – e é necessário ao menos as duas primeiras operações, do contrário, elas não teriam nenhum sentido, nem o menor interesse – poder-se-ia dizer de um outro modo: a palavra eleva-se no ar, a palavra eleva-se no ar, ao mesmo tempo, a terra que a gente vê se afunda mais e mais. Ou ainda: enquanto a palavra se eleva no ar, isso sobre o que ela nos fala afunda na terra.

O que é isso? Não é apenas o cinema que pode fazê-lo? Não digo que ele deva fazer, mas que ele o fez duas ou três vezes, posso dizer simplesmente que são grandes cineastas que tiveram essa ideia. Eis uma ideia cinematográfica. É prodigiosa, porque garante, no cinema, uma verdadeira transformação de elementos, um ciclo dos grandes elementos que faz com que, de um só golpe, o cinema ecoe uma física qualitativa dos elementos. Produz-se uma espécie de transformação, uma grande circulação dos elementos no cinema a partir do ar, da terra, da água e do fogo. Em tudo o que digo, ademais, não se suprime uma história. A história está sempre lá, mas o que nos interessa é: por que a história é de tal modo interessante senão porque há tudo isso atrás e junto? Nesse ciclo que acabo de definir tão rapidamente – a voz que se eleva ao mesmo tempo que aquilo sobre o que a voz fala se afunda na terra – vocês reconheceram a maior parte dos filmes de Straub, o grande ciclo dos elementos nos Straub. O que a gente vê é unicamente a terra deserta, mas essa terra deserta é como uma cobertura sobre o que há embaixo. E vocês me dirão: "mas o que há embaixo dela, o que nós sabemos?". É justamente aquilo sobre o que a voz nos fala. Como se a terra se molhasse do que a voz nos diz, e que acaba de surgir sob a terra, em sua hora e em seu lugar. E se a terra e se a voz nos fala de cadáveres, de toda a linhagem de cadáveres que acaba de surgir sob a terra, nesse momento, a menor passagem do vento sobre a terra deserta, sobre o espaço vazio que vocês têm na frente dos olhos, o menor buraco nessa terra, pode assumir um sentido.

Em todo caso, ter uma ideia não é da ordem da comunicação. Nesse ponto é que gostaria de chegar. Tudo sobre o que temos falado é irredutível à qualquer comunicação. Não é complexo. O que isso quer dizer? Em um primeiro sentido, poder-se-ia dizer que a comunicação é a transmissão e a propagação de um informação. Ora, uma informação, o que é? Não é complicado, todo mundo sabe: uma informação é um conjunto de palavras de ordem. Quando alguém lhes informa, alguém lhes diz o que vocês supostamente devem crer. Em outros termos: informar é fazer circular uma palavra de ordem. As declarações da polícia são ditas, com justo título, comunicados. Alguém nos comunica uma informação, ou seja, alguém nos diz o que nós supostamente estamos em estado ou dever de crer, o que nós temos de crer. Ou mesmo não crer, mas fazer como se acreditássemos. Ninguém nos obriga a crer, mas sim a nos comportar como se acreditássemos. É isso a informação, a comunicação e, sem essas palavras de ordem e sua transmissão, não há comunicação. O que importa: a informação é exatamente o sistema de controle. É evidente e nos diz respeito, atualmente em particular.

É verdade que entramos em uma sociedade que se pode chamar uma sociedade de controle. Um pensador como Michel Foucault analisava dois tipos de sociedades bastante próximas de nós. As que ele chamava de sociedades de soberania e outras que chamava de sociedades disciplinares. Foucault identificava a passagem típica de uma sociedade de soberania para uma sociedade disciplinar com Napoleão. A sociedade disciplinar se definia – as suas análises são justamente célebres – pela constituição de meios de enclausuramento: prisões, escolas, ateliês, hospitais. As sociedades disciplinares tinham necessidade disso. Mas isso engendrou um pouco ambiguidades com certos leitores de Foucault, porque se acreditou que era o último pensamento de Foucault. Evidentemente não. Foucault jamais acreditou – e ele disse muito claramente – que essas sociedades disciplinares fossem eternas. Bem mais, ele pensava evidentemente que entraríamos em um tipo de sociedade nova. Claro, há todos os tipos de restos das sociedades disciplinares, e haverá por vários anos, mas sabemos já que estamos em sociedades de outro tipo, que precisaríamos chamar, segundo a palavra proposta por Burroughs – e Foucault teve uma vivíssima admiração por ele –, de "controle". Entramos nas sociedades de controle que se definem muito diferentemente das sociedade disciplinares. Aqueles que trabalham para o nosso bem não têm necessidade (ou não terão) mais necessidade de um meio de enclausuramento. Atualmente, as prisões, as escolas, os hospitais já são lugares em discussões permanentes. Não é melhor cuidar nos domicílios? Sim, é sem dúvida o futuro. Os ateliês, as usinas, estão se arruinando por todos os lados. Não é melhor os regimes de contrato e, mesmo, de trabalho em domicílio? Não há outros meios de punir as pessoas além da prisão? As sociedades de controle não passaram pelos meios de enclausuramento. Mesmo a escola. Mesmo a escola, é necessário bem vigiar os temas que nascem, que se desenvolverão nos próximos quarenta ou cinquenta anos e que nos mostram que o incrível seria fazer simultaneamente escola e profissão. Interessante saber qual será a identidade da escola e da profissão na formação permanente, que é nosso futuro, não implicará necessariamente o agrupamento dos estudantes em um meio de enclausuramento. Um controle não é uma disciplina. Com uma rodovia, vocês não enclausuram as pessoas, mas, fazendo rodovias, vocês multiplicam os meios de controle. Eu não digo que isso seja a finalidade única da rodovia, mas as pessoas podem girar ao infinito e "livremente" sem ser enclausuradas de nenhum modo, tudo perfeitamente controlado. É esse o nosso futuro.

Coloquemos assim: a informação é o sistema de controle das palavras de ordem, palavras de ordem que circulam em uma sociedade dada. O que a obra de arte pode ter a ver com isso? Não falamos da obra de arte, falamos ao menos que há a contrainformação. Há países nos quais, em condições particularmente duras e cruéis, há contrainformação. No tempo de Hitler, os judeus que chegavam da Alemanha eram os primeiros a nos contar que havia campos de exterminação fazendo contrainformação. O que é necessário constatar é que jamais a contrainformação bastava para fazer o que quer que fosse. Nenhuma contrainformação jamais incomodou Hitler. Salvo em um caso. Qual é o caso? Aí está o importante. A única resposta seria: a contrainformação se torna efetivamente eficaz quando ela é (e ela é assim por natureza) ou torna-se um ato de resistência. E o ato de resistência não é informação nem contrainformação. A contrainformação só é efetiva quando ela se torna um ato de resistência.

Qual é a relação da obra de arte com a comunicação? Nenhuma. Nenhuma, a obra de arte não é um instrumento de comunicação. A obra de arte não tem nada a ver com a comunicação. A obra de arte não contém estritamente a menor informação. Em contrapartida, há uma afinidade fundamental entre a obra de arte e o ato de resistência. Visto desse modo, sim: ela tem algo a fazer com a informação e a comunicação à título de resistência. Qual é a relação misteriosa entre uma obra de arte e um ato de resistência já que os homens que resistem não têm tempo e, por vezes, nem mesmo a cultura necessária para ter qualquer relação com a arte? Não sei. Malraux desenvolve um conceito filosófico, diz uma coisa muito simples sobre a arte: ela é a única coisa que resiste à morte. Voltemos ao começo: o que se faz quando se faz filosofia? Inventa-se conceitos. Acho que é a base de um belo conceito filosófico. Reflita... O que resiste à morte? Basta ver uma estátua de três mil anos antes de nossa era para achar que a resposta de Malraux é uma boa resposta. Então, sob nosso ponto de vista, poder-se-ia dizer: a arte é o que resiste, ainda que não seja a única coisa que resiste. Por isso, a relação tão estreita entre o ato de resistência e a obra de arte. Nem todo ato de resistência é uma obra de arte, ainda que, de certo modo, ele seja. Nem toda obra de arte é um ato de resistência e, entretanto, de certo modo, ela é.

Peguem o caso, por exemplo, dos Straub quando eles operam essa disjunção voz sonora e imagem visual. Eles a elaboram da seguinte maneira: a voz se eleva, ela se eleva, se eleva e isso sobre o qual ela nos fala passa sob a terra nua, deserta, como se a imagem visual estivesse prestes a se mostrar, imagem visual que não tinha nenhuma relação direta com a imagem sonora. Ora, qual ato de fala que se eleva no ar enquanto o seu objeto passa sob a terra? Resistência. Ato de resistência. E, em toda a obra de Straub, o ato de fala é um ato de resistência. De *Moïse* ao último Kafka passando pelo, não cito na ordem, *Não reconciliados* ou Bach. O ato de fala de Bach é sua música, que é o ato de resistência, luta ativa contra a repartição do profano e do sagrado. E esse ato de resistência na música culmina em um grito. Tal qual há um grito em *Wozzeck*, há um grito em Bach: "Fora! Fora! Vá embora, eu não quero vê-lo". Quando os Straub desenvolvem o grito, o grito de Bach, ou quando eles desenvolvem o grito da velha esquizofrênica de *Não reconciliados*, tudo isso deve levar em conta um duplo aspecto. O ato de resistência tem duas faces. É humano e é também o ato da arte. Apenas o ato de resistência resiste à morte, seja sob a forma de uma obra de arte, seja sob a forma de uma luta dos homens.

Qual relação há entre a luta dos homens e a obra de arte? A relação mais estreita e, para mim, a mais misteriosa. Exatamente o que Paul Klee queria dizer quando ele dizia "Vocês sabem, o povo que falta". O povo que falta e, simultaneamente, que não falta. O povo que falta, isso quer dizer que essa afinidade fundamental entre a obra de arte e um povo que não existe ainda não é e não será jamais clara. Não há obra de arte que não faça apelo a um povo que não existe ainda.

Este livro foi composto com tipografia Bembo e impresso
em papel Off-White 80 g/m² na Formato Artes Gráficas.